साथ जुड़ें साथ पढ़ें

दिद्दी

शिवानी की कहानी

इरा पाण्डे

दिद्दी

शिवानी की कहानी

राजकमल पेपरबैक्स

पहली बार 2008 में पेंगुइन-यात्रा बुक्स से
'दिद्दी : हमारी माँ शिवानी' नाम से प्रकाशित

राजकमल पेपरबैक्स में
पहला संस्करण : 2025

राजकमल पेपरबैक्स : उत्कृष्ट साहित्य के जनसुलभ संस्करण

राजकमल प्रकाशन प्रा.लि.
1-बी, नेताजी सुभाष मार्ग, दरियागंज
नई दिल्ली–110 002
द्वारा प्रकाशित

शाखाएँ : अशोक राजपथ, साइंस कॉलेज के सामने, पटना-800 006
पहली मंज़िल, दरबारी बिल्डिंग, महात्मा गांधी मार्ग, प्रयागराज-211 001
1, अनमोल सोराबजी सन्तुक लेन, धोबी तलाव, मरीन लाइंस, मुम्बई-400 002
वेबसाइट : www.rajkamalprakashan.com
ई-मेल : info@rajkamalprakashan.com

यश प्रिंटोग्राफ़िक्स
नोएडा-201 301 (उत्तर प्रदेश)
द्वारा मुद्रित

मूल्य : ₹350

DIDDI : Shivani Ki Kahani
Memoirs by Ira Pande

ISBN : 978-93-6086-758-4

जिया को
समर्पित

क्रम

दिद्दी : हमारी माँ शिवानी

हम अपनी माँ को दिद्दी कहकर पुकारते थे। शायद यही कारण था कि वो हमेशा हमारे लिए माँ कम, एक बड़ी बहन ज़्यादा रही : एक ऐसी बहन जो हमसे पिछली पीढ़ी में पैदा हुई थी और हमसे ज़रा फ़र्क़ थी। लेकिन उसके चले जाने के बाद मुझे ऐसा लगा जैसे वो मेरे अन्दर घुस के बैठ गई है क्योंकि मुझे उसकी आवाज़ अपने अन्दर निरन्तर सुनाई देती थी। इतना बोलते तो मैंने उसे तब भी न सुना था जब वह मेरे पास रहती थी। मुझे तब आभास हुआ कि यद्यपि दिद्दी ने हमेशा अपने-आपको तटस्थ रखना पसन्द किया, हम उससे इतने जुड़े थे कि उसके चले जाने पर मुझे लगा जैसे मेरे शरीर का एक अंग ही कट गया है। कहते हैं न कि अक्सर हाथ या पैर कट जाने के कई दिनों तक लगता है जैसे कि उनमें कोई हरकत हो रही है?

ये जानते हुए भी कि दिद्दी अपने समय की सबसे लोकप्रिय लेखिका थी, हम बच्चे उसको लेखिका के रूप में कम ही देखते थे। सच पूछिए तो इससे हमें हल्की खिसियाहट महसूस होती थी। और चूँकि अपने मुँह से दिद्दी अपने लेखन या पठन-पाठन की बातें कभी करती ही नहीं थी, हमारे घर में उसका दर्जा एक महत्त्वपूर्ण लेखिका का कभी नहीं रहा। न जाने उसे इस बात से कितनी चोट पहुँची होगी कि छुटपन में जो बच्चे उसकी कहानियाँ

सुनने को मचलते रहते थे, अब उसकी रोमांटिक शैली की तारीफ़ करने से कतराते थे। इसलिए वो अपने पुरस्कार, या पाठकों की फ़ैन मेल को हमें कभी दिखाती तक न थी। हमारे परिवार में अपना ढिंढोरा पीट के अपनी तारीफ़ करने का शौक़ किसी को न था, बल्कि अपनी खिल्ली उड़वाना हम लोगों का प्रिय खेल था, इसलिए दिद्दी को किस संस्था ने कौन-सा पुरस्कार दिया, किस विश्वविद्यालय ने उसे कौन सी उपाधि दी, न हमने कभी उससे ये पूछा न उसने हमें ये बताया।

इसी ग्लानि से पीड़ित होकर दिद्दी के चले जाने के बाद मैंने प्रण किया कि मैं उसकी सब किताबें पढ़ूँगी। मुझे ये कहते हुए शर्म आती है कि इनमें कई किताबें ऐसी थीं जिन्हें मैंने कभी खोलकर देखा भी न था। लेकिन उन्हें पढ़ लेने के बाद, मुझे आभास हुआ कि जिन पचास सालों में उसने अपनी सबसे लोकप्रिय कहानियाँ व उपन्यास लिखे, उन्हीं पचास सालों में उसने सैकड़ों लेख, निबन्ध, सफ़रनामे और स्तम्भ भी लिखे थे, जिनमें उसने अपने जीवन की कई ऐसी बातें लिख डाली थीं जिनसे जुड़ी कई पुरानी बातें, कई क़िस्से मुझे अब याद आने लगे। कुछ कहानियाँ हमने दिद्दी के ही मुख से सुनी थीं, और कुछ तब पढ़ी थीं जब वे पहले लिखी गई थीं। अचानक मुझे ये लगा कि जब तक मैं इन यादों को लिखकर अपने अन्दर से न निकाल लूँगी, दिद्दी मेरे अन्दर बैठ के निरन्तर बोलती ही रहेगी।

इस पुस्तक को पाठक दिद्दी की जीवनी नहीं मानें—मैंने इसे लिखते समय ये कभी न सोचा कि इसमें मैं उसके साहित्यिक जीवन के सफ़र को रूप दूँ। मेरा उद्देश्य केवल ये था कि मैं किसी तरह उसकी खोई हुई आवाज़ को अपने अन्दर से ढूँढ़ के उसके पाठकों तक पहुँचा दूँ। लेकिन इस खोज में मुझे एक ऐसा ख़ज़ाना मिला और मेरे सामने ऐसा व्यक्तित्व उभरने लगा जिसमें आवाज़ ही नहीं सभी इन्द्रियों का एक अनोखा सम्मिश्रण था। दिद्दी की लेखनी के जादू से मैं मुग्ध होती चली गई। न जाने दिद्दी ने यह जादू जान-बूझकर रचा, और न जाने इस जादू को किसी ने इस दृष्टि से कभी देखा था कि नहीं। हो सकता है दिद्दी की लेखनी को ऐसा वरदान था कि वो

किसी भी कहानी में छिपे सत्य को बहुत सहजता से, बिना किसी आडम्बर के, प्रस्तुत कर सकती थी। मुझे तो लगता है कि वो ख़ुद इस गुण को गुण न समझते हुए अपनी कथा-जगत में खो जाती थी। या हो सकता है, अपने दुख और पीड़ा को छिपाने का उसे यही एक रास्ता दिखता था।

ऐसा कई बार देखा गया है कि लेखक स्वयं अपने उपन्यास में एक पात्र बनकर पाठक के सम्मुख उभर आता है। सब लेखकों के बारे में ऐसा कहा जा सकता है कि नहीं, ये तो मैं नहीं कह सकती, लेकिन हाँ, दिद्दी अपने हर उपन्यास या कहानी में कहीं-न-कहीं अपने पाठक को मिल जाती है, और अक्सर उसे इस बात का आभास तक न होता था। मेरा मानना है कि वो अपने ही मायाजाल में इतनी विलीन हो जाती थी कि फिर वो इस काल्पनिक दुनिया से अपने-आपको अलग नहीं कर पाती थी। वो अपनी आवाज़ को अपनी कृतियों में ऐसे दबा के छोड़ गई कि जब वो हमेशा के लिए ख़ामोश हो जाए, तो भी हम उस आवाज़ को न भुला पाएँ। जिस तरह वो अपने हर बच्चे में अपना एक अंश छोड़ गई, ठीक उसी तरह दिद्दी ने अपनी हर कहानी या उपन्यास में अपने जीवन का एक अंश रख छोड़ा है।

इस पुस्तक को उसी छिपे जीवन की एक खोज मान लीजिए।

दिद्दी ने अपनी श्रेष्ठ कहानियाँ उन स्मृतियों से रचीं जो उसे सबसे प्रिय थीं—अपने बचपन और किशोरावस्था की। बार-बार, हमें उसके कथा साहित्य में कुमाऊँ या बंगाल के दृश्य मिलते हैं क्योंकि इन्हीं से उसकी सबसे सुखद स्मृतियाँ जुड़ी थीं। जिस तरह कोई बच्चा अपनी माँ का हाथ पकड़ के अपने को सुरक्षित मानता है, दिद्दी को इन स्मृतियों से ऐसी शक्ति मिलती थी कि उनका सहारा लेकर वह निडर होकर लिख सकती थी। मुझे लगता है उसका एक अंश हमेशा अपने बचपन के घर की मुँडेर पर खड़ा नीचे चलते लोगों

को देखकर ये सोचता रहता था कि तुम कितने अभागे हो कि तुम्हारा जन्म हमारे परिवार में नहीं हुआ!

दिद्दी के बचपन की दुनिया के विवरण में स्मृतियों और काल्पनिक कथाओं का एक अद्‌भुत मिश्रण मिलता है। कभी कोई क़िस्सा सत्य कथा बन के पाठक के सामने आता है, तो कभी वही एक काल्पनिक घटना बन जाती है। सच तो ये है कि हम सब दिद्दी के लिए हाड़-मांस के प्राणी भी थे और कल्पना के पात्र भी। मुझे अब लगता है कि हमारे जीवन को नियंत्रित करने का उसके पास यही तो एक तरीक़ा था। तभी वो हमारे दुख-सुख की कहानियाँ लिख पाती थी—तभी वो हमारे दुख-तकलीफ़ से अपने को मुक्त कर पाती थी। उसे जीवन के अप्रिय सत्यों से भागने की ऐसी आदत थी, कि वो उस सत्य का चित्रण केवल कथाओं में कर सकती थी। अब समझ में आता है कि चाहे वो लाख बार हमसे कहती थी कि वो हम सबसे तटस्थ रहना चाहती है, सच ये था कि वो कभी अपने-आपको हमसे दूर नहीं रख पाई। और जब हम सब एक-एक कर उसके जीवन से दूर होते चले गए, तो उसने हमें पकड़कर अपनी कहानियों में बन्द कर लिया। अपने बच्चों को अपने से चिपकाकर रखने का उसने ये एक अनोखा तरीक़ा निकाला था—उनको कहानियों में पकड़ के क़ैद कर लो।

लेकिन दिद्दी ये भी जानती थी—शायद यहाँ ज़्यादा उपयुक्त ये कहना होगा कि उसको इस बात पर भरोसा था—कि संसार की लीला देखने में जो आनन्द है वह स्वर्ग के दिव्य दर्शन से कोई कम नहीं। वो जानती थी कि अपने रामझरोखे में बैठकर उसे कितने नाटक देखने को मिलते हैं, और कितनी कहानियाँ सुनाई देती हैं। किसी और के जीवन या घर में घुसने से उसे कैसे-कैसे प्लॉट मिले, कितने चित्र जिन्हें वो अपने पाठकों को दिखाती चली गई। दिद्दी की सी चंचल प्रवृत्ति के इनसान को एक जीवन, एक जोड़ा आँख, या एक ही हृदय से कहाँ चैन था! इसीलिए जब उनके अपने परिवारों ने उसके बच्चों को उससे छीन लिया, तो उसने अपने लिए लखनऊ में एक नए परिवार की सृष्टि कर ली और उनकी रानी बन के उन पर राज्य करने

लगी। मेरी बहन मृणाल—जिसके स्वभाव में मुझे दिद्दी की सबसे स्पष्ट झलक दिखाई देती है—ने दिद्दी का नाम क्वीन लियर रख दिया था, क्योंकि दिद्दी भी शेक्सपियर के प्रसिद्ध पात्र लियर की भाँति, हमेशा एक निजी विदूषक को साथ लेकर सफर करती थी। दिद्दी की प्रिय नौकरानी रामरती, दिद्दी का ऑल्टर-ईगो बनी और उसका परिवार दिद्दी के दरबार के मुँहलगे सदस्य। यहाँ कई अनोखे दरबारी आते थे—एक हिजड़ा—नाम मोहब्बत, एक दूधवाला, एक सब्ज़ी बेचनेवाला—नाम सुलेमान, एक डाकिया, और दिद्दी का वफ़ादार रिक्शेवाला, कुतुब अली। कभी-कभी वहाँ एक बन्दरिया भी पहुँच जाती थी—जिसका नाम दिद्दी ने रामकली रख छोड़ा था। दिद्दी का कहना था कि वो पढ़ी-लिखी लगती थी क्योंकि अक्सर वो दिद्दी का चश्मा पहन उसका अख़बार भी पढ़ लेती थी। इसी अनूठी दुनिया से उमड़ते क़िस्से-कहानियों के भंडार से दिद्दी ने एक भव्य साहित्यिक संसार बना डाला।

दिद्दी की एक ख़ूबी थी अपने चारों ओर ऐसे लोगों को जमा कर लेना जो सामाजिक एवं मानसिक दृष्टिकोण से उससे बहुत भिन्न थे, लेकिन जिनके दिल शीशे की तरह स्वच्छ थे। इन लोगों से दिद्दी को न छूत थी न घिन। घृणा थी उसे उन ढोंगियों से जिनकी मानसिकता नीच और तुच्छ थी। यही कारण था कि उसके सेवक उसके अनन्य भक्त बन जाते थे। 'एक थी रामरती' में उसने लिखा है,

> गुरुवर द्विवेदी जी ने अपने एक भाषण में कभी बड़ी महत्त्वपूर्ण बात कही थी : "आपके इर्द-गिर्द जो जनता है, वह बहुत बड़ी चीज़ है। उसकी परम्परा महान है, उसी को आप अपने अध्ययन का प्रधान विषय बनाएँ। आपको इसी जनता के निकट सम्पर्क में रहकर कार्य करना है। आसपास की जनता की भाषा, विचार, जाति-पाँति, रहन-सहन, धर्म-कर्म सब कुछ के विषय में ज्ञान-संग्रह करने का प्रयत्न कीजिए, पुस्तकालय और संग्रहालय को अपने कार्य का अत्यन्त आवश्यक अंग तो समझिए ही, किन्तु जनता को प्रबुद्ध बनाना आपका काम है। उसे इस योग्य बनाएँ

कि वह अपने अतीत को समझ ना सके, वर्तमान को देख सके और भविष्य को बना सके। अर्थात, गाली जनता से ही सीखें, उसी को सिखाएँ।"

तो चलिए अल्मोड़ा जाते हैं, जहाँ से ये कहानी शुरू होती है।

अल्मोड़े से जुड़ी मेरी पहली स्मृति है अपने पिता के कैंटूनमेंट वाले घर की, जहाँ मैं तीन वर्ष की आयु तक रही। उस घर की कुछ धुँधली याद है— लाल टीन की छत, मुर्गियों का पाड़ा, और बग़ीचे में एक सुन्दर सा लकड़ी का पविलियन। हमारे घर के ऊपर पहाड़ी पर था अल्मोड़े का भव्य सर्किट हाउस और इन दोनों के बीच थे देवदार के ऊँचे वृक्ष। दूर नीचे, पत्थर जड़ी सड़कों के बीच स्थित था अल्मोड़े का प्रसिद्ध लाला बाज़ार, जहाँ दुकानदार दिन-भर हुक्का पीते और शतरंज खेलते थे। लेकिन इन धुँधली यादों से जुड़ी कई ख़ुशबुएँ और आवाज़ें अभी तक ताज़ा हैं। गर्मियों में मोटे भँवरों की गुंजन और चीड़ के पेड़ों की साँय-साँय, और जाड़ों में घर के चारों ओर कव्वों की उदास काँव-काँव...

वैसे हमारा ज़्यादा समय शहर के उस पार अपने ननिहाल में बीतता था, इसलिए मुझे वो घर अच्छी तरह याद है। हमारे ननिहाल का घर कसून, एक रिज पर बना था जहाँ से पूरे अल्मोड़े का नज़ारा देखने को मिलता था। घर के सामने था एक बड़ा-सा आँगन और ऊपर की मंज़िल में था काठ का एक बड़ा-सा बरामदा। दोनों मंज़िलों के बीच लकड़ी का एक चोर दरवाज़ा था जिससे नीचे की मंज़िल की बैठक और घर की पुरानी लाइब्रेरी लगे थे। हमारी नानी, जिन्हें हम सब आमा कहते थे, गुदगुदी, पोपली व दम्भी महिला थीं, जो अपनी सुन्दर बेटियों, नाती-पोते और असंख्य दत्तक पुत्र-पुत्रियों के साम्राज्य को चलाती थीं। वे ऊपर की मंज़िल में ही रहना पसन्द करती थीं और हमने उन्हें कभी किसी के घर आते-जाते नहीं देखा। इसके बावजूद, उन्हें पूरे शहर की ख़बर रहती थी। हमारे मामा त्रिभी के बच्चों पर उनका विशेष प्यार न्योछावर होता था, लेकिन हम सबको इससे न तो जलन होती थी न आश्चर्य।

उस समय के प्रचलन के अनुसार, अल्मोड़े में आपका सामाजिक दर्जा न तो आपके वैभव से और न ही आपके ओहदे से जुड़ा होता था। असल बात थी आपका कुल और गोत्र। अल्मोड़ा अलग-अलग मोहल्लों का शहर था—चम्पा नौला, विष्टाकुड़ा, झिझाड़, सेला खोला, त्यूनारा, ढूँगा धारा, पांडे खोला, जीवन पुर, गल्ली, मल्ला कसून, तल्ला कसून। ये शहर के खाँटी ब्राह्मण परिवारों की हवेलियों के नाम थे जिनके सदस्य सदियों से आपस में शादी-ब्याह के रिश्तों में बँधे हुए थे। ज़ाहिर है, हर परिवार में पागलों की कोई कमी न थी। दिद्दी के परिवार की एक पूरी शाखा को हम लोग बहुत प्यार से 'तल्ला कसून के पागल' के नाम से पुकारते थे। आमा का कहना था कि उस परिवार के एक ज़मींदार ने अपने किसी मज़दूर की हत्या की थी और उन्हें ऐसा शाप दिया गया था कि उनके परिवार में गाय का बछड़ा तक नहीं पनपता था। वाक़ई वहाँ के लोगों का ऐसा ही हाल था। वहाँ के दो सदस्य, भगवत दा और मोहन दा, जो रिश्ते में हमारे मामा थे, निहायत प्यारे पागल थे और अक्सर आमा से मिलने कसून आते थे। जब हम उन्हें देखते, हम उनसे ऐसे ही मिलते जैसे किसी अन्य मामा से—यानी, हम उनके पैर छूकर प्रणाम कहते बावजूद इसके कि उनकी पोशाक निराली होती थी। भगवत दा चिथड़ों से लिपटे, हाथ में एक डंडा लिये आते थे, जिसमें चिड़िया के पंख, रिबन के टुकड़े और कई चिथड़े फर्र-फर्र हवा में उड़ते थे। आँगन पार कर, वे सीधे बैठक में घुसते जहाँ एक पुरानी पिंग-पोंग की मेज़ थी। गेंद उठाकर, भगवत दा अपने-आपसे एक मैच खेलना शुरू कर देते। मेज़ के एक छोर से बॉल उधर फेंक के कहते, "वन लव!" फिर दौड़ के दूसरी तरफ़ जाके बॉल फेंकते और कहते, "वन ऑल!" जब इस मैच से उनका मन भर जाता तो वे ऊपर आमा से मिलने चल देते, एक गिलास गर्म चाय पीकर, फिर नेपथ्य में विलीन हो जाते। भगवत दा की शादी हो चुकी थी और उनकी बहादुर पत्नी एक स्कूल में नौकरी कर परिवार को ठेलती थीं। एक बार बेचारी रोती हुई हमारे पिता—जो तब शिक्षा विभाग में थे—के पास आईं कि अल्मोड़े से उनका तबादला किसी और शहर करवा दिया जाए। पता चला कि भगवत

दा उनके स्कूल में आकर उनकी कक्षा में बैठ जाते थे और हर सवाल का उत्तर देने के लिए हाथ उठा देते थे। कहना न होगा कि जब कक्षा के सारे विद्यार्थी इसका मज़ा लेते थे, तो उनकी पत्नी को क्या सहना पड़ता होगा। स्पोर्ट्स डे पे, वे हर रेस में दौड़ के अपने-आपको मंच पर विजयी घोषित करते थे और ज़ोर से ऐलान करते, "भगवत, सर्व प्रथम!"

आँगन से लगे खेतों के पार रहते थे मायाराम जी। किसी ज़माने में वे हमारे नाना के ड्राइवर थे, अब वे हमारे त्रिभी मामा के चीफ़ मुसाहिब थे, और उन्हें 'हाइनेस' कह के पुकारते थे। पीठ के पीछे हाथ बाँधे, वे सिगरेट का धुआँ छोड़ते हुए मामा के पीछे आँगन में चहलकदमी करते। जिस कोठरी में कभी घर की गाय-भैंस बँधी रहती थीं, वहाँ तारा दीदी का परिवार रहता था। तारा दीदी के पति बर्मा में समृद्ध ठेकेदार थे : जब उनकी अचानक मृत्यु हो गई तो वे किसी तरह अपने परिवार को लेकर अल्मोड़ा पहुँच गईं। आमा ने उनके परिवार को अपने घर में शरण दी और यही कारण था कि वे जीवन-भर आमा की अनन्य भक्त बनी रहीं और उनकी सेवा करती रहीं। तारा दीदी की रसोई से गर्म-गर्म रोटियों और प्यार की सुगन्ध मुझे अच्छी तरह याद है।

इस दुनिया से बिलकुल पृथक था मेरे पिता का कैंटूनमेंट वाला घर। हमारे पिता, जिन्हें हम बाबू कहते थे, को शोर और ऊँची आवाज़ में बोलना बेहद नापसन्द था। न उन्हें ये पसन्द था कि दिद्दी हम बच्चों को लेकर रोज़ अपनी माँ के घर पहुँच जाती थी। शायद वे ये नहीं जानते थे कि दिद्दी को कसून के पागल प्राणियों से कितना लगाव था, वहाँ के हँसी के ठहाके उनके कान तक कम ही पहुँच पाते थे। हम बच्चों के लिए कसून का मतलब था हल्ला-गुल्ला, शोर-शराबा, हँसी-मज़ाक़ और आमा के परिवार की सोंधी ख़ुशबू। बाबू के घर का मतलब था शालीन भाषा, फुसफुसाके बोलना और एक गहरी चुप्पी कसून का सबसे बढ़िया वर्णन दिद्दी की लेखनी में मिलता है। आगे पढ़िए।

चिरसाथी मोर

प्रकृति की यह एक सुखद देन है कि मनुष्यों को उसने विस्मरणशील बनाया है। भूल जाना भी एक शक्ति है, किन्तु जैसे-जैसे जीवन की अवनतमुखी संध्या घनीभूत होती है, वैसे-वैसे अचेतन मन में छिपे अनेक विस्मृत चेहरे प्रकाशपुंज बनकर हमारा पथ-प्रदर्शन करने लगते हैं। जब आधुनिक युग की आधुनिकतम औषधियाँ, तन एवं मन की व्याधियों को दूर करने में असमर्थ हो उठती हैं, तब ही दादी-नानी के अचूक नुस्ख़ों की भाँति उन विस्मृत व्यक्तियों के प्रेरणाप्रद वाक्य हममें नई स्फूर्ति एवं नई ऊर्जा का संचार सहसा कर उठते हैं। जब कभी जीवन में कोई संकट आया है, ऐसा संकट, जिसकी कभी कल्पना भी नहीं की थी, जब दैवी वज्रपात ने मेरुदंड हिलाकर रख दिया, लोहनी जी की बचपन में बार-बार श्रुतिलेख में लिखाई गई वे पंक्तियाँ स्वयं हाथ थाम लेती थीं,

तुलसी असमय के सखा धीरज धरम विवेक।
साहित, साहस, सत्यव्रत राम भरोसे एक।।

हमें वे नित्य ये ही पंक्तियाँ लिखने को देते और हम कभी झुँझलाकर कहते, "आपको कोई और दोहा-चौपाई नहीं आती क्या?"

आज सोचती हूँ, शायद वे जान-बूझकर ही ये पंक्तियाँ बार-बार हमसे लिखवाते थे—कि उस कच्ची वयस में भले ही उन पंक्तियों का गूढ़ार्थ समझने की शक्ति हममें नहीं थी, किन्तु रसरी के 'सिल पर पड़त निसान' की भाँति वे आड़े वक़्त हमारे काम आएँगी। उनका नाम था पुरुषोत्तम और उनका व्यक्तित्व भी उनके नाम को सार्थक करता था। ऊँचा डीलडौल, गोरा रंग, घनी मूँछें, बड़ी-बड़ी लाल डोरीदार आँखें और तीखी नाक के नीचे पुष्ट मूँछों से ढके पृथुल अधरों पर सामान्य स्मित का आभास नहीं। उनका कहना था कि हमारी माँ के विवाह के एक वर्ष पूर्व, हमारे गृह में उनकी नियुक्ति हुई थी, इसी से अम्मा के दादी-नानी बन जाने पर भी वे उनके लिए 'धुलैं ज्यू' (दुल्हन जी) ही बनी रहीं। आए थे हमारे अटाले का भार सँभालने, पर कुछ ही वर्षों में, हमारे गृह के सब ही महत्त्वपूर्ण पोर्टफ़ोलियो उनकी मुट्ठी में स्वयं सरक गए। खाना बनाने का भार उन्होंने अपने छोटे भाई देवीदत्त को सौंप दिया था। वे स्वयं अनायास ही हमारे उस गृह के गृह सचिव, वित्त सचिव एवं सूचना प्रसारण सचिव के रूप में प्रतिष्ठित हो चुके थे—जहाँ आए दिन महिमामय अतिथिगण छप्पर फाड़कर टपकते रहते थे—मदनमोहन मालवीय, स्वामी नित्यानन्द, सर गिरजाशंकर, सर सुल्तान अहमद, डॉ. अंसारी, पहलवान राममूर्ति, विभिन्न रियासतों के राजकुमार, जिनमें दतिया के महाराजकुमार 'बुलबुल' तो पूरे एक वर्ष तक हमारे गृह के सदस्य बनकर रहे। आतिथ्य निर्वाह का पूरा भार लोहनी जी पर ही छोड़ दिया जाता। उस पर पूजा-पाठ, रुद्र पार्थिव पूजन, जन्मदिन, अशौच निवारण यानी हमारे गृह के जन्म से लेकर मृत्यु तक के प्रत्येक अनुष्ठान का पौरोहित्य पूरे पचास वर्षों तक उसी विलक्षण व्यक्ति ने सँभाला। उनका स्वयं अपना भरा-पूरा परिवार था, दो पुत्र, एक पुत्री, जामाता और स्वयं उन्हीं के शब्दों में उनकी प्राणप्रिया उनकी 'बामणी', जिनसे मिलने वे वर्ष में एक ही बार जा पाते थे। ऐसे निःस्वार्थ, स्वामीभक्त सेवक की क्या इस युग में हम कल्पना कर सकते हैं।

हम भाई-बहनों में हम चार ही उनके अधिक सान्निध्य में रहे। मेरी सबसे बड़ी बहन चन्दा, जो लोहनी जी के शब्दों में 'शापभ्रष्ट गन्धर्व कन्या थी',

उनकी सबसे प्रिय गृहसदस्या थी, "भगवान की माया देखो, जन्मी तो मैंने ही पहले गोद में लिया, गई तो मेरी ही गोद में सिर रखकर।"

मेरे भाई त्रिभुवन, कुछ अपने भव्य व्यक्तित्व के कारण और कुछ दो पुत्रियों के बाद जन्मे पुत्र होने के नाते, घर-भर की आँखों के तारे थे। लोहनी जी को 'परखिया' कहकर भी पुकारते तो वे उनकी अक्खड़ अशिष्टता को हँसकर झेल लेते।

असल में 'लालसैप' (लाल साहब)—वे मेरे पिता को इसी नाम से पुकारते थे, "एक ही भूल की, बाद में समझेंगे, जिस लंगूरी क़ौम के पास इसे पढ़ने भेजा है, वह ऐसी ही तो शिक्षा देगी! अरे, जो दिशा-जंगल भी लोटा लेकर नहीं, काग़ज़ लेकर जाते हैं, वह तामसी क़ौम इसे क्या सिखाएगी? नाम जाते ही बदल दिया है, अब देखो, पूरा संस्कार भ्रष्ट कब करते हैं!"

त्रिभुवन तब नैनीताल में एक स्वतंत्र बँगले में रह, दो विदेशी गवर्नेस मिस एवं मिसेज़ ममफ़र्ड से शिक्षा ग्रहण कर रहे थे। उन्हीं ने उनका नया नाम धरा था 'टिकर'! छुट्टियों में घर आते तो लोहनी जी का पारा गर्म हो जाता, "हद है, अब रोटी भी छुरी-काँटे से खाने लगा है! मेरी मानो धुलैं ज्यू तो जितनी जल्दी हो सके, इसके गले में जनेऊ डाल दो! वो साली दुर्मुखी मेमों की मूठ फिर इस पर नहीं चल पाएगी।"

और फिर उन्हीं की ज़िद से बड़ी धूमधाम से त्रिभुवन का यज्ञोपवीत संस्कार ओरछा में सम्पन्न किया गया। वह धूम-गरज क्या किसी शादी-ब्याह से कम थी? टीकाराम पंडित जी काशी से अपने साथ वेदपाठी ब्राह्मणों की पूरी टीम लेकर पधारे थे। सोने-चाँदी की अम्बारी से सजा महाराज बोरसिंह देव जू का हाथी, बिजली की रंगीन जगमगाहट से नई-नवेली दुल्हन सी सजी हमारी कुंडेश्वर की कोठी! बालबटुक के मान में गायत्री फूँककर लोहनी जी

ने कहा था, "आज से तू फिर त्रिभुवन बन गया है समझा? टिकर नहीं..."

शायद उनकी ही प्रबल इच्छाशक्ति का चमत्कार था कि सहसा हम तीनों भाई-बहनों की शिक्षा-प्रणाली में आमूल परिवर्तन कर दिया गया। हमें पितामह की छत्रच्छाया में भेज दिया गया। गार्डियन बने लोहनी जी। संस्कृत पढ़ाने आते गंगादत्त शास्त्री। गणित पढ़ाते रघुवर दत्त जोशी, जो तब कुमाऊँ के रामानुजम थे। अंग्रेज़ी पढ़ाते स्वयं पितामह। सुबह पाँच बजे उठना अनिवार्य था। फिर हाथ-मुँह धोकर, लोहनी जी त्रिफला से आँखें धुलवाते और फिर अपने साथ लम्बी सफ़ारी पर पैदल घुमाने ले जाते। लौटते ही लोहे की कड़ाही में औट रहे दूध से छलकते गिलास थमाकर वे अपनी सुदीर्घ पूजा में जुट जाते। उस अमृतस्वरूपी दूध की घूँट अभी भी जीभ पर धरी है। अल्मोड़े का 'फालसिमा' ग्राम तब अपनी दूधों नहाई बिरादरी के लिए प्रसिद्ध था। वहीं का ग्वाला नागमल लोहनी जी से थरथर काँपता था। मजाल, जो कभी एक बूँद पानी मिलाने की धृष्टता कर सके!

"देख रे नागमलिया, कभी बूँद-भर भी पानी मिलाया साले, तो हम ब्रह्मतेज से तुझे भस्म कर देंगे..."

"कैसी बातें करते हो गुरु, पानी और इस घर के दूध में? ऐसा जिस दिन करूँ, गोहत्या का पाप लगे मुझे—राम-राम!"

एक नागमल ही नहीं, घर भर के नौकर-नौकरानियाँ, बाज़ार के दुकानदार, फेरीवाले उनके ब्रह्मतेज से थरथर काँपते थे। सब जानते थे कि वे प्रसिद्ध सन्त नारद बाबा के साथ रहे हैं और दिवंगत बाबा का अदृश्य साया उनके साथ निरन्तर चलता रहता है। उनका शाप कभी व्यर्थ नहीं जा सकता।

तब अल्मोड़ा में बहू-बेटियों के बाज़ार जाने पर कठोर प्रतिबन्ध था। वर्ष में केवल दो बार हमें जाने की अनुमति मिलती—एक नन्दादेवी के डोले पर और दूसरी दीवाली पर। वह भी हमें पितामह के उतने ही कट्टर मित्र बद्रीलाल साह जी की नक़्क़ाशीदार अटारी से ही झाँकने-भर की। किन्तु मैं वयस में छोटी थी, इसी से लोहनी जी प्राय: ही मुझे अपने साथ ले जाते, किन्तु उनके हाट पर्व का आरम्भ एवं अन्त होता उनके परम प्रिय मित्र सुन्दरलाल साह

की दुकान पर। गत वर्ष लगभग चालीस वर्ष पश्चात उस चिरपरिचित दुकान को देखा, तो दंग रह गई। इतने सुदीर्घ अन्तराल में भी न दुकान बदली है, न दुकानदार! सुन्दरलाल साह का वही चिकना-चुपड़ा गोरा चेहरा और ललाट पर वैसी ही चन्दन की बिन्दी! तब लोहनी जी को देखते ही उनका चेहरा खिल उठता था, "आओ, आओ गुरु! कहो, क्या ख़बर है ताज़ा?"

वयस में पर्याप्त अन्तर होने पर भी उनकी बातों का जैसे अन्त ही नहीं होता। मैं बुरी तरह ऊब उठती। एक तो परचून की दुकान, जम्बू, गन्धैणी जैसे तीव्र पहाड़ी मसालों की सिर चकराने वाली ख़ुशबू, उस पर दोनों मित्रों की अशेष बतकही—मुझे चुप कराने साह जी कभी दाड़िमाष्टक की पुड़िया थमा देते, कभी स्वादिष्ट काली, सफ़ेद धारीदार 'वुल्स आई,' जिसे खाना और बनाना शायद अब लोग एकदम ही भूल गए हैं। पर फिर भी मैं कुनमुनाने लगती, "चलो ना, लोहनी जी बाज़ार..."

"चुप कर लड़की, यह बाज़ार नहीं तो और क्या है? जानती है ना औरतों को बाज़ार नहीं देखना चाहिए—सुना नहीं तूने..."

सैंणि कै नी देखाओ बाजार
बैग कै नी देखाओ भनार

स्त्री को बाज़ार और पुरुष को भंडार नहीं दिखाना चाहिए।

पर तब रामजे स्कूल के सामने अशेष पंक्ति में बिखरी बिसातियों की दुकानों में, कुमाऊँ की प्रत्येक किशोरी के प्राण बसते थे। नक़ली मूँग की मालाएँ, चमचमाते चन्दनहार, चूड़ियाँ, बालों के रंगीन फुँदनों में लगे घुँघरू, जिन्हें चोटी में गूँथ, जान-बूझकर इधर-उधर फेंक लड़कियाँ हवा में उड़ी चली जाती थीं। लकड़ी का वह लट्टू, जिसे फेंकने का एक ख़ास अन्दाज़, उसे ऐसी विलम्बित चकरघिन्नी में देर तक घुमाता रहता कि आज इलेक्ट्रिक खिलौनों की आभा भी फीकी पड़कर रह जाए! कभी-कभी लगता है कि आज विज्ञान ने बच्चों के खिलौनों की दुनिया ही बदल दी है, किन्तु उनके बालसुलभ स्वाभाविक उस उल्लास को छीन लिया है, जो कभी हमारे बचपन

की मुट्ठियों में बन्द था। पतंग उड़ाना, काँच पीसकर मंजे को तीखा बनाने में भाई को स्वेच्छा से दिया गया उत्साहपूर्ण सहयोग, गिट्टियों की वह सधी उछाल, वह 'मुट्ठी', 'इक्कम', 'दोयम'—उधर एक गिट्टी हवा में उछाली और उसी दक्ष तत्परता से धरती पर पसरी चारों गिट्टियों को मुट्ठी में बाँध, ऊर्ध्व प्रक्षेपित गिट्टी भी साध ली! एक पैर उठा-उठा चौकड़ियों में पत्थर चूमकर फेंकना, हमारे ये सब व्याकरणी सूत्र ही बदल गए हैं। फिर भी कभी ये कौशल, जिन्हें हम बड़े परिश्रम और लगन से सीखते थे, आज किसी शून्य अन्तरिक्ष में विलीन हो गए हैं।

आज इलेक्ट्रिक खिलौनों का संसार बच्चों के लिए सहज-सुलभ बन गया है, इसी से शायद बच्चे अपने नवीनतम खिलौनों से भी ऊब उठते हैं, जबकि हमारी 'किरकैंची' या 'मछली मछली कित्ता पानी' वर्षों तक खेले जाने पर भी कभी बासी नहीं लगे। कपड़े की बनी गुड़िया, जिसे बनाने में मेरी बहन जयंती की विशेष ख्याति थी, मुझे इतनी प्रिय थी कि एक दिन जब भाई से झगड़ा होने पर उसने मेरी अनुपस्थिति में उसे चूल्हे में झोंक दिया तो मैं उसकी अकाल मृत्यु पर फूट-फूटकर रोई थी।

परमतृप्ति से

तब हम अपने पितामह के साथ अल्मोड़ा में रहते थे।

हमारे पड़ोस में एक ईसाई परिवार रहता था। कभी उस घर के गृहस्वामी डेनियल पंत से हमारा ननिहाल का रिश्ता था, किन्तु हमारे कट्टर सनातनी पितामह का कठोर आदेश था कि हम उस ओर कभी आँख उठाकर भी न देखें। हमारे और उनके घरों के बीच एक सामान्य सी ऊँची दीवार की ही ओट थी, इसी से उनके बावर्चीख़ाने में नित्य पक रहे सालन की मदमस्त ख़ुशबू बड़े

धड़ल्ले से हमारे रसोईघर तक चली आती और हमारे ठेठ सनातनी चौके में पक रहे दाल, आलू की सब्ज़ी की सात्त्विकी निरीह सुगन्ध को पराजित कर, हमारे नथुनों में घुस, हमें विवेकभ्रष्ट कर उठती। हमारे लोहनी जी पचासों गालियाँ देते तड़के ही खिड़कियाँ-दरवाज़े बन्द कर देते। फिर भी दरारों को कौन बन्द कर सकता था! उस परिवार के बच्चों से, हम लुक-छिपकर मिलते तो थे ही, कुछ रक्त का सम्बन्ध और कुछ उनके आज़ाद स्वच्छन्द जीवन ने हमें मैत्री की अटूट डोर में बाँध लिया था। चमचमाते जूते, धारीदार मोज़े, वोर्स्टेड की हाफ़ पैंट और बगुले के पंख से कड़े कलफ़ किये गए कॉलर में सँवरी क़मीज़, टाई और विशिष्ट सज्जा में सँवरा बालों का झुग्गाधारी हेनरी मेरा प्रिय मित्र बन गया। उसकी बहनें ओल्गा, बेहद दुबली म्यूरियल (जिसे हम पीठ पीछे मरियल कहते थे) संध्या होते ही बैमबर्ग जॉर्जेट की साड़ियों में सजी-धजी अकेली ही घूमने निकलतीं तो हमारी छातियों पर साँप लोट जाता।

"क्या ज़िन्दगी है इनकी!" मेरा भाई कहता, "एक हम हैं, या 'अमरकोश' या 'पिलग्रिम्स प्रोग्रेस'...जानती है हेनरी, आर्थर रोज़ अंडा खाते हैं।"

"सच?"

"और क्या, रोज़ गोश्त बनता है।"

हेनरी पंत ने पुष्टि की, "बिना गोश्त के हमारे गले के नीचे गस्सा नहीं उतरता, तुम हिन्दुओं की तरह हम चरी-भूसा नहीं खाते..."

"यह क्यों भूल जाते हो हेनरी कि तुम्हारे बाबा हमारे नाना चचेरे भाई थे, कभी उन्होंने भी यही चरी-भूसा खाया होगा..." मेरे जवाबी हमले से हेनरी खिसिया गया और उसी खिसियाहट को मिटाने, उसने तत्काल वह उदार प्रस्ताव रखा, जिसने लगभग हमारे प्राण ही कंठगत कर दिये थे।

"देखो, तुम चाहो तो मैं तुम्हें अपने घर के लुभावने सालन को सुँघाने का इन्तज़ाम कर सकता हूँ, किसी को कानोकान ख़बर नहीं होगी।"

अपनी हाफ़ पैंट की जेब में हाथ डालकर वह बड़ी अकड़ की मुद्रा में, अपनी सींकिया देह को टेढ़ी कर खड़ा हो गया, "पर एक शर्त है, तुम्हें

अपने अखरोट के पेड़ से चार-चार अखरोट मेरे लिए लाने होंगे। ठीक दस बजे हमारा ख़ानसामा, 'भड्डू' (पतीला) में अपने गोश्त भूँजकर चढ़ा जाता है। फिर पकने तक परिन्दा भी इधर नहीं फटकता। तुम दाड़िम के पेड़ की डालें पकड़ किसी तरह दीवार की मुँडेर पर पहुँच भर जाओ। हमारे यहाँ चूना लगाने वाली सीढ़ीदार तिपाई है। मैं चट से लगाकर तुम्हें उतार लूँगा। पर शर्त याद रखना। चार अखरोट में एक ही बार सूँघने को मिलेगा।" उस उदार प्रस्ताव ने हमारे नन्हे दिल को धड़का दिया, जो दिव्य सुगन्ध दूर से ही तैरती उतनी दुर्लभ लगती थी, उसे पास से सूँघने पर कैसा अनिर्वचनीय आनन्द आएगा उसकी कल्पना मात्र ही हमें हवा में उड़ाने लगी थी।

ठीक दस बजे ही भदकते भड्डू से निकली मदमस्त ख़ुशबू ने हमारे साहस को ललकारा और हम आठ अखरोट हाथों में छिपाकर, स्वयं लुकते-छिपते चाचा की ढालू छत पर चढ़ गए, फिर कैसे वे दाड़िम की कमज़ोर डालें पकड़ी, फिसलनी छत की ऊपर की ढलान को कैसे पार किया, स्वयं नहीं जान पाए। वह अद्‌भुत सुगन्ध पल-पल निकट आती जा रही थी और हम दोनों भाई-बहन छत पर खड़े थे। हेनरी ने पहले पूछा, "अखरोट लाए हो ना?"

"हाँ।"

और चट से सीढ़ी लगा उसने हमें उतार लिया।

एक अँगीठी पर भड्डू चढ़ा था और उसका ढकना ख़ुशबूदार भाप से उठता-गिरता हमारे कलेजों को भी उठा-गिरा रहा था।

"लाओ अखरोट!" हेनरी ने किसी कठोर सेनापति की अकड़ से रोबीले स्वर में आदेश दिया।

मैंने भी पहले उसकी हथेली पर चार अखरोट धरे।

"ले सूँघकर देख कुल एक बार, चार अखरोट में इतना ही सूँघ पाओगी..."

उसने पतीले का ढकना उठाया और मैंने आँखें बन्द कर, वह सर्वथा नवीन सुगन्ध दोनों नथुनों में भर कंठ में गटक ली।

वर्षों बाद, रियासती वैभव ने, हमें किसी भी आमिष स्वाद से वंचित नहीं रखा। जलमुर्गी, साँभर, सुरख़ाब, टर्की, कच्छप, तीतर, बटेर और कभी

ख़ासबाग़ से सील-मुहर लगा दस्तरख़्वान, जिसके प्रत्येक व्यंजन को नवाब रामपुर की राजसी जीभ का स्पर्श करने से पहले मेरे पिता की जीभ का स्पर्श करना होता था। तब वे ही फिर सील-मुहर लगाते थे, हमने भी कई बार उन अपूर्व खानों को चखा था। पर जो परमतृप्ति; उस दिन न चखने पर भी उस भड्डू की भभक करा गई थी, वह शायद कभी नहीं भूल पाऊँगी।

पुनः चिरसाथी मोर से

लोहनी जी की पहली स्मृति मुझे बेरावल की है। हम दोनों भाई-बहनों को वे नित्य प्रातः सोमनाथ के मन्दिर में ले जाते। हमें खेलने छोड़ स्वयं वहीं पेड़ के तले लेट जाते और देर तक गाते रहते। उनकी एक ही प्रिय स्तुति थी,

बाघम्बर वाली कर दे दिलों के दुख दूर
कोई चढ़ावै ध्वजा-पताका
कोई चढ़ावै टूल
राजा चढ़ावै ध्वजा-पताका
रानी चढ़ावै टूल
बाघम्बर वाली...

उनका मांसल कंठ अत्यन्त मधुर था। देवालय के भीम घंटे की गुरु-गम्भीर गर्जना के साथ उनकी वह स्तुति और भी मधुर लगती। कभी-कभी चरवाहे भी अपनी लाठी टेक उन्हें भक्ति-विह्वल हो गाते देखते रहते। "देखो," एक दिन मेरे भाई ने कहा, "शिव मन्दिर में देवी की स्तुति गा रहे हैं। असल में शिव स्तुति आती नहीं बुड़ज्यू को।"

उन्होंने सुन लिया, "अच्छा, हमें शिव की स्तुति नहीं आती क्यों?" तब सुन,

जटाकटा हसंभ्रम भ्रमन्निलिंपनिर्झरी
विलोलवीचिवल्लरी विराजमानमूर्धनि।
धगद्धगद्धगज्ज्वल ललाटपट्टपावके
किशोरचंद्रशेखरे रति: प्रतिक्षणं मम: ॥

उनका वह 'धगद्धगद्धगज्ज्वल ललाटपट्टपावके' का सुरम्य पाठ हमें ऐसा मुग्ध कर गया कि जब कभी ट्रेन यात्रा का सुयोग जुटता, हम दोनों भाई-बहन रेलगाड़ी की झप्पताल के से ठेके से उसे मिलाते गाते जाते।

तब हमारे गृह की समृद्धि चरम शिखर पर थी—बीसियों नौकर थे। सोबन सिंह, शेर सिंह, बिशन सिंह, उम्मेद सिंह, ठुल गुसैं (बड़ा गुसाईं), नान गुसैं (छोटा गुसाईं)। इनमें से सबसे पुराने थे, गुसाईं द्वय। बड़ा गुसाईं शाही तबीयत का अनुचर था। लम्बा क़द, बेहद लम्बी नाक, कानों में सोने के नन्हे बटन पहनता था। इसी से लोहनी जी, जिन्होंने रामपुर नवाब रजाअली ख़ान को कान में हीरे पहने देखा था, उसे 'अन्यारकोट का नवाब' कहकर पुकारते थे। उसका ग्राम अल्मोड़ा के श्मशानघाट विश्वनाथ के पास था। लोहनी जी कहते, "चिताओं का धुआँ इसकी नाक से होकर दिमाग़ में बस गया है। इसी से इसके मुर्दे दिमाग़ में बात ज़रा देर से घुसती है।" फिर हमने देखा, जो ठुल गुसाईं, लोहनी जी का सबसे मुँहलगा अनुचर था, उससे वे सहसा हमारे माध्यम से आदेश देने लगे, "मसानिया से कह दे, दही जमा दे। इससे कह कपड़े उठा ले। भूरे बादल घिरे हैं, पानी बरसेगा।"

हमारी समझ में पहले नहीं आया कि क्यों नवाब सहसा डिमोट होकर 'मसानिया' बन गया है। फिर एक दिन समझ गए, "मसानिया, यह मत समझना कि हमारी दो ही आँखें हैं! पीठ में भी दो आँख हैं, हमारी, हम सब जानते हैं..."

"क्या जानते हो गुरु, क्या किया है मैंने?"

लम्बे-चौड़े उद्धत भृत्य के गाल पर लोहनी जी की छाप उभर आई थी, "बेशर्म पूछता है क्या किया...जानता है, किस घर का नौकर है तू? यह सब करना है तो किरिस्तानों की नौकरी कर। दो बच्चों का बाप है तू। देवकी का

ब्याह कर चुका है, नागमल तेरा समधी है। सुन लेगा तब?"

ठुल गुसैं क्यों उस दिन सिर झुकाए निरुत्तर खड़ा रह गया, हमारी समझ में बहुत बाद में आया। किसी नापित कन्या के साथ लोहनी जी ने उसे स्वयं देखा ही नहीं, यह भी सुना था कि वह उससे विवाह करने जा रहा है। यद्यपि अपना अपराध स्वीकार कर, बड़े गुसाईं ने उनके पैरों पर टोपी रख क्षमा-याचना भी कर ली थी, पर वे टस-से-मस नहीं हुए, "चोरी भी की होती तो मैं माफ़ कर देता, पर चरित्रहीनता को मैं माफ़ नहीं कर सकता।"

मेरी माँ पिघल गई थीं, किन्तु लौहपुरुष पुरुषोत्तम नहीं पिघले। वर्षों पूर्व जिसकी नियुक्ति उन्होंने की थी, उसी को समय से पूर्व अवकाश भी उन्हीं ने प्रदान किया।

हम कभी बीमार पड़ते तो वे ही हमारे एकमात्र कर्ण-दन्त चिकित्सक बनते। कर्णशूल हो तो सुदर्शन के पत्तों को दोनों हथेलियों में मसल, कान में दो बूँदें टपकाते, दर्द हवा!

जीवन-भर कभी आँखें न दुखने का उनका टोटका भी हमारे लिए अचूक रहा।

एक बार कहीं से एक सँपेरे को पकड़ लाए। लाल-लाल आँखें। सिर पर उलझा-रूखा जटाजूट, कानों में बड़ी-बड़ी फ़ीरोज़ा गुँथी बालियाँ। बुंदेल राजाओं की सी विभाजित मेहँदी रँगी दाढ़ी। कन्धे के काँवर में लटकी, गैरिक कथरी में बँधी दो टोकरियाँ और टोकरियों में क्रुद्ध विवश फूत्कार छोड़ते विषधर। लोहनी जी ने हमें एक क़तार में बिठा दिया।

"लो महाराज!" सँपेरे ने बीन बजाकर एक टोकरी का ढकना खोलकर कहा, "सीधे अमरकंटक से पकड़कर लाया हूँ यह पद्मनाग! अभी ज़हर के दाँत भी नहीं उखाड़े..."

उस भयावह विषधर को गुलदस्ते-सा थाम, फिर उसने बारी-बारी से हमारी बन्द आँखों पर छुआया तो रक्त भय से जमकर हिम हो गया। न जाने कौन सा मंत्र पढ़कर बोला, "लो साहब, ज़िन्दगी-भर अब इन बच्चों की आँखें उठें तो हमारी आधी मूँछें मुँड़वा दें!"

उसकी दुस्साहसी घोषणा हमें पूर्णतया आश्वस्त कर गई। अब इन मिचमिची कीचड़ सनी सूजी आँखों की सम्भावना भी हमें त्रस्त नहीं कर पाएगी। यदि कभी आँखें उठ आईं तो उसकी घनी लाल मूँछें मूँड़ने के मोहक प्रस्ताव का निर्वाह करने हम उसे भला कहाँ ढूँढ़ पाएँगे, यह दुर्भावना हमारे दिमाग़ में ही नहीं आई। किन्तु उसका आश्वासन व्यर्थ नहीं गया। नागराज का वह मृत्युंजयी स्पर्श आज तक हमारी पलकों पर प्रहरी बना बैठा है। दन्त चिकित्सक के रूप में लोहनी जी की विशेष ख्याति थी। हम भाई-बहनों की बचपन की पूरी दूधिया बत्तीसी, उन्हीं की कला को समर्पित हुई। दाँत हिला नहीं कि एक पतला तागा बाँध, लोहनी जी बड़े कौशल से खींचकर हमारी हथेली पर धर देते, "जा, अब हरी दूब के नीचे गाड़ आ।" ऐंटिबायटिक के रूप में हमें खाने को मिलता, शुद्ध घृत में तर, गर्म-गर्म सूजी का हलवा। मुझे स्मरण नहीं पड़ता कि कभी भी हमारे नए उगे स्थायी दाँतों में से किसी दाँत ने टेढ़े-मेढ़े होने की अनुशासनहीनता दिखाई हो। अब, जब बचपन से ही लोहे के तारों में कसी-फँसी अधिकांश किशोरियों की बत्तीसी देखती हूँ तो उन पर तरस आता है। जो उम्र नए-नए चटपटे स्वाद चखने की है, उसी की बत्तीसी बेड़ियों में कसकर रख दी। सुना था चीन में बचपन में ही नन्ही बालिकाओं के पैर उन्हें सुन्दर बनाने के लिए बाँध दिये जाते थे। लगता है, अब पूर्ण रूप से सभ्य बन गया मानव संसार-भर की किशोरियों की बत्तीसी बाँधकर ही रहेगा। अब शायद हमारा विश्वास अपने आदि सृष्टि-कौशल से उठ गया है। इसी से तो उसकी कला में मीन-मेख निकाल, आए दिन हम उसके नम्बर काटने लगे हैं। उसके बनाए चेहरे को सँवारने के लिए हमारे पास अब प्लास्टिक सर्जरी है। उसका दिया रंग-रूप निखारने के लिए एक-से-एक रंग-रोगन हैं, अभी कुछ ही दिन पहले बम्बई में, मेरे भतीजे के नन्हे बेटे के

दाँत में दर्द उपजा। दर्द से तड़पते उस तीन वर्ष के बच्चे को, तत्काल विशेषज्ञ के पास ले जाया गया। एक्स-रे हुआ। मंत्रणा हुई। पद-पद पर विशेषज्ञों की मुट्‌ठी गर्म हुई और निश्चय किया गया कि उस नन्ही-सी जान को, बेहोशी देकर, दंतकोटर भरा जाएगा। अब कोई उन नए लुकमानों से पूछे कि उस तीन साल के बच्चे को बेहोशी देना, वह भी एक निरीह कच्चे दाँत के कोटर को भरने के लिए, कहाँ की बुद्धिमानी है? पर नहीं, अब तो जो विशेषज्ञ, जितना अधिक तामझाम सजाकर, हमसे जितनी बड़ी रक़म उगाहेगा, हमारी दृष्टि में वही सबसे बड़ा चिकित्सक है।

हमने भी कभी अपने कच्चे दाँतों में असह्य पीड़ा सही है। जहाँ दर्द उठा, लोहनी जी ने दूध टपकाती मदार की टहनी तोड़ी और वह दूध रूई से दाँत में भर दिया। फिर कहते, "अब लार टपका। ख़बरदार, निगलना नहीं, न हाथ आँख में लगे।" फिर न जाने कौन सा कीलक पढ़, पीठ में एक घूँसा मारते कि पूरा मेरुदंड झनझना जाता। बस, दर्द हवा! इसे पहाड़ी में 'भेद' कहते हैं। तब अल्मोड़ा में ऐसे दो ही दुर्लभ दन्त-भेदिये थे—एक हमारे पुरुषोत्तम लोहनी, दूसरे गोवर्धन जी! फिर, हमने एक-एक कर बचपन की वे बीमारियाँ भी झेलीं। खसरा—जब आँख-नाक से बहता पानी और तीव्र ज्वर लगभग प्राण ही ले लेता था। चेचक—जो देखते-ही-देखते सारे शरीर में मोती के से छलछलाते दाने बिखेर देती थी। तब, रात-रात भर हमारे सिरहाने बैठ, लोहनी जी मयूरपंख से हमारी पूरी देह को सहलाते। मंत्रोच्चार से झाड़ते,

रोगानशेषानपहंसि तुष्टा रुष्टा तु कामान् सकलानभीष्टान्।
त्वामाश्रितानां न विपन्नराणां त्वामाश्रिता ह्याश्रयतां प्रयान्ति॥

लगता था दाने-दाने की तपन, मोरपंख ने पल-भर में सोख ली है। रवीन्द्रनाथ की एक मार्मिक कविता है—जब गृह का एक पुराना भृत्य अपने साथी के साथ वृन्दावन तीर्थ जाता है, वहाँ स्वामी को चेचक हो जाती है। वह उस परदेश में, दिन-रात स्वामी की सेवा में उसके सिरहाने खड़ा रहता है,

मुखे दैय जल, शुधाय कुशल
शिरे दैय मोर हाथ
दांडाए निझूम, चोखे नांही घूम
मुखे नेई तार भात

वह पानी पिलाता है। बार-बार पूछता है—अब कैसी तबीयत है? सिर सहलाता दिन-रात मेरे सिरहाने खड़ा रहता है। न उसकी आँखों में नींद है, न मुँह में भात। फिर एक दिन स्वामी रोगमुक्त हो जाता है, किन्तु वही रोग सेवक को जकड़ लेता है। स्वामी की कालव्याधि को उसने जैसे स्वयं ग्रहण कर, स्वामी को रोगमुक्त कर दिया हो।

होये ज्ञानहीन, काटिल दू दिन
बन्द होइल नाड़ी
ऐतो दिन तारे गैनू छाड़ि बारे
ऐतो दिन गैलो छाड़ी

ज्ञानहीन भृत्य ने दो दिन काटे। फिर नाड़ी बन्द हो गई। जिसे कई बार जाने को कह चुका था, इतने दिनों बाद स्वयं चला गया। शोक-सन्तप्त स्वामी गृह लौटता है,

बहुदिन परे आपनार घरे
फिरिनू सारिया तीर्थ
आज साथे नांई
चिरसाथी मोर शेई पुरातन भृत्य

बहुत दिनों बाद तीर्थाटन कर घर लौटा हूँ, पर आज मेरे साथ मेरा वह चिरसाथी भृत्य नहीं है। हमारी कालव्याधि स्वयं ग्रहण कर वे चले गए, हम रह गए। उन्होंने हमारे साम्राज्य का उत्थान और पतन दोनों ही देख लिये थे। इसी से अब हमारा श्रीहीन गृह, उन्हें पद-पद पर डंक देने लगा। पहले पितामह को जाते देखा, फिर हमारी बहन को, पिता को, चाचा को, फिर भी

वे साहस से जीर्ण वटवृक्ष की ज़िद से ही हमारे गृहप्रांगण में डटे रहे। किन्तु, जब एक-एक कर उन सबको भी भरी जवानी में ही कन्धा देना पड़ा, जिन्हें उन्होंने कन्धों पर बिठाकर घुमाया था, तो वे टूट गए। एक-एक कर पुराने नौकर चले गए। धीरे-धीरे मोनोग्राम अंकित, चाँदी की थालियाँ, कटोरियाँ बिकीं। वे भारी-भारी क़ालीन, कारचोबी की भारी शेरवानियाँ, कलंगियाँ, लहरदार साफ़े जो बिरादरी के शादी-ब्याहों में जितनी बार माँगी जातीं, उतनी बार लोहनी जी का पारा गर्म हो जाता, न जाने कहाँ विलीन हो गईं! चाँदी का वह मस्जिदी गुम्बद वाला पानदान, जिसकी चेनों में गुँथी सुवासित मगही गिलौरियाँ मुँह में रखते ही, बताशा हो जाती थीं, वह चाँदी की तश्तरी, जिसमें अंकित बीसियों हाथी, अपनी सजीली सूँड़ उठाए परिक्रमा-सी करते मन मोह लेते थे, क्षीणकटि की गंगा-जमुनी काम की गुलाबजलियाँ, सब पुराने कपड़ों में लपेटे, लोहनी जी ही एक-एक कर बेच आए और जितनी बार हमारी गृह-समृद्धि का कोष रिक्त कर लौटते, उतनी ही बार हमारे पट्टांगन की दीवार पर ऐसे मुँह लटकाए घंटों बैठे रहते, जैसे मुर्दा फूँककर लौटे हों।

अब उनकी आँखों की ज्योति भी क्षीण हो गई थी। वह सीना जो हमेशा कबूतर-सा तना रहता था, सिमट-सिकुड़कर बित्ते-भर का रह गया था। उनके बन्द गले का काला कोट, क्रिकेट खिलाड़ियों-सा सफ़ेद, पीली-नीली पट्टीदार स्वेटर जो कभी मेरे पिता ने उनकी फ़रमाइश पर उन्हें विदेश से लाकर दिया था, क्रमशः क्षीण होती जा रही उनकी काठी पर ऐसे झूलने लगे, जैसे खेतों में खड़े बाँस के कागभगोड़े के तन पर झूल रहे हों। किन्तु रस्सी जलकर ख़ाक भले ही हो गई हो, ऐंठ नहीं गई थी। उनकी जेब घड़ी, जिसने हमारे गृह की तीन-तीन पीढ़ियों के हर पल, हर क्षण को अनुशासन में साधकर रखा था, अभी भी उसी बाँकपन से, एक सिरा उनके कोट के बटन से लटकाए,

उनकी जेब में टिकटिक कर रही थी। किन्तु उनके जीवन की घड़ी, धीमी पड़ने लगी। जो गृह नित्य ठसकेदार अतिथियों से गुलज़ार रहता था, अब वहाँ साधारण तबक़े के अतिथि वह भी भूले-भटके ही आते थे लोहनी जी कहते,

पंत देख पांडे देख
मरण बखत करड़ी देख

पंत देखे, पांडे देखे, आज मरते वक़्त करड़ियों (करणी नाम का एक दरिद्र ग्राम) को देखना पड़ रहा है!

माँ उनसे कई बार घर लौट जाने का आग्रह कर चुकी थी, किन्तु उनकी अदम्य जिजीविषा ने उन्हें और भी ज़िद्दी बना दिया था।

"कैसे जाऊँ? अभी तो त्रिभी की शादी देखनी है, उसके बच्चों को गोद में खिलाना है..."

उसी भाई के विवाह के लिए, लड़की देखने का काम उन्हें ही सौंपा गया था। उस दिन उनकी सफ़ेद मूँछों से बरसती हँसी रोके नहीं रुक रही थी। ऐसे यत्न से उन्होंने अपने को सँवारा, जैसे हमारे भाई के लिए नहीं, स्वयं अपने लिए कन्या देखने जा रहे हों। लौटे तो हमने घेर लिया, "कैसी लगी हमारी भाभी?"

"नौ रत्ती बावन तोले," वे बोले, और फिर सहसा हमारे धैर्य को चुनौती देने होंठ भींचकर बैठ गए। एक चुप, हज़ार चुप। "बताइए ना, ख़ूब गोरी है ना?"

"हमने चेहरा थोड़ी ही ना देखा—हम क्या जानें, गोरी हैं या काली! हाँ, चाय उनकी माँ ने ज़रूर पिलाई।"

"तब?" वह भुनभुना उठे, "क्या आप कन्या की माँ को ही देखकर चले आए?"

"और क्या! कन्या की माँ को देखकर पसन्द की गई लड़की कभी खोटी नहीं निकलती—एकदम पक्का रंग निकलता है उस लड़की का।"

"क्या भाभी का चेहरा सचमुच नहीं देखा आपने?"

"नहीं, पैरों के, हाथों के नाख़ून देख लिये थे हमने, माँ के पास घुटनों से सर झुकाए बैठी थी..."

हम अम्मा पर बरस पड़े, "लो, और भेजो इन्हें! अब तक तो यही सुना था कि जानवरों की पहचान ही नाख़ून देखकर की जाती है।"

"तू चुपकर!" अम्मा ने डपट दिया, "लोहनी जी नारद बाबा के साथ रहे हैं, सिद्धि प्राप्त है उन्हें।"

बाबा की गाँजे की चिलम साधते-साधते भले ही उस अगल से लोहनी जी अछूते नहीं रहे हों, कुछ शक्ति उनमें थी अवश्य! कभी-कभी एकान्त में पतली चिलम के कड़वे धुएँ की लम्बी कश खींच वे कहते,

उस लड़के से लड़की भली
जिसने न पी गाँजे की कली

देखते-ही-देखते आँखें गुड़हल-सी लाल हो जातीं। उस दिन उनका मूड, उन्हीं की सुनाई कहानियों के चमत्कारी सिद्ध-सा हो जाता, "माँग बच्चा, जो माँगना है माँग ले..."

हमारे गृह में दो ही चमत्कारी क़िस्सागो थे—एक हजारी माँ, दूसरे लोहनी जी! हमारे यहाँ तब दो लाइब्रेरी थीं, एक पितामह की, दूसरी माँ की। माँ की लाइब्रेरी में घर भर के प्राण बसते थे, बंकिम ग्रंथावली से लेकर शरतचन्द्र, मेघाणी, मुंशी, गुजराती, हिन्दी पुस्तकों से अलमारियाँ ठसी रहतीं। घर का हर सदस्य पढ़ने के पीछे दीवाना था—'चाँद', 'विशाल भारत', 'सुधा', गुजराती की 'बेघड़ी मौज', गिजुभाई बधेका की दर्शनीय नन्ही पुस्तकें नियमित रूप से आतीं।

उन दिनों एक और प्रचलन था। हर तीसरे-चौथे महीने पुस्तकों से भरा

टीन का बक्सा, कुली के सिर पर लाद, एक मनमोहक फेरीवाला आता। कैसी-कैसी पुस्तकें और शायद ही कोई अठन्नी से महँगी! 'चहारदरवेश', 'क़िस्सा हातिमताई', 'आल्हा ऊदल', 'उमरावजान अदा', हमारा गृह फेरीवाले का पुराना ग्राहक था। इसी से कभी-कभी कमीशन के रूप में एक-आध पुस्तक हमें उपहार रूप में थमा जाता। ऐसे ही एक उपहार ने मेरे दाढ़ की जड़ें ही लगभग हिला दी थीं। हुआ यह कि उस दिन काफ़ी ख़रीदारी हुई और मैं, ठीक वैसे ही एक फ्री पुस्तक की माँग कर बैठी जैसे चूड़ी पहनने वाले से फ्री सुहाग की चूड़ी की माँग किया करती थी।

"ले लो, अठन्नी की कोई भी किताब छाँट लो!" उसने कहा। मैंने इधर-उधर देखा और चट से वह लुभावनी पुस्तक उठा ली, जिसे कभी न पढ़ने की चेतावनी कई बार दी जा चुकी थी—'तोता-मैना।'

इधर मैंने पुस्तक उठाई और उधर लोहनी जी न जाने कब आकर पीठ पीछे खड़े हो गए। फिर जो करारा झापड़ पड़ा कि दाँत झनझना गए, "मना किया था ना तुम्हें।"

मैंने जीवन में, सेंसर के ऐसे दो ही चाँटे खाए हैं, एक सरस्वतीचन्द्र पढ़ने पर अम्मा का। अपराध था दस वर्ष की उम्र में उपन्यास पढ़ना और दूसरा तोता-मैना पढ़ने पर लोहनी जी का।

फिर एक दिन उन्हें जाना ही पड़ा...

जिसका यौवन हमारे गृह में ही बीत गया था, उसका विवश वार्धक्य उन्हें उनकी प्राणप्रिया बामणी के पास खींच ले गया। वह सरला, पतिव्रता बामणी, जिन्हें सत्तर वर्ष की वयस हो जाने पर भी हमने कभी बिना घूँघट के नहीं देखा, मेरे भाई के विवाह के रतजगे में उन्हीं लजीजी बामणी का नृत्य देख हम दंग रह गए थे,

हाथ जोड़ूँ गोरा जी
मैं तो बीबी बामणी

उन दिनों के उद्धत मर्कटमुखी गोरे फ़ौजी से वह सरल निवेदन, वैसा

ही कामार्त शत्रु से संघर्ष का ऐसा मौलिक अभिनय कि आज की बलात्कार अभिनय पटीयसी चलचित्र तारिकाएँ भी पानी भरें।

लोहनी जी केवल भूत-प्रेतों की ही कहानियाँ सुनाया करते थे। उनके शब्दों में वे कहानियाँ उनके भोगे हुए यथार्थ की कहानियाँ थीं।

"साली-हरामजादी चुड़ैलों को हम जाने क्यों पसन्द हैं! हमें देखते ही पीपल के पेड़ से टपटप टपकने लगती हैं, पर मजाल है जो आज तक हमें एक भी छू पाई हो!"

उनकी एक अत्यन्त प्रिय कहानी थी 'जागो हो, मैं लै उणयूँ' (रुक जाओ जी, मैं भी आ रहा हूँ)। कैसे वे घर से छुट्टियों के बाद अपने गाँव सतराली से, अँधेरे में उलटी घड़ी देख, आधी रात ही को चल पड़े थे और पीछे-पीछे लग गया था मसान का ख़बीस। चलते-चलते घंटों बीत गए, पर रात नहीं बीती। अँधेरे घने जंगल से गुज़र रहे थे तब वह नक्की स्वर गूँजा, "जागो हो...मैं लै उणयूँ।"

लोहनी जी समझ गए, वह कौन है। पर प्रेतबाधा का एक-एक कीलक अर्गला तो वे साथ लिये चलते थे, न हुँकारा दिया, न पीछे मुड़कर देखा, पर वह हरामी क्यों चूकता? मुस्टंडा, कभी बैल बनकर सींग घुमाता, कभी अग्निपुंज बनकर 'फ़्वाँ-फ़्वाँ' करता! कभी नक्की स्वर में कहता। 'जागो हो!'

लोहनी जी स्वयं उसी नक्की स्वर में वह हाँक दुहराते तो हम डरकर उनके पास सरक आते, "बस लोहनी जी बस! अब कल सुनेंगे!"

वे हँसकर हमें पास खींच लेते, "अरे पगली, जब तक वह पुरुषोत्तम है ना, इस घर में मजाल है जो कोई दुष्टात्मा क़दम तो धर ले!"

लेकिन उनके जाते ही, न जाने कितनी अशरीरी आत्माओं ने हमसे हृदयहीन प्रतिशोध ले लिये। रोग-शोक, दुख-परिताप, विछोह ये सब दुष्टात्माएँ ही तो थीं! किन्तु, जाने से पहले वे मुझे एक गुरुमंत्र अवश्य थमा गए। मैं विवाह के बाद, पहली बार मायके आई। मेरी उन्हें बड़ी चिन्ता थी। कहते थे, "तूने तो बस घुड़सवारी ही सीखी है...क्या करेगी ससुराल में?"

विवाह से पूर्व मैं सचमुच ही गृहकार्य में शून्य थी। शायद ही कभी पानी

का गिलास भी स्वयं उठाकर पिया हो! विवाह हुआ ऐसे कट्टर सनातनी परिवार में, जिन्हें नौकरी की छाया से भी परहेज़ था। उस पर मेरा सबसे बड़ा अपराध था कि मैं उच्च शिक्षा प्राप्त अपने ससुराल की पहली पढ़ी-लिखी बहू थी। कभी छाता भी लगाकर कहीं चली जाती तो अन्तःपुर से छूटे विषबुझे बाण मुझे बींध डालते। अपने प्रगतिशील मायके से वहाँ आने पर मुझे उस गहरे सांस्कृतिक आघात ने गहन नैराश्य में डुबो दिया था।

पहली बार मायके आई तो माँ से सब कुछ छिपा ले गई, पर लोहनी जी ने एकान्त में पूछा, "क्यों, कैसी बीत रही है?"

मैं उत्तर नहीं दे पाई। अब तक यत्न से छिपाई गई वेदना, शतसहस्र धाराओं में फूट पड़ी। तीसरे ही दिन मुझसे चक्की में उड़द की दाल दलवाई गई। बीसियों सीढ़ियों में लक्ष्मीजी के पैर बनवाए गए। परात-भर आटा गुँधवाया, उस पर ग़ज़ब की छुआछूत। एकवस्त्रा बनकर खाना बनाओ। उस पर भी बड़े घर की बेटी होने का दिन-रात ताना सुनो!

मैं बुरी तरह सिसकने लगी थी। जानती थी, अब चाबुक पड़ेगा, "कहता था ना घर का काम सीख, तब तो बड़ी माख लगती थी। भोगो।"

पर वे एक शब्द नहीं बोले। चुपचाप सुनते रहे। फिर मेरे सिर पर उन्होंने बड़े स्नेह से हाथ फेरा, "रो मत। तुझे पति तो देवता मिला है ना? धीरे-धीरे ये छोटे-मोटे बादल ख़ुद छँट जाएँगे। पहाड़ी डोट्यालों को देखा है ना? (पहाड़ी कुली जो अपनी ईमानदारी एवं दुर्वह बोझा ढोने के लिए कभी प्रख्यात थे) उनसे सीख! जब उनकी पीठ पर तीन-तीन मन का बोझा लाद दिया जाता है, तो जानलेवा चढ़ाई, बिना चूँ-चपड़ किये कैसे झेल लेते हैं, जानती है? उस बोझ पर स्वयं मन-भर का पत्थर लाद लेते हैं। आधी चढ़ाई चढ़ फिर ख़ुद लादे गए उस पत्थर को दूर भनका देते हैं—पीठ का बोझा अचानक फूल-सा हल्का लगने लगता है। और फिर देखते-ही-देखते रही-सही चढ़ाई वे पल-भर में पार कर लेते हैं। वे कभी एक सीध में नहीं चलते, कभी दाएँ और कभी बाएँ यानी उबाऊ दिनचर्या में पल-पल ख़ुद बदलाव ले आते हैं, वही सीख समझी! बोझा कभी भारी बोझ नहीं लगेगा।" जीवन के दुर्वह

बोझ पर स्वयं लादा गया भारी पत्थर तो अब कब का झनकाकर दूर फेंक चुकी हूँ। पीठ का बोझ स्वयं ही फूल सा हल्का लगने लगा है। जीवन की एकरसता की तीखी चढ़ाई में दाएँ-बाएँ चलने का प्रयास भी व्यर्थ नहीं गया। आधी से अधिक चढ़ाई तो पार कर ही ली है। लोहनी जी का दिया गया गुरुमंत्र रही-सही चढ़ाई भी पार करा ही देगा। किन्तु कभी-कभी अतीत पीछे खींचता अवश्य है,

बहुदिन परे आपनार घरे
फिरिनू सारिया तीर्थ
आज साथे नांई
चिरसाथी मोर
शेई पुरातन भृत्य

अलख माई

अल्मोड़े की अपनी यादें सँजोती हूँ तो दो चेहरे सहसा मेरी स्मृति को झकझोर उठते हैं—क्यों, क्या हमारी कहानी नहीं लिखोगी? इनसे मिलने से बहुत पहले तो तुम हमीं से मिली थीं जी! दोनों जैसे मेरे सम्मुख हँसती खड़ी हो जाती हैं, हाथ का सुदीर्घ चिमटा खनखनाती प्रौढ़ा वैष्णवी और बूटे से क़द की, नगजड़ी बुलाक के लोलक के साथ-साथ अपनी जीर्ण खँजरी हिलाती रजुला। ठीक ही तो कह रही थीं वे, चलते-चलते अतीत के अन्तराल से पल-भर को झाँक गए उन चेहरों को न आँक लूँगी, तो स्वयं भी मुझे यही लगेगा कि पीछे कुछ छूट गया है। न उनके पैरों में बेड़ियाँ थीं, न चारों ओर घिरी कारागार की प्राचीरें। पैरों तले था, दुरूह पगडंडियों का बिखरा वैभव, और सिर के

ऊपर था उदार नीलाकाश। जहाँ चाहे, आँकी-बाँकी घूमती, सिर पर अपने पाप की गठरी साधे-साधे, घुसकर ओझल हो जाएँ! न फिर उन्हें पुलिस का भय, न ग्राम के चतुर पटवारी का! यही किया था वैष्णवी ने। बद्री-केदार, हरिद्वार, लछमन झूला सब जगह हाँक लगाती घूमती, 'अलख माई भिच्छा दे, आज से तीस वर्ष पूर्व की भिच्छा देने वाली माई अत्याधुनिका माई से कहीं अधिक उदार थी, कहीं अधिक धर्मभीरु! कुमाऊँ के कौन से गृहस्थ की ऐसी देहरी थी, जहाँ से ली रुद्राक्ष की असंख्य मालाएँ हिलाती कनफड़ा माई हाथ का खप्पर रिक्त ही लिये लौट सकती थी? प्रत्येक शनि और मंगल को दो नेपाली वैष्णवियाँ न जाने कितने वर्षों तक नित्य हमारे द्वार पर भी, ऐसी ही सुपरिचित हाँक लगातीं, "अलख माई, भिच्छा दे!" और नित्य बड़े काँसे के कटोरे में भरी खिचड़ी-आटा पाकर, आशीर्वाद देती घर को जातीं। उन सरल आशीर्वादों की मौलिक मिठास भी तो अनोखी ही रहती, "राजरानी बनो लली, पीठ पीछे भाई लाना, एक नहीं, दो नहीं, सात-सात भाई!"

परिवार नियोजन के इस युग में, वैष्णवी के इस आशीर्वाद की कोई भी महत्ता नहीं रह जाती, किन्तु फिर भी द्वार पर खड़े किसी भिक्षुक पर फटकार पड़ते सुनती हूँ, "क्यों जी भीख माँगते शर्म नहीं आती! हट्टे-कट्टे तो हो। नौकरी क्यों नहीं करते? जाओ, भाग जाओ, भीख-वीख कुछ नहीं मिलेगी यहाँ!" मेरे कानों में उस काँपते कंठ का वात्सल्य पगा मीठा स्वर गूँजने लगता है, "राजरानी बनो लली, पीछे-पीछे भाई लाना, एक नहीं, दो नहीं, सात-सात भाई!"

एक दिन, अचानक ही एक सर्वथा नवीन कंठस्वर के आह्वान से चौंककर मैंने सिर उठाया, तो देखा, एक ही वैष्णवी, हाथ में बहुत लम्बा-सा चिमटा और कन्धे पर नन्ही-नन्ही हाथ की सिलाई से गुँथी, गैरिक थैली लटकाए खड़ी है। एक पल को तो मैं उसके निर्विकार मर्दाने चेहरे को देखती ही रही थी। कठोर मुद्रा, और इससे भी कठोर कंठस्वर, "अलखनिरंजन! माई आज यहीं भोजन पाएगा"—उसके व्यक्तित्व के लिए पुल्लिंग का प्रयोग ही उपयुक्त लगता था। एकदम सपाट चौड़ा सीना, बेहद लम्बा क़द, चौकोर

काठी, छोटे-छोटे केश, ऊपर से सीधी और नीचे आकर अचानक फैल गई नासिका के उदार नथुने जैसे हर पल सद्यः दागी हुई दुनाली बन्दूक़ की ही भाँति गर्म धुआँ छोड़ते जा रहे थे।

"सुन लिया बेटी? जा, भीतर ख़बर कर दो, माई आज यहीं भोजन पाएगा, यही गुरु महाराज का इच्छा हुआ है आज!" सचमुच ही बैठकर, माई ने चिमटा गाड़ कन्धे का गैरिक झोला उतार दिया।

उस आदेश को सुनकर मैं सकपका गई। खाना तो हम खा चुके थे, दादाजी के साथ हम तीनों भाई-बहन अकेले ही रहते। महाराज खाना खाकर चले गए थे, अब अचानक आ टपकी, इस रोबदार वैष्णवी के लिए खाना कौन बनाएगा?

"माई, तुम बैठो। खाना तो हम खा चुके हैं। मैं अपनी बहन से कहती हूँ, तुम्हारी भिक्षा निकाल देंगी।" मैंने बड़ी नम्रता से कहा।

"नहीं!" माई ने रोष से अपना गड़ा चिमटा उखाड़कर, दो-तीन बार धरा पर पटका, माई भोजन पाएगा। "जा, छिलुका लकड़ी, कड़ाही, तेल, बेसन, दही, मिर्चा सब ले आ। माई कढ़ी-भात खाएगा, जा।"

मुझे उसकी प्रगल्भ धृष्टता पर क्रोध भी आ रहा था, पर न जाने उस चेहरे में कैसा रोब था कि मैं सहमकर, अपनी बड़ी बहन को बुला लाई। हमारे आने तक वह चिमटा गाड़कर, अपनी तूबे-सी मोटी टाँगें फैलाकर बड़े आराम से लेटी थी।

"आओ बेटी, ले आई?" हमें देखकर वह अखरोट वृक्ष के तने की टेक लगाकर बैठ गई। पूरी रसद, बर्तन, लकड़ी आदि लेकर हमने उसके सामने रख दी। थोड़ी देर में उस फुर्तीली वैष्णवी ने दो पत्थरों का चूल्हा बना, आग जलाकर कढ़ी चढ़ा दी और चावल बीनती-बीनती एकदम हमारी ओर मुड़ गई।

"अलख गुरु! कुछ पूछना है तो पूछ ले बेटी, माई बार-बार तेरे द्वार पर नहीं आएगा, आज तो गुरु ने भेज दिया, माई चला आया।"

पहले हमारी समझ में नहीं आया, पर फिर उसने थाली के चावलों से कुछ दाने चट से मुट्ठी में भर लिये और आँखें बन्द कर, होंठों-ही-होंठों में

कुछ बुदबुदाने लगी। एक अज्ञात भय से सिहरकर हम उसे देखती रह गईं, तब यह क्या कोई तांत्रिक त्रिकालदर्शी दैवज्ञमार्तंड गुरु की भैरवी थी?

"बोल, क्या पूछना है? शादी, ब्याह?" उसकी आरक्त आँखें, अब कपाल पर चढ़ी जा रही थीं।

"मैं तो शादी कभी करूँगी ही नहीं, पूछूँ क्या माई?" मेरी बड़ी बहन ने हँसकर कहा। कई जगह के रिश्ते वे स्वेच्छा से लौटा चुकी थीं, और हमारे परिवार ने उनके कौमार्य-व्रत की घोषणा को एक प्रकार से स्वीकार भी कर लिया था। पर माई ने उस दिन उनके दृढ़ निश्चय की धज्जियाँ उड़ा दीं। एक सशक्त फूत्कार के साथ, हाथ में बन्द चावल के दाने उसने धरा पर बिखेर दिये। फिर कठोर स्वर में गरजी, "तू विवाह करेगा, दुनिया की कोई भी ताक़त तेरे ब्याह को नहीं रोक पाएगी।" उसके कंठस्वर की दृढ़ता में कुछ ऐसी सम्मोहिनी शक्ति थी कि मुझे लगा, बैंड के साथ झम्मक-झम्म करती, बड़ी-सी बरात सचमुच ही हमारे आँगन में उतर आई है! अपनी अद्भुत भविष्यवाणी से हमें प्रभावित कर अब उस वैष्णवी ने उबलती कढ़ी उतारकर, चावल की डेगची चढ़ा दी और हमसे बतियाने लगी। मैंने देखा, उसका शरीर, कंठस्वर, छोटे-छँटे केश सब कुछ ही मर्दाना था, यही नहीं मोटे होंठों के ऊपर सुस्पष्ट मूँछों की एक रेखा भी थी। एक पल को एक शंका ने शायद हम दोनों बहनों को ही सहमा दिया, कहीं वैष्णवी का वेश धर, हम अकेली बहनों को ठगने आया यह कोई धूर्त वंचक तो नहीं था? सकपकाकर, हम दोनों के शंकित दृष्टि के आदान-प्रदान को शायद उस चतुरा माई ने भी भाँप लिया, "क्यों बेटी, माई का चेहरा ऐसे क्यों देख रही हो? डर गईं क्या?" लपककर उसने मेरा हाथ पकड़ा और हँसने लगी। मैं उस विचित्र स्पर्श की, चेष्टा करने पर भी आज स्पष्ट व्याख्या नहीं कर पा रही हूँ, पर ऐसा लगा था जैसे कोई लिजलिजी छिपकली ही मेरे हाथ में आ गई हो।

"माई का चेहरा ही ऐसा है बेटी," एक लम्बी साँस खींचकर उसने अपनी अस्वाभाविक मूँछों की रेखा को सँवारा, "नाम था लछमी, और ब्याह होकर आई तो सास ने घूँघट उठाते ही कहा, 'अरे, यह तो लछमी नहीं लछमसिंह

को ब्याह लाया है रे तू आनसिंह,' उसी दिन से हरामी हमारा दुश्मन बन गया।" वैष्णवी का मांसल कंठस्वर अजीब बैठा-बैठा सा लग रहा था, जैसे अभी-अभी नज़ले से उठी हो। कंठ में झूल रही चित्र-विचित्र मालाओं पर हमारी दृष्टि निबद्ध देख, वह हँस-हँसकर एक-एक माला से हमारा परिचय कराने लगी, "यह बड़े गुरु महाराज की दीच्छा माला, यह मझले गुरु का दिया छोटा जप का माला, यह मसान के जप का रुद्राक्ष और यह पिरागराज के कुम्भ का तुलसीमाला।"

मेरी बहन भीतर गई और मुझे भी हाथ से उठ आने को कहने लगी, पर मुझे तो वैष्णवी की रसीली बातों में महा आनन्द आ रहा था, मैं भला क्यों उठती? खाती है तो वैष्णवी खाती रहे, मैं क्या उसके खाने में नज़र लगा रही थी? जान-बूझकर ही मैंने अग्रजा के कृत-संकेत की अवहेलना कर दी। वैष्णवी ने आँखें बन्द कर ज़मीन पर गुरु के नाम की तीन-चार कढ़ी-भात की बड़ियाँ-सी डालीं, और हँसकर मुझसे बोली, "क्यों, खाएगी बेटी?"

सच कहूँ, तो उसकी चटपटी मिर्च रँगी कढ़ी देखकर मन ललचा भी उठा था। पर छि:, स्वयं भिक्षा में दिया गया अन्न क्या ग्रहण कर सकती थी मैं!

खाना खाकर वैष्णवी ने देखते-ही-देखते बर्तन मलकर दर्पण से चमका दिये और चीमटे से अंगारे बीनकर चिलम सजा ली—पहले थैली से एक रंगीन काठ की डिबिया निकाली, फिर उसकी दो चुटकियाँ दोनों नथुनों में भरीं और अचानक धुआँ उगलती दुनाली का रहस्य स्वयं स्पष्ट हो गया। अब वह पालथी मारकर बैठी और आँखें बन्द कर उसने एक लम्बी कश ली। चिलम का मादक धुआँ उसे अब और मुखरा बना गया था।

"वाह! माई आज तुमसे बहुत ख़ुश है बेटी।" मैं चिलम थामे उस दम लगाती रहस्यमयी वैष्णवी को मुग्ध दृष्टि से देख रही थी। कैसी चौड़ी हथेली थी, किसी को एक तमाचा धर दे, तो वहीं ढेर! वैष्णवी थी या पहलवान?

"तुम क्या दिन-रात चलती ही रहती हो माई?" मैंने पूछा।

गाँजे से आरक्त नयनों में सहसा स्निग्ध वात्सल्य छलक आया।

"हाँ बेटी, माई ने बड़ा पाप किया है, इसी से परभू ने सजा दिया है

माई को, 'माई! जाओ, दिन-रात चलता रहो, न रात नींद न दिन, जहाँ गुरु ने कहा वहीं चिमटा गाड़ दिया और गुरु ने कहा, 'अलख माई फेर चल दे'—उखाड़ा चिमटा और चल दिया। 'बरफ, पानी, नौला, गाढ़ (नदी) तर जा माई। पाप किया है पिरस्चित कर 'वही करता हूँ गुरु, वही करता हूँ..."

उसने चिलम सहित अपनी चौकोर हथेलियाँ कपाल से टेककर अपने अदर्शी गुरु को नमस्कार किया और फिर एक कश लेकर, हिलने-सी लगी...

"गुरु? कहाँ हैं तुम्हारे गुरु?" मैंने पूछा। कैसे गुरु होंगे भला जो अदृश्य बने अपनी शिष्या को उठने-बैठने का भी जादुई आदेश देकर फिर उड़न छू हो जाते थे।

"हा-हा-हा-हा!" वैष्णवी ने मुझे देखकर विचित्र अट्टहास किया, "पगला छोरी, गुरु क्या तुझे दिख सकता है? वह तो कान में आकर कह जाता है बस, ठीक जैसे हवा चलता—हर वक्त माई का साथ। रात-आधी रात, घाट, मसान कहीं माई डरा, बस गुरु ने सिर पर हाथ धरा—माई डर मत, हम तेरा साथ हूँ।" मसान घाट पर घूमने वाली माई तब क्या वैष्णवी नहीं थी? निश्चय ही वह किसी मसानी उदासी की चेला थी। मेरे रोंगटे खड़े हो गए, कुछ ही माह पूर्व ऐसे एक भैरवी ने अचानक आकर हमारे ही एक आत्मीय के यहाँ अपना चिमटा गाड़ दिया था। गृहस्वामी के सरल सौजन्य का लाभ उठाती वह उन्हीं के यहाँ जमी रही। मांस-मदिरा से वह अपने आराध्य का नित्य भोग लगाती, और देखते-ही-देखते उसने उस परिवार को मिट्टी में मिला दिया। पहले, गृह के नन्हे पुत्र की मृत्यु हुई, फिर गृहस्वामी की, और अन्त में स्वयं गृहस्वामिनी को पागल बनाकर वह एक दिन जैसे अचानक महामारी-सी आई थी, वैसे ही न जाने कहाँ अदृश्य हो गई। कहीं यह भी उसी अखाड़े की तो नहीं थी?

माई आँखें बन्द किये, सहसा फिर झूम-झूमकर अलस स्वर में बोलने लगी, "दस साल में जोगी माई का शादी हुआ, चार साल बाद माई ससुराल गया, मालिक का नाम था आनसिंह। टनकपुर, हलद्वानी, अल्मोड़ा सब जगह मोटर चलाता। आधा पिटरौल अपनी मोटर में डालता, आधा अपने पेट में।

जब घर आता नशा में चूर, जोगी माई को कभी सास मारता, कभी मरद। कभी कहता, 'लकड़ी ला।' कभी कहता, 'घास काट ला।' कभी भूखा-प्यासा माई को भैंस चराने भेज देता जंगल। और भैंस भी था ऐसा हरामी कि जोगी माई को भगा-भगाकर मार देता। माई पूछता, 'सासूज्यू हो, मायके जाऊँ?' तो गरम चिमटे से दाग देता, देख अभी भी 'डाम' (जले का चिह्न) पड़ा है सब। चिलम पेड़ से टिका, माई ने अपनी भगवा फतुई-कुर्ती ऊपर उठा दी और उसके नारीत्व के शुष्कतूबी से लटके प्रमाणपत्र देखकर, मैंने सकपकाकर आँखें नीची कर ली थीं। सचमुच ही वह नारी थी। पेट से लेकर पसलियों तक, क्रूर सास के गर्म चिमटे के अमिट चिह्न, गोदने की अमिट स्याही से ही उभर आए थे।

"एक दिन माई को बुखार में ही सास ने भैंस चराने भेज दिया। माई बहुत रोया, 'हम नहीं जाएगा सासू, उस बन में बाघ लगा है, हमको बुखार है।' पर सास ने कहा, जा, जा, बाघ ने तुझे खा लिया तो हम दूसरा बहू ले आएगा।

"उस दिन भैंस को भी सास ने मन्तर दिया था। भगाते-भगाते जोगी माई का दम निकाल दिया, आख़िर जाकर खड़ा हो गया हरामी 'म्योल' (घाटी) के ऊपर नीचे काली गंगा, एक धक्का लगा तो चूर-चूर! माई को बहुत गुस्सा था उस दिन, भूख का गुस्सा, सास का गुस्सा, मरद का गुस्सा, सब निकाला उसने भैंस पर। रोज-रोज माई को सताता है 'चंडाल, ले जा!' बस, एक धक्का दिया और धड़ाम से भैंस गिरा। ऐसे वह गया जैसे कुस (कुश)...

"माई रोता-रोता घर आया, सास ने पूछा, 'क्यों रोता है, भैंस कहाँ है...? बोल छोकरी कहाँ है भैंस?'"

"जंगल में ही है सासूज्यू, आप चलो तो दिखा दूँ।"

"आगे-आगे जोगी माई, पीछे गाली देता सास—वही चोटी पर हम दोनों पहुँचा। माई का सास था एकदम दुबला-पतला और माई था तगड़ा जबान..."

"बोल, कहाँ है मेरी ढाई सौ की भैंस—कहाँ?" उसने चिल्लाकर कहा।

"यहाँ, बोला माई और धकेल दिया हरामी को! ऐसा बह गया जैसा कुस..." अब एक पल को माई चुप हो गई, उसका पाप क्या इतना ही था?

"लौटकर माई आया तो दरवाजे पर आनसिंह खड़ा था, नशे में चूर लाल-लाल आँखें, और हाथ में कुल्हाड़ी..."

"बोल राँड, तू अकेली कैसी आई, मेरी माँ कहाँ है? जानती नहीं उस बन में बाघ लगा है, फिर क्यों ले गई मेरी माँ को?" जोगी माई को बहुत गुस्सा आ गया, बहुत! बाघ हरामी की माँ के लिए लगा था, माई के लिए नहीं?

"तुम्हारी माँ नीचे गिर गई है," माई ने रोकर कहा, "जल्दी चलो हमारा साथ, अभी बाज के पेड़ में अटका है तुम्हारी माँ..."

"आनसिंह भागता-भागता माई के पीछे फिर उसी पहाड़ पर पहुँचा। माई को एक थप्पड़ मारकर बोला, 'बोल हरामजादी, कहाँ है मेरी माँ?'"

"यहाँ," कहकर माई ने उसे भी धक्का दे दिया।

"वही तीखा पहाड़ और नीचे काली गंगा। माई फिर घर नहीं लौटा, ओडयार में, नैपाली बाबा के पैर पकड़कर सब पाप कबूल दिया माई ने। गुरु महाराज ने दीच्छा दिया और कहा, 'माई जा, दिन-रात चिमटा बजाकर भिच्छा माँगकर खा, और भिच्छा माँगकर पहन-ओढ़! तूने जीव-हत्या किया है, यही तेरा पिराचित है, अब परभू तेरा मालिक और परभू सहारा है।'"

चिलम उलटकर वैष्णवी ने थैली में डाल दी, चिमटा उखाड़ा और हँसकर खड़ी हो गई, "परभू तुम्हारा भला करे, माई अब चलेगा..."

इससे पहले कि मैं बहन को बुलाकर लाती, वह लम्बे-लम्बे डग भरती सीढ़ियाँ उतर गई।

वही मुखरा मर्दानी वैष्णवी, मेरी कहानी 'लाटी' की वैष्णवी है, यही 'धुआँ' की और इसी की लाठी के चौखटे में मैंने अपने उपन्यास 'चौदह फेरे' की वैष्णवी को बाँधा है। कैसा जघन्य अपराध था उसका! एक साथ तीन-तीन हत्याएँ—भैंस की, सास की और पति की। प्रतिशोध की कैसी विकट भावना रही होगी उसकी! संसार की किसी अदालत में, यह ट्रिपल मर्डर केस नहीं चला, किसी न्यायाधीश ने उसे बन्दिनी बनाकर कारागार के कपाटों में नहीं मूँदा, किन्तु बेड़ियाँ डाल दीं स्वयं उसकी अन्तरात्मा ने। भरी जवानी में, सिर पर भगवा कफ़नी बाँधे, वह एक बार फिर उसी तीखी पहाड़ी

पर खड़ी हो गई। चौथी निर्मम हत्या की उसने, स्वयं अपने सत्रह वर्ष के यौवन की। ख़ूनी के सधे हाथों ने इस बार उसी हृदयहीन क्रूरता से, अपने यौवन को नीचे धकेल दिया। तीखा पहाड़ और नीचे बहती काली गंगा की तीव्र धारा।

इस बार उसका यौवन ऐसे बह गया जैसे कुश! इससे कठोर दंड उसे और मिल भी क्या सकता था?

एक ऐसी ही अदृश्य बेड़ियों से जकड़ी दूसरी बन्दिनी से भी मेरा परिचय उसी अखरोट के वृक्ष के नीचे हुआ था। खँजड़ी बजाती चैत की 'भेटुली' के पर्व पर मीठे करुण पहाड़ी ऋतुरैण गाती वह एक दिन सहसा आ गई थी, और फिर कई दिनों तक आती रही थी। उन दिनों पहाड़ में पेशेवर गायिकाओं का एक दल, चैत्र मास आरम्भ होते ही, समृद्ध गृहों में, तुरैंण गाने जाया करता था, उनकी चाल-ढाल में, अदब-क़ायदे में, वेश-विन्यास में, कहीं भी उनके कलुषित पेशे की छाप नहीं रहती। अधिकतर गायिकाएँ चौड़े काले मख़मली किनारे की इकलाई पहने सीधा पल्ला सिर पर सँवारे, पान-दोख्ते से सनी मीठी हँसी से पूरा मोहल्ला गुलज़ार कर देती, उन दिनों पहाड़ में एक और भी कुप्रथा थी। समृद्ध गृहों के बुज़ुर्ग, वाणप्रस्थावस्था में, अपने यौवनकाल की इसी बदनाम बस्ती की 'मिस्ट्रेस' को घर लाकर निस्संकोच गृहिणी के आसन पर बिठा देते थे। उनमें से अधिकांश सिंथेटिक गृहिणियों का नाम 'राम' के पावन अक्षर से ही आरम्भ होता था, जैसे—'रामकटोरी', 'रामप्रिया', 'रामप्यारी' आदि। जिस मोहल्ले में एकाध ऐसी रामनाम-धारिणी वास करती, वहाँ इस चैती गायिका दल की बैठक विशेष रूप से जमती। दुर्भाग्य से हमारे मोहल्ले में, कोई भी ऐसी भाग्यवती नहीं थी, किन्तु हमारे ही एक रसिक आत्मीय के यहाँ इस दल का एक विशेष जलसा होता। खिड़की से उचक-उचककर, हमने उस दल की एक-से-एक सुन्दरी उर्वशियों की रूपसुधा का छककर पान किया था। एक दिन अनजाने ही मैं उन्हीं नाना जी के पास अख़बार माँगने चली गई थी। उस दिन जो दृश्य वहाँ देखा, वह मैंने न कभी पहले देखा था, न शायद कभी देख ही पाऊँगी। हाथ में सिगार लिये

ही मेरे रिश्ते के नाना मसनद पर लेटे थे; उनके सिरहाने-पायताने, अग़ल-बग़ल एक-से-एक सुन्दरी अप्सराएँ खिलखिला रही थीं। जैसा रंग वैसी ही ख़ुशबू; लगता था किसी ने दस-बारह इत्रदान एक साथ तोड़कर कमरे में बिखेर दिये हैं। उस इन्द्रसभा में अचानक सयानी पौत्री को देखकर नाना जी सकपका गए और स्वयं मुझे भी पसीना छूटने लगा। किन्तु व्यवहारकुशल नाना जी ने फ़ौरन परिस्थिति सँभाल ली, "कहो नातनी, कैसे आई?" उन्होंने हँसकर पूछा। मैंने कहा, पर जीभ जैसे तालू से सट गई थी।

"आज का स्टेट्समैन, लेने आई थी।"

"ओह लला, तुम्हारी नातनी हैं ये? अब तो हम इन्हें बिठाकर चैत का शगुन जरूर करेंगी..." देखते-ही-देखते पूरी गुनगुनाती मधुमक्खियों ने मुझे अपनी रानी की भाँति घेर लिया और गाने लगीं,

जो भागी जियलो
यो दिन भेटौलो हो!

कहीं मीठी खिलखिलाहट, कहीं कोमल हथेलियों से मेरा चिबुक-स्पर्श, कहीं अपनी मातृत्ववंचिता चिरशुष्क गोदी में मुझे खींचने का असफल प्रयास। मेरी रोनी सूरत पर तरस खाकर, नाना जी ने उन्हें डपटकर मुझे छुड़ा दिया था, "क्या कर रही हो तुम लोग, बेचारी लड़की घबरा रही है। ले बेटी, अख़बार मेज़ पर धरा है, उठा ले।" मैं एक प्रकार से जान बचाकर भाग आई थी। नाना जी, गायिकाओं के सौभाग्य से विधुर भी थे और निस्सन्तान भी, पर वे उनके यहाँ कभी चैत का शगुन नहीं गा पाती थीं। जिस घर में बेटी न हो, वहाँ भला, ऋतुरैण कौन मूर्खा गा सकती थीं? मुझे देखकर और नाना जी की पौत्री के रूप में मेरा परिचय पाकर, हृदय के उच्छ्वास को उस दिन सम्भवतया वे रोक नहीं पाई थीं। बहुत दिनों बाद, मोपासां की कहानी 'मैडम टेलियर्स इस्टेब्लिशमेंट' पढ़ी तो मुझे एक पल को नाना जी का वही कक्ष याद हो आया था। मैडम की नन्ही भतीजी के बपतिस्मा के समारोह में आया मैडम का रंगीन दल, क्या एकदम नाना जी की बैठक में जुटा दल

नहीं था? भाग तो मैं आई थी किन्तु देस में बँधी ऋतुरैण की वह धुन, मुझे भुलाए नहीं भूलती थी,

जो भागी जियलो
यो दिन भेटौलो हो।

प्रत्येक भाग्यवती कन्या के जीवन में, यह दिन बार-बार आए!

इसी पंक्ति को दुहराती रजुला जब खँजड़ी खनखनाती मेरे सम्मुख खड़ी हो गई, तो मैं चौंक उठी थी। साँवला चेहरा, निमग्न आँखें, वेदना-विधुर चेहरे पर करुण हँसी और उसके कलुषित पेशे का स्मृति-चिह्न बनती जा रही सहसा नीचे धँस गई नाक। शायद उसी बैठी नाक ने कंठस्वर में शहनाई की सी नक्की मिठास घोल दी थी।

"क्या सुनोगी लली, ऋतुरैण, परी चाँचरी या रमौला...?" उसने हँसकर पूछा।

फिर तो वह कई दिनों तक आती रही और अपने कोकिल कंठ में संचित लोकगीतों का स्वर्णकोष हमारे सम्मुख औदार्य से जुटा-लुटाकर, हमें रिझाती रही। मैंने कितने गाने उससे सीखे, कितने झोली भर-भरकर शान्तिनिकेतन ले गई, कितनों से आश्रम की कनिकादेवी, ज्योतिषदेव बर्मन, सुचित्र मित्रा जैसे प्रसिद्ध गायक-गायिकाओं के सुकंठ को सींचा, उनका अन्त नहीं है। तिलककामोद, दुर्गा, देस इन तीन राग-रागिनियों में ही तो कुमाऊँ के लोकगीतों के प्राण बसे हैं। क्या अनोखी मुरकियाँ अपढ़, अज्ञात, अनाम लोक-कवियों की सरल कल्पना की, कैसी-कैसी उड़ान और सर्वोपरि, स्वयं उस कोकिलकंठी गायिका की अपूर्व स्वर-लहरी! लगता था इस नारी की सृष्टि ही विधाता ने गाने के लिए की है। अब कभी कुमार गन्धर्व की स्वर-लहरी से कुशल लुका-छिपी सुनती हूँ। तो लगता है, यह बाज़ीगरी आज से तीस वर्ष पूर्व, वह अनपढ़, वास्तविक संगीत-शिक्षा से अनभिज्ञ रजुला कहाँ से सीख गई होगी! गाती-गाती वह मीठी स्वर-लहरी की चरमबिन्दु पाते ही, अचानक तारसप्तक को छू रही मीठी आवाज़ को, शून्य में विलीन कर फिर धीरे-धीरे उठाकर

श्रोताओं को रस की चाशनी में पगाकर रख देती। न कोई साज़ न कोई ठेका, केवल एक टूटी-सी खँजड़ी, जिसकी मुई ख़ाल को वह दियासलाई जलाकर, तपा-भर देती और कान के पास बजाती, आँखें मूँदकर स्वर साधती,

नैनीताला नंदादेवी
सोरे की भगवती

आज से तीस वर्ष पूर्व, जब उससे पहली बार,

बेड़ पाको बारोमासा
आसा काफल पाको चैत्ता
मेरी छैला

सुना था तो मुझे लगा था, सिर के ऊपर, छतरी-सा तना अखरोट-तरु भी, जैसे लाल-लाल रसीले फलों से लद गया है।

"रजुला, ऐसा गाना तुमने किससे सीखा?" हम पूछतीं।

"उससे," वह दोनों हाथ जोड़कर आकाश की ओर उठा आँख मूँद लेती।

"ठीक ही कहा था उसने, ऐसा कंठ, स्वर की ऐसी बाज़ीगरी, उसे वही कुशल शिल्पी प्रदान कर सकता था। वैसे वह 'ऋतुरैण', 'भगनौला', 'रमौला' सब कुछ गाती थी। किन्तु आत्महारा होकर गाती थी—देवता के गीत। एक गीत, उसे विशेष रूप से प्रिय था,

मेरो कह्यो नीकह्यो
करिया नीकरिया
मेरी सुंणिया नीसुंणिया
करियै छिमा
छिमा मेरा परभू!

मेरा कहा-अनकहा, मेरा किया-न किया, मेरा सुना-अनसुना, सब क्षमा करो, क्षमा करो मेरे प्रभु!

गाती-गाती वह सुध-बुध ही जैसे खो बैठती, आँखों से आँसू की धारा बहने लगती, खँजड़ी पर थिरकती उँगलियाँ शिथिल पड़ जातीं, और कभी कंठस्वर को उठाती, कभी डुबाती। वह सुनने वालों को भी उठाती, डुबाती, रुलाती जाती।

"ऐसा गला पाकर भी तुम भीख ही माँगती रहीं रजुला?" मैंने एक दिन उससे पूछा तो वह उदास हो गई। इधर कई दिनों की संगीत शिक्षा ने हम दोनों के बीच गुरु-शिष्य का स्नेह सम्बन्ध स्थापित कर दिया था।

"नहीं लली, तुम्हारी किरपा से, रजुला ने इस गले से बहुत माया जोड़ी, चाहती तो ऐसी दस-बीस कोठी खड़ी कर सकती थी।" उसने अपनी प्रलम्ब भुजा, हमारे घर की ओर बढ़ा फिर सहसा सकुचाकर समेट ली। पल-भर को धुँधली आँखों में दप से जली गर्व की ज्योति उसी वेग से बुझ गई। तब मैं अपना कौतूहल रोक नहीं पाई, "कहाँ गई वह माया?"

"नदी में," उसने आवेगहीन कंठ से कहा और शिथिल खँजड़ी, टूटी खनक के साथ, उसी की गोदी में गिर गई।

मैंने उसके दोनों हाथ पकड़कर कहा, "कहो न रजुला, नदी में कैसे चले गए तुम्हारे रुपए?"

"लली," उसने उदास हँसी हँसकर कहा, "सुनकर क्या करोगी? तुम लोग हो ऊँचे बामणों की लली, हम जैसे पापियों को छू भी लिया तो हम तर गईं। हमारा गंगाजल हो तुम लली, तुम्हारा हाथ छूकर झूठ नहीं बोल सकतीं हम! सच कह रही हूँ। लली, इन्हीं हाथों से पूरा चालीस तोला सोना बहा दिया रजुला ने..."

"चालीस तोला?" मेरी आँखें फटी रह गईं।

"हाँ लली!" कंठस्वर में किसी प्रकार की उत्तेजना का स्पर्श भी नहीं था।

"यही नहीं, विट्टोरी (विक्टोरिया) के चार हज़ार नक़द रुपए काठ की ठेकी में ऐसे छलाछल छलक रहे थे, जैसे कुंडे का दानेदार दही, सब पाप, बहा दिया भागीरथी में..."

"क्यों, ऐसा क्यों किया? और अब गाना गाकर, दर-दर भीख माँगती हो?" मैंने पूछा।

"पाप किया था लली, घोर पाप, किसी ने सजा नहीं दी, भगवान ने भी आँखें बन्द कर ली थीं—किसी ने नहीं पकड़ा मुझे।"

"कैसा पाप किया था तुमने रजुला?" मेरे प्रश्न के साथ ही, उसका पीला चेहरा और भी पीला पड़ गया।

"हत्या की थी मैंने..."

"किसकी हत्या?" मैंने साँस रोककर पूछा।

"अपने बेटे की," उसकी आँखें एकदम सूखी थीं—लगता था उसके आँसुओं का आदिस्रोत ही बहुत पहले सूख गया है।

"ऐसा क्यों किया?" मैंने सहमे स्वर में पूछा।

"क्योंकि उसकी शक्ल एकदम अपने बाप से मिलती थी, पैदा होते ही जिसकी शक्ल मैंने पहचान ली, बड़ा होता तो क्या लोग उसे नहीं पहचान लेते—सब जान जाते कि वह किसका बेटा है!" वह एक लम्बी साँस खींचकर, फिर संयत स्वर में कहने लगी, "नदी में ले गई, अपनी आँखें बन्द कर मैंने दुश्मन को डुबो दिया लली..."

कैसी विचित्र थी यह माँ! पिता से पुत्र की शक्ल मिलती थी इसी से उसके प्राण ले लिये। पिता की सी सूरत तो किसी भी पुत्र के लिए गौरव की बात है, लज्जा की नहीं।

"तुम नहीं समझोगी लली," उसने हँसकर मेरी पीठ थपथपाई थी, "पूरा गाँव, उसके बाप को देवता मानकर पूजता था और फिर उसका बाप क्या मेरा पति था? मैं तो थी नाचने-गानेवाली नरैंण की (प्रभु की) दासी, घोर पापिन, कलमुँही रजुला, क्या अपनी कालिख उनके मुँह पर पोंछ सकती थी? गाँव छोड़कर भाग गई, और पाप की पूरी कमाई, चलते-चलते उसी भागीरथी में डुबो गई। कहाँ-कहाँ घूमी, कितने दुख सहे, हे भगवान! सुआमी गंगनाथ, सबूक भल करिया परभू!" (हे भगवान, स्वामी गंगनाथ सबका भला करना प्रभु!) रजुला ने दोनों हाथ कपाल से टेककर, न जाने किन-किन कुटिल कामियों के लिए, अपने अदर्शी प्रभु से क्षमा-याचना की। फिर कहने लगी, "भगवान ने दंड दिया, गला बैठ गया, सारे बदन में फुंसियाँ निकल आईं।

जो देखता, घिन्न से दूर सरक जाता। कभी कोई कोढ़िन समझकर धेला-पैसा फेंक देता, और गुड़ खा, पानी पीकर किसी पेड़ के नीचे पड़ी रहती। कभी सपना देखती, छातियों से दूध बहा जा रहा है, कपड़े भीग गए हैं, चौंककर चीखती पर आवाज न निकलती। एक दिन मैंने उसी बैठी आवाज में अपना वही गीत गाया—'करियै छिमा, छिमा मेरा परभू।' धीरे-धीरे गला खुल गया, खोई आवाज फिर लौट आई। अब इधर-उधर भीख माँगकर पेट भर लेती हूँ—यही मेरी जेल है लली। जिस दिन बेड़ी कटेगी उस दिन चार कन्धों पर यही गाना गाती चली जाऊँगी,

मेरी कह्या नाकह्या
करिया नीकरिया
मेरी सुंणिया नीसुंणिया
करियै छिमा
छिमा मेरा परभू...!"

निश्चय ही, अब तक वह अपना वही प्रिय गीत गुनगुनाती महाप्रस्थान के पथ पर चली गई होगी, पर मेरे कानों में तो अभी भी, कभी-कभी उसकी खँजड़ी खनखना उठती है। कैशोर्य में मिली मेरी यही संगीत-शिक्षिका मेरी कहानी करियै छिमा की नायिका बनी। मैं तो उसे यही सामान्य गुरुदक्षिणा दे सकी, किन्तु वह मुझे जो कुछ दे गई, उस अनोखे ऋण से क्या मैं कभी उऋण हो सकती हूँ?

इसमें कोई सन्देह नहीं कि विश्व के उच्चतम न्यायालय से बहुत-बहुत ऊँचा जो एक और न्यायालय है वहाँ न झूठी गवाही चलती है, न झूठी दलील! उस अनुपम न्याय-तुला का न एक पलड़ा रत्ती भर इधर नत हो सकता है, न उधर। और उन अदृश्य हथकड़ी-बेड़ियों की जकड़ इहलोक की बेड़ियों की जकड़ से कहीं अधिक कठोर होती है, कहीं अधिक दुर्धर्ष!

आमा

दिद्दी की बचपन की यादें दिलचस्प तो अवश्य हैं, लेकिन उनको पढ़ते हुए मुझे एक अजीब-सी झुँझलाहट भी महसूस हुई। ऐसा लगा कि दिद्दी ने अपने घर के चारों ओर एक दीवार-सी खड़ी कर दी है, जिसके भीतर जाकर उसके परिवार को पास से देखने की इजाज़त वो किसी को नहीं देना चाहती है।

लोहनी जी, हेनरी पंत, अलख माई और रजुला के बारे में तो वो खुलकर बात कर लेती हैं, लेकिन अपने परिवार के आत्मीय जनों के बारे में वो एकदम चुप हो जाती है। उसकी पैनी नज़र ने सब कुछ देखा तो था लेकिन वो उनको किसी तरह की चोट या अप्रिय टिप्पणी से बचाना चाहती थी। उसका भ्रम था कि यदि वो केवल उन बातों की चर्चा करे जिनसे उसकी सुखद यादें जुड़ी थीं, तो वो अपने दुखद इतिहास को मिटा सकती थी। इसलिए दिद्दी ने अपने साहित्य में सूरज की रोशनी को अँगूठा दिखाकर रोकना चाहा। कवयित्री एडना सेंट विंसेंट मिले ने कहीं ठीक ही लिखा है, “छुटपन के साम्राज्य में माँ-बाप कभी नहीं मर सकते...”

लोहनी जी के लेख में दिद्दी ने अपने पिता की मृत्यु का उल्लेख तो किया है, लेकिन इतनी सफ़ाई से कि हमारा ध्यान उस पर टिकता नहीं। कसून के खाँटी पांडे परिवार के गर्दिश के दिनों का विवरण करते समय

न तो उसकी आवाज़ रुकती है, न उसमें हमें कोई ख़ास विषाद सुनाई देता है। वो बहुत सहजता से बताती हुई चली जाती है कि उसके पिता के निधन के बाद, आमा चालीस साल पर विधवा हो गई और अपने नौ बच्चों को अल्मोड़े में अकेले पालने लगीं। उनके परिवार का एक स्वर्ण युग बीत गया और घर की कई मूल्यवान चीज़ों को बेचना पड़ा। यह प्रसंग लेख के बीच में कहीं दबा है, इसलिए लगता है कि चाहे इस त्रासदी ने कसून के परिवार को झकझोर दिया था, वो उसे परास्त नहीं कर पाई। लेकिन मुझे उसमें कहीं भी कसून की दबंग औरतों का उल्लेख नहीं मिला, और मैं सोचने लगी कहाँ गई वो दम्भी महिलाएँ जिन्होंने हमको पाला और हमें हमारे संस्कार दिये?

इसका उत्तर मुझे तब मिला जब मैंने दिद्दी की माँ की मार्मिक कहानी को उसके लेखों में ढूँढ़ना शुरू किया।

अपनी नानी को हम आमा कहते थे, और उनका गहरा प्रभाव हम सब पर आज तक साफ़ दिखाई देता है। दिद्दी ने अपनी अन्तिम कृति, 'सोने दे', को अपनी माँ के एक लम्बे रेखाचित्र से आरम्भ किया है, जिसमें दिद्दी ने कई दिलचस्प कहानियाँ और क़िस्से तो भर दिये हैं, लेकिन उनसे जुड़े कई ऐसे पात्र हैं जिनके बारे में वह बिलकुल चुप हो जाती है। इसीलिए मैंने इस अध्याय में अपनी बहन मृणाल के एक निहायत सुन्दर लेख का सहारा लिया है, जिसे उसने 1981 में, आमा की मृत्यु के बाद, 'मेनस्ट्रीम' नामक पत्रिका में आमा की याद में छापा था। मृणाल की कलम से निकला आमा का चित्र दिद्दी की रोमांटिक यादों से बिलकुल भिन्न है, उसने अपनी पैनी नज़र से आमा के निर्भीक, दबंग और दमदार व्यक्तित्व के उन पहलुओं को दर्शाया है जिसमें वे कसून परिवार की रीढ़ की हड्डी-सी उभर के निकलती हैं।

मुझे पक्का विश्वास है कि सब बेटियाँ एक-न-एक दिन अपनी माँ जैसी बन जाती हैं। जैसे-जैसे दिद्दी की उम्र होती चली गई, वो आमा-सी बनती चली गई। आमा की तरह वो मुँहफट और निर्भीक थी, और किसी को खरी-खोटी सुनाने से कभी न चूकती थी, चाहे वे अपने बच्चे ही क्यों न हों। इस बात से कई बार उसे लोगों ने ग़लत भी समझा और चोट भी पहुँचाई। आमा

को ढोंगी और नाटकीय लोगों से बहुत चिढ़ थी, और उनका ये गुण हम सब को विरासत में मिला है, लेकिन अगर इसे पूरी तरह से किसी ने सराहा तो वो थी हमारी दिद्दी। शायद यही कारण था कि दोनों अपने अन्तिम समय में सबसे बहुत दूर होती चली गईं। अन्त तक, वे सुनाती चली गईं और सबकी पोंगापंथी, अपने-आपकी भी, हँसी में उड़ा ले गईं। देखा जाए तो दिद्दी का जीवन आमा के जीवन की ही परछाईं है, आमा चालीस साल पर विधवा हो गई थीं, दिद्दी पचास साल पर। दोनों ने स्वयं अपने जीवन को सँभाला और यद्यपि दोनों अपने पुत्रों को बहुत प्यार करती थीं, अन्त समय में दोनों अपनी पुत्रियों की शरण में आईं।

लगता है परिवारों का इतिहास, दुनिया के इतिहास की तरह, एक ही चक्र में निरन्तर घूमता रहता है।

छुटपन में हमारे लिए हमारी आमा एक बहुत महान हस्ती थीं। उनके घर और गृहस्थी का प्रभाव हमारे जीवन पर सबसे गहरा था। हम सब नाती-पोते आज तक उन्हें कुछ प्यार, कुछ भय से याद करते हैं। वे कसून की महारानी थीं और सारे शहर में लोग उनसे और उनकी तीखी ज़ुबान से थर्राते थे। अपने जीवन में आमा ने कई ऐसे काम किये थे जिनको उस ज़माने में बेहद प्रगतिशील माना जाता था, लेकिन जहाँ बात आती थी शादी-ब्याह या सामाजिक सम्बन्धों की, आमा घोर दर्जे की रूढ़िवादी थीं। परिवार के लड़कों को वो हमेशा लड़कियों से ऊँचा दर्जा देती थीं। जहाँ आमा के लिए उनके सौ ख़ून माफ़ थे, उधर हम लड़कियों के लिए ज़ोर से हँसना, सीटी बजाना या बड़ों के बीच दख़ल देना वर्जित था। लेकिन जब भी हम लड़कियों में से कोई अच्छे नम्बर लाकर पास होती या उसे कोई पुरस्कार मिलता, सबसे पहले बधाई हमें आमा ही देतीं। आमा पति को हमेशा 'मालिक' कहकर सम्बोधित करती थीं, क्योंकि उनकी नज़र में औरतों के पति उनके मालिक थे। उन्होंने जिन संस्कारों को हम सबमें भरा, उसमें पुरुष का दर्जा औरत से हमेशा ऊँचा माना जाता था। उन्होंने ये कभी स्वीकार न किया कि किसी भी परिवार में एक औरत को उसके पति से ऊँचा ओहदा दिया जाए। शायद

यही कारण था कि दिद्दी आजन्म एक पुरुष का साया ढूँढ़ती रही। आख़िर यही उसे आमा से विरासत में मिला था।

इसका एक नतीजा ये हुआ कि दिद्दी के अन्दर आजन्म एक द्वंद्व युद्ध जो चलता रहा। एक तरफ़ उसे खींचता उसका अपना स्वच्छन्द स्वभाव, जो किसी को अपने ऊपर हावी नहीं होने देता था। और दूसरी ओर था अपने मायके में देखा पैतृक संसार जिसके संस्कार उसे दूसरी दिशा की ओर खींचते थे। यही कारण था कि दिद्दी को किसी प्रकार के 'अनैतिक' चाल-चलन से घोर नफ़रत थी—जैसे कि अपने समाज के बाहर शादी करना, बिना शादी किये किसी पुरुष से सम्बन्ध जोड़ना, तलाक़ देना, बड़ों के मुँह लगना या संस्कारों की अवहेलना करना। लेकिन अपने लेखन में दिद्दी इन सब नियमों को स्वयं तोड़ती रहती। उसके उपन्यासों व कहानियों की निर्भीक नायिकाएँ उन सभी प्रथाओं को तोड़ती थीं जिनसे समाज उन्हें दबाने की कोशिश करता। शायद यही कारण था कि दिद्दी का ध्यान बार-बार उन पात्रों की ओर खिंचता था जो समाज के सब बन्धनों से स्वतंत्र होते हैं—संन्यासी, पागल और कोढ़ी।

मेरी एक सहेली से दिद्दी अकारण चिढ़ने लगी : उसने अपने पति को तलाक़ देकर एक अन्य शादीशुदा पुरुष के साथ रहना शुरू कर लिया था। बात यहाँ तक आ गई कि जब भी वे हमारे घर आतीं, दिद्दी तुनक के अपने कमरे में चली जाती, खाना लगता तो मेज़ पर न आकर नौकरों से वहीं अपना खाना मँगवा लेती। "ये क्या बात हुई?" मैंने झुँझला के एक दिन दिद्दी से पूछा। "अगर मैंने वो किया होता जो मेरी सहेली ने किया है तो भी मैं तुम्हारा ग़ुस्सा समझ सकती, लेकिन घर आए मेहमान से ऐसी बदतमीज़ी तो ठीक नहीं।"

"तुम्हें मालूम है मुझे ऐसे लोग बिलकुल पसन्द नहीं हैं," वो बोली। "किसी का घर तोड़ने वाली स्त्री को मैं माफ़ नहीं कर सकती।"

"अच्छा? तो फिर तुम्हारी वह दोस्त जिन्हें हम 'स' मौसी कहते थे, उनके बारे में क्या ख़याल है?" मैंने उसे छेड़ा। 'स' मौसी दिद्दी की अन्तरंग

मित्र थीं और शहर के नामी और शादीशुदा सर्जन से प्रेम-विवाह करके उनको अपने घर ले आई थीं। सर्जन साहब ने अपनी पहली पत्नी और बच्चे 'स' मौसी के लिए छोड़ दिये थे।

दिद्दी तुरन्त उठके कमरे से चली गई। आमा की पुत्रियों को, उन्हीं की तरह, कुछ भी कह लेने की तो आदत थी, किसी से कुछ सुनने की नहीं।

आमा : शिवानी

ननिहाल के द्वार से ही लखनऊ की अम्बरी तम्बाकू की मदमस्त ख़ुशबू लपककर हमें बाँहों में भरने चली आती। भीतर जाते तो तख़्त पर बैठे मामा किसी किशोरी की सी बलखाती क्षीण कटि की पेचदार हुक्के की नली मुँह में लगाए गुड़-गुड़ करते दीखते। न सोफ़ा, न दीवान, तख़्त पर बिछी दूधिया चादर, सफ़ेद गावतकिये पर अधलेटे मामू और उनका दरबार, सर तेजबहादुर सप्रू, राजराजेश्वर बली आदि के हाथ में ताश के पत्ते और वे आभिजात्यपूर्ण क़हक़हे, जिन्हें लगाना भी लोग अब भूल चुके हैं। भूलें भी कैसे नहीं, अब सभ्यता की सम्पूर्ण बारहखड़ी बदल चुकी है, ज़ोर से हँसना, ज़ोर से बोलना, अब इस नवीन समाज में बेहूदापन ही माना जाता है। इधर ड्रिंक्स चल रहे हैं, उधर छौंकी हरी मटर चिखौना बनी चली जा रही है। यूनिवर्सिटी जाने के लिए ताँगा ड्योढ़ी पर आ गया, कंठ के घुँघरू, घंटियाँ, रंगीन मख़मली मालाओं के साज-शृंगार हिलाता घोड़ा अधैर्य से हिनहिना रहा है किन्तु बृजलीला क्या उस बृजलीला से कुछ कम है? पान की गिलौरियाँ, चाँदी की ज़ंजीरों में गुँथी चली आ रही हैं, गुम्बदनुमा चाँदी का पानदान बार-बार रिक्त हो रहा है, नानी बार-बार झुँझला रही है कि हद है, निगोड़े ताश क्या हो गए दुश्मन हो गए। नाश्ता कब का आ चुका है, तब नाश्ते में नित्य क़ब्र की दुकान से

गर्म जलेबियाँ आती थीं और साथ में मोटी बालाई उदार कुल्हड़ों में किसी पूर्णयौवना के यौवन-सी ही उफनती रहती। एक रुपए में दो किलो जलेबी वह भी शुद्ध घी की, मेज़बान भी छक जाएँ और मेहमान भी। खा-पीकर मामू ताँगे में बैठते, पीतल की चमचमाती गद्दी, कोचवान का मेल खाता व्यक्तित्व, पीछे-पीछे पानदान लिये घर का भृत्य महाबली। नाम के ही अनुरूप दीर्घाकार व्यक्तित्व, कंठ में काले तागे में बँधी सोने की तबीजिया। घुँघरू छनकाता ताँगा जाता तो अन्तःपुर का साम्राज्य स्वच्छन्द उड़ान भरने लगता—पहले तो नाउन आ गई—तेल-उबटन लगाया, चोटी-कंघी की, आस-पड़ोस के नवीनतम समाचारों की पोटली खोली, कुछ हमसे बटोरे, कुछ हमें सुनाए, फिर आ गई चूड़ीवाली—तब वह हर पखवाड़े चूड़ी बदलने आया करती थी। क्या चूड़ियाँ थीं तब और क्या पहनने वालियाँ, शरीर भारी-भरकम भले ही क्यों न हो कलाई रहती नरम गदबदी, छोटी-से-छोटी चूड़ी चढ़ा दो मजाल जो एक भी टूटे। सवा रुपए में पतला काला सुनहली लच्छा और कंगूरेदार चूड़ी पर क्या बारीक सुनहला काम। हम कभी जिदिया जाते, वही पहनेंगी सीधा-सादा लच्छा नहीं पर नानी की एक गरज सबको चुप कर देती, "जो हम कहेंगी वही पहनोगी!" नानी का वह नूरानी चेहरा और दमकता रंग गुस्से से लाल पड़ जाता तो वे और भी सुन्दर लगतीं, यूनानी नाक, प्रत्यंचा-सी भवें, सन सफ़ेद बालों से आती असगर अली के चमेली के तेल की भुवनमोहिनी सुगन्ध, सत्तर वर्ष की उम्र में भी मैंने उनके चेहरे पर झुर्रियाँ नहीं देखीं—राजरानी की ही भाँति रहीं और वैसी ही गईं। चूड़ीवाली चली गई तो नानी दाल-चावल बीनने या सब्ज़ी काटने बिठा देतीं, हम ननिहाल आई थीं इसी से हमें अपेक्षाकृत हल्का काम थमाया जाता। पुरानी नौकरानी महादेई प्रायः छौंक लगाती, "अम्मा जी, बिटियन का बहुत सर मत चढ़ाओ—बिटवा हुआ चन्दन के धोखे से माथे पै लगाया, बिटिया हुई लकड़ी के धोखे माँ चूल्हे में लगाया।" महादेई की ज़िन्दगी ही हमारे यहाँ कट गई थी। नाना लखनऊ के प्रख्यात चिकित्सक थे, उन्होंने बलरामपुर अस्पताल की नींव रखी थी, महाराज बलरामपुर के पारिवारिक चिकित्सक थे, उन्हीं से वह भवन माँगा था और बाल-विधवा

नन्ही-सी महादेई को अस्पताल की पहली नौकरी जुट गई थी। इसी प्रकार पुत्तूलाल को रोगमुक्त करने पर जब उन्होंने नाना जी को थैली-भर अशर्फियाँ फ़ीस रूप में दीं तो नाना जी ने अपने परममित्र रमेश दत्त (सुप्रसिद्ध बांग्ला साहित्यकार) के साथ उनसे विनती की, "लखनऊ में लड़कियों का एक भी स्कूल नहीं है आप अपनी धर्मशाला इस सत्कार्य के लिए दान कर दें।" इस प्रकार 'महिला कॉलेज' की स्थापना हुई, पहले कालीबाड़ी के पेड़ के नीचे पहली पाँच छात्राओं में मेरी माँ भी एक थीं, फिर यही कॉलेज धर्मशाला में आया और आज लखनऊ की एक प्रख्यात शिक्षण संस्था है। इसी में बटलर प्रदत्त एक ऐतिहासिक एलबम में बटलर के हस्ताक्षर अन्त तक माँ के पास रहे, "Presented to Leelawati Pant for standing Ist in 8th class."

नाना जी के आदमक़द तैलचित्र, दर्शनीय मूर्ति जो उनके किसी रोगमुक्त कृतज्ञ मरीज़ ने बनाकर दी थी, राजा साहब गौरा का प्रासाद जहाँ कभी माँ की शादी में जनवासा बना था, देखती हूँ तो वही लखनऊ सहसा जीवन्त होकर आँखों को जुड़ा जाता है। एक बार पंडित मोतीलाल नेहरू भी ननिहाल में आए और उस दिन की स्मृति क्षीण होने पर भी धुँधली नहीं हो पाई। ऐसे ही एक बार मेरे मौसेरे भाई कृष्णा, राजा साहब मांडा (श्री विश्वनाथ प्रताप सिंह के पिता) की फ़रदार टोपी उतारकर भाग लिये और दुर्दांत कृष्णा की शैतानी से घर-भर में हंगामा खड़ा हो गया था। लखनऊ की दोपहर हमारे बचपन का स्वर्णयुग रहता, इसी समय लगभग एक बजे विभिन्न फेरीवालों का आगमन आरम्भ होता—ऐसा ठीक समय कि उनकी आगमनी से आप अपनी घड़ी मिला लें। पहले आता रंगीन शक्कर के बने फलों का फेरीवाला; जो जी में आए खाइए, दाम दो पैसा। आम है कि लगता है सीधा मलीहाबाद जाकर डाल से टपकने को तत्पर पका दशहरी तोड़ लाया है, अंगूर, जामुन, लोकाट और पका चित्तीदार केला। फिर आता शक्कर के बने गिलासवाला—लालटेन की चीमनी लो, शीशे का गिलास लो। लीजिए साहब, लाइए इकन्नी और चबाइए गिलास। फिर आता बिसाती कंघा, आईना, नक़ली बुन्दे, बटन, रंगीन फुंदा, मिस्सी-सुरमा। कभी-कभी बंगाली साड़ियों वाला भी हाँक लगाता—'कापोड़'

और हमारे हृदय पेंडुलम से हिलने लगते। पाँच रुपए में बढ़िया धरनेवाली डूरे, पन्द्रह में लाल पाड़ की गरद और दो-दो रुपए में लेसवाले कलकतिया पेटीकोट और कभी-कभार पेटी सर पर धरे गुजराती दम्पती बायस्कोप दिखाने चले आते। दो पैसे में नौ मन की धोबिन, मक्का-मदीना से लेकर देवर का भाभी के पैर से काँटा निकालना भी हम देख लेते—कैसा रंगीन वैविध्यपूर्ण वैचित्र्य। आज की आर्ट फ़िल्म भी अब वह आनन्द नहीं दे पाती। नौटंकी में हमारा जाना सर्वथा वर्जित था, पर एक बार बड़ी चिरौरी कर हम देखने चले गए। घर के नौकरों का जाना एकदम बन्द कर दिया गया था क्योंकि एक बार हमारी ननिहाल का एक सरल पहाड़ी नौकर नौटंकी की नायिका पर ऐसा मुग्ध हुआ कि नौकरी छोड़कर घर चला गया। बाद में उसने उसी ग़म में आत्महत्या कर ली। किन्तु महाबली बुज़ुर्ग हो चला था उस पर हमारे सौभाग्य से उसकी एक आँख में मोतियाबिन्द उतर आया था, उसी को लेकर हम गए, नायिका की एक पंक्ति मुझे आज भी याद है, "मेरी आँखें नहीं शमशीर हैं ये।"

गर्मियों में ही हम छुट्टियों में लखनऊ आते और तब लखनऊ की अपनी मौलिक छटा उत्तुंग शिखर पर रहती। अमीनाबाद की नुक्कड़ पर एक प्रसिद्ध चाट की दुकान थी, तब न आज के से चाटकिंग थे न आडम्बर। एक बूढ़ा मालिक, सर पर दोपलिया और बुर्राक कुर्ता पहने बैठता, पाँच बजे ही दुकान खुलती और इसमें कोई सन्देह नहीं कि चाटकिंग न होने पर भी वह चाट का बेताज बादशाह था। हरी मटर और पानी के बताशे उसकी विशिष्टता थी, बताशे भी ऐसे कि मुँह में धरिए तो घुलकर साफ़, दनादन दाग़ते चले जाइए पेट भर जाएगा, मन नहीं। न तब चिल्ड बीयर की दुकानें थीं न कैम्पा-कोला, ओले का शर्बत सौंफ़ डला, ये बड़े-बड़े ओले जैसे सीधे इन्द्र के औदार्य से पृथ्वी पर चले आए हों, कैसी तृप्ति और कैसी ठंडक—लखनऊ की लू से जूझने और पराजित करने वाला। यह आयुध न जाने अब कहाँ खो गया है। आज से चार वर्ष पूर्व मृत्युशय्या पर पड़ी मेरी माँ ने कहा था, "मुझे एक बार बाबू की कोठी पर ले चल," मैं सुन चुकी थी कि वह कोठी शायद बलरामपुर

राजा साहब ने ख़रीदी, फिर किसी मुसलमान सज्जन ने। अभी भी ड्योढ़ी पर बने दो पत्थर के शेर वैसे ही धरे हैं और संगमरमर के चौकोर पत्थर पर अभी भी नाना का नाम ज्यों-का-त्यों धरा है 'डॉ. हरदत्तपंत'। "क्या करोगी वहाँ जाकर अम्मा," मैंने उन्हें बहलाने की चेष्टा की। मैं जानती थी कि उस अवस्था में उनका वहाँ जाना असम्भव था—अब वह किसी और का है, भले ही किसी का हो, एक बार भीतर जाकर ज़ोर से पुकारूँगी—'अम्मा'। बेचारी अम्मा पुकारतीं भी तो वह व्यर्थ गुहार उन निर्जीव प्राचीरों से टकराकर, उन्हीं तक पलट आती।

आज, मुझे लखनऊ भी अम्मा के मायके के खँडहर-सा एक बृहत खँडहर ही लगता है। जी में आता है मैं भी उस विराट खँडहर में खड़ी होकर बार-बार गुहार लगाऊँ और वह उतनी ही बार लौटकर मुझे झकझोरती रहे।

आमा : मृणाल

जब गठिया और आँखों की रोशनी कम होते जाने से आमा एक तरह से अपनी कुर्सी तक सीमित होकर रह गईं और उन्हें मेरी माँ के पास रहने आना पड़ा—अपनी उस बेटी के पास जिससे वे लड़ती थीं, जिसे डाँटती थीं और सबसे ज़्यादा प्यार भी करती थीं, लखनऊ में दिद्दी (अपनी माँ) के घर में आमा के साथ मैं एक लम्बा, अलसाया-सा महीना रही थी। वे अपने अतीत को याद करती रहती थीं, उस दौरान मैंने एक ऐसी आमा को देखा जिनसे मैं अब तक अनजान थी, जिनकी जीवन-गाथा में मैंने एक पूरी पीढ़ी की त्रासदी देखी, जो महान भी थी और बीमार भी, और वे क्रूर दोहरे मापदंड भी जिन्होंने इस कमज़ोर छोटी-सी स्त्री को व्यावहारिक बना दिया, साथ ही उनके सामने नामुमकिन-सी चुनौतियाँ भी खड़ी कर दीं।

जब मेरे नाना जी से आमा की शादी हुई, तब उनकी उम्र मात्र सात साल थी, जबकि उनके पति अठारह साल के थे। चौदह साल की उम्र में उनकी पहली सन्तान एक बेटी हुई। इस बेटी का विवाह भी बारह साल की आयु में हो गया, अगले ही बरस उसने एक पुत्र को जन्म दिया, इस तरह मात्र सत्ताइसवें साल में आमा आमा बन गई। लखनऊ के एक प्रमुख डॉक्टर की सबसे छोटी बेटी आमा सामन्तवादी लखनऊ के सुसंस्कृत और उदार मूल्यों के बीच हुई थी। वे याद करतीं कि बचपन में कैसे अपने माता-पिता के साथ बैठकर वे कई-कई रात तक चलने वाले शास्त्रीय गायन व नृत्य के कार्यक्रम देखा करती थीं, जिनमें काल्का-बिन्दादीन जैसी हस्तियाँ अपने कौशल की प्रस्तुति किया करती थीं। विवाह होने तक आमा ने कुमाऊँनी नहीं बोली थी। उनके ससुराल पक्ष के लम्बी नाकवाले कसून के पांडे कुलीन, विलग और अत्यन्त रूढ़िवादी थे, घर में वे सिर्फ़ कुमाऊँनी ही बोलते थे। उनके श्वसुर (ससुर) संस्कृत के प्रकांड विद्वान थे, अल्मोड़ा शहर में उनका आतंक था। अपने बीसवें दशक में जब आमा युवा दुल्हन थीं, उस समय उन्होंने उस ब्राह्मण के विरुद्ध स्थानीय मुहिम छेड़ रखी थी, जिसने उच्च शिक्षा के लिए जापान जाने का निर्णय लिया था और वहाँ से वह डॉक्टरी की डिग्री लेकर लौटा था। इस युवा डॉक्टर ने माँग की थी कि उसे पंचगव्य (गौमूत्र और गोबर समेत शुद्धीकरण की पाँच वस्तुओं का मिश्रण) चटाकर प्रायश्चित्त करवाकर जाति बहाल किया जाए। कसूनों का मानना था कि अगर इस युवा उद्दंड एंग्लोफ़ाइल को जाति बहाल किया गया, तो न केवल पवित्रतम कुमाऊँनी ब्राह्मण दूषित होंगे, बल्कि इससे ऐसी ही सोच रखने वाले युवा महत्त्वाकांक्षी भी विदेश जाने और गौ-मांस खाने के लिए प्रेरित होंगे और फिर वापस आकर वे पंचगव्य खाकर शुद्ध होने की माँग करेंगे। नहीं! वे गरज उठे, साहचर्य के कारण एक बार जो म्लेच्छ हो गया, वह हमेशा ही म्लेच्छ रहेगा!

कुमाऊँनी ब्राह्मणों में जो उदारवादी थे—उनमें आमा के डॉक्टर पिता भी एक थे—वे इस पक्ष में थे कि ब्राह्मणत्व की अनम्य सीमाओं को थोड़ा लचीला किया जाए। उनका विचार था कि अगर ब्राह्मण अनम्य बने रहेंगे

तो उन्हें अपने वर्ण के कुछ बुद्धिमान युवकों को खोना पड़ जाएगा। (डॉक्टर साहब की इस धारणा की एक मुख्य वजह यह भी थी कि उनका अपना बेटा भी उन दिनों इंग्लैंड में कानून की पढ़ाई कर रहा था।) अपने ही रिश्तेदार के इस विश्वासघात से भड़के आमा के श्वसुर ने फरमान जारी किया कि अब वे अपने पिता के घर क़दम भी नहीं रखेंगी। अगर वे गईं तो वे अपने पुत्र के लिए दूसरी पत्नी ले आएँगे। युद्ध की सीमाएँ खिंच गई थीं। कसून वंश के नेतृत्व में रूढ़िवादी एक ओर हो गए थे और स्थानीय चम्पा नौला वंश के डॉक्टर और उनके रिश्तेदारों के नेतृत्व में उदारवादी दूसरी ओर थे। जब आमा के इंग्लैंड से बैरिस्टर बनकर लौटे इकलौते भाई का विवाह हुआ, तो उन्हें विवाह में सम्मिलित होने की अनुमति नहीं मिली, लेकिन उनसे कहा गया कि वे अपने सबसे अच्छे कपड़े और सबसे भारी ज़ेवरात पहनें और नीचे सड़क पर निकलती बरात पर अपनी छत से पुष्प वर्षा करें।

आमा, उनके अपने शब्दों में, माँ के थन से अलग की गई बछिया जैसी थीं। उनकी माँ भी दिन-रात रोती थीं, आख़िरकार एक साल तंग आकर उनके पति ने अल्मोड़ा में उनके लिए एक और घर ले दिया जिसकी छत से वे अपनी लाडली बिटिया को देख लेती थीं। उस साल उन तरसी हुई माँ-बेटी ने शहर की अनेक सहृदय चाचियों-मौसियों की मदद से एक तरीक़ा ढूँढ़ निकाला जिसमें अच्छा-ख़ासा पैसा पाकर घर की जमादारिन शौचालय के पीछे के दरवाज़े से युवा दुल्हन को निकालकर अपने साथ उसके पिता के घर ले जाती, जहाँ माँ कपड़ों-मिठाइयों के ढेरों उपहार लिये उनसे मिलती, चन्द पल पारिवारिक कुशल-क्षेम पूछी-कही जाती, फिर आमा को वापस पहुँचा दिया जाता।

ऊपरी तौर पर एकदम पक्की लगने वाली सभी योजनाओं की तरह यह भी लम्बे समय तक नहीं चली। एक दिन, जब आमा लौटीं, तो देखा कि पिछवाड़े के दरवाज़े के पास ही उनके श्वसुर खाँस रहे हैं और तेज़-तेज़ क़दमों से टहल रहे हैं। "कहाँ गई थीं?" वे दहाड़े, आमा डर से जड़ हो गई। उन्होंने घोषणा की कि उसी क्षण से वे कसून पांडे परिवार के लिए मर

गईं और अब वापस उसी शौचालय में चली जाएँ, जहाँ से आई हैं। अब तक, उनके विशाल आँगन में उत्सुक तमाशबीनों का जमावड़ा लग गया था, जो बेचारी बहू के लिए 'च्च' तो कर रहे थे, मगर क्रोधित वृद्ध का उल्लंघन करने का साहस उनमें नहीं था। 'बड़ी रामलीला के बाद', आमा के शब्दों में, यह तय हुआ कि एक नकली श्राद्ध—घटश्राद्ध—किया जाए और आमा का पुनर्नामकरण करके उनका अपने पति से पुनर्विवाह हो। समुचित ढंग से यह किया गया। आमा के शरीर के प्रतीक स्वरूप एक घड़े में जल भरकर उसे तोड़ा गया और आमा का पुनर्जन्म हुआ मान लिया गया। 'उसी दिन से', आमा ने बताया, "मैंने मृत्यु के बाद की या अकेले होने की चिन्ता करना छोड़ दिया।"

इसके बाद शीघ्र ही आमा की सास गुज़र गईं और उनके पति का परम्पराओं पर से विश्वास उठ गया। उन्होंने अपनी युवा पत्नी को विश्वास में लेकर बताया कि वे मांस खाने लगे हैं और उन्होंने भी इंग्लैंड जाने का प्रबन्ध कर लिया है। मगर, उनके दो साल बाद इंग्लैंड से लौटने तक आमा को इसे गोपनीय ही रखना था। अब आमा तो मन-ही-मन चिन्ता से घुली जा रही थीं, उन्होंने अपने श्वसुर से झूठ बोल दिया कि उनका बेटा पढ़ाई के लिए दक्षिण में कहीं गया है। चूँकि यह समझा जाता था कि स्त्रियों को तो बाहरी दुनिया के बारे में ज़्यादा कुछ पता नहीं होता, इसलिए यह झूठ चल गया। मगर शीघ्र ही एक गुमनाम पत्र आ पहुँचा, जिसमें व्यंग्य से उन वृद्ध महाशय से पूछा गया था, "अब जब आपका अपना बेटा म्लेच्छों के देश गया है, तो कैसा लग रहा है? विदेश से लौटे युवकों को समाज बहिष्कृत करने को लेकर क्या अभी भी आपके वही विचार हैं?"

आमा बताती थीं कि भीष्म पितामह की तरह उनके श्वसुर ने भी भयानक प्रतिज्ञा कर ली कि अपने पुत्र के घोर पाप के प्रायश्चित्त स्वरूप वे काशी चले जाएँगे और साधु-संन्यासियों की तरह गंगा के तट पर प्राण तज देंगे। इस समय तक उनकी दोनों आँखों की रोशनी लगभग जा चुकी थी, मगर वे चले गए। अपने नौ बच्चों के साथ आमा एकदम अकेली रह गई थीं, ऐसे शहर

में जो उन दिनों ब्राह्मण स्त्रियों को अकेले बाज़ार-हाट जाने की इजाज़त नहीं देता था। कुमाऊँ उन दिनों एक टापू की तरह था, जो एक दुर्गम्य सड़क के माध्यम से दूर स्थित बरेली शहर के रेलवे जंक्शन से जुड़ता था, वो सड़क भी ऐसी थी जिस पर हृष्ट-पुष्ट पुरुष के लिए चलना भी दूभर था। फिर भी आमा आँसू बहाती घुलती रहने को तैयार नहीं थीं। इसके बजाय उन्होंने अपने बच्चों को लिया, वफ़ादार नौकरों को बुलाया और सबसे छोटी सन्तान और ज़ेवरों से भरे पानदान को साथ ले पालकी में बैठकर चल दीं। बाकी बच्चे नौकरों के साथ पीछे-पीछे आए। किसी तरह यह सर्कस बनारस पहुँचा, उन्होंने विषाद और क्रोध से भरे पितामह को ढूँढ़ा, उन्हें शान्त किया और अपने साथ वापस लेकर आईं। "स्त्री के साथ पुरुष हमेशा उपस्थित रहना चाहिए," वे मुझसे कहती, "भले ही वह पुरुष के आकार में आटे का लोंदा क्यों न हो। स्त्री को अपने दम पर सब सँभालते देखना किसी को अच्छा नहीं लगता, समझी?"

आगे चलकर आमा को इससे भी बड़ी मुसीबतों का सामना करना था। चालीस की आयु तक पहुँचने से पहले ही वो विधवा हो गईं, उन्होंने अपने उन्नीस वर्षीय बेटे टी. के. (त्रिभी) को शान्तिनिकेतन से लौटकर ओरछा रियासत में पिता का पद सँभालते, फिर भारतीय पुलिस दल को चुनते और अपने पिता की तरह ही कम उम्र में काल कवलित होते देखा। इसके बाद, अपनी ज़िन्दगी के शेष सालों में से अधिकांश आमा ने अपने पैतृक घर में बिताए, जो दारिद्र्य और उपेक्षा के कारण उनके सामने बिखरता रहा। मगर किसी ने भी, उनके अपने बच्चों तक ने भी इस जुझारू स्त्री की व्यर्थ गई ज़िन्दगी पर न तो शोक किया, और न ही उनकी ज़िन्दगी के ह्रास के लिए सामाजिक-राजनीतिक बदलावों को दोषी ठहराया, जैसा कि मेरे मामा के मामले में उन्होंने किया था। पुरुषों ने बार-बार उन्हें हताश किया, फिर भी आमा की पीढ़ी की स्त्रियों के लिए स्त्री का एकमात्र अस्त्र पुरुष ही थे—भले ही वे दुधारी घात करें। उन्हें दृढ़ विश्वास था कि पुरुषों को, जिनका स्त्रियों के जीवन पर एकच्छत्र नियंत्रण है, चाहे स्वयं के जीवन पर उनका नियंत्रण न

हो, नियंत्रित किया जाना चाहिए—आवश्यक हो तो छल-प्रयोग से भी। मेरी माँ में अन्तिम गुण का अभाव उनके लिए हमेशा चिन्ता का विषय रहा था।

...वे अक्सर हमसे कहती थीं कि एक ट्यूमर के कारण बंगलौर में पति की अचानक मृत्यु हो जाने के बाद उनके साथ कोई ऐसा व्यक्ति नहीं था जिसका वे सहारा ले सकतीं। शवगृह से वे स्वयं उनके शव को घर लाईं, स्वयं अन्तिम संस्कार का सारा प्रबन्ध किया, और फिर अपने विशाल मकान और सारे सामान को बेचकर बच्चों तथा नौकरों को लेकर अल्मोड़ा लौटने का किराया जुटाया। "उस एक हफ़्ते में मेरे आँसू मेरे सिर में चढ़ गए और बाल एकदम सफेद हो गए," वे कहा करती थीं। मेरे ख़याल में वे बार-बार हमें यह कहानी सुनाकर उस एक हफ़्ते के भयानक दौर से स्वयं को मुक्त करना चाहती थीं, जब वे पुरुषमुक्त, बन्धनमुक्त एकदम अकेली रह गई थीं। इसी ने उन्हें वह स्त्री बना दिया था जो मुझे याद है : एकाकी, कुछ-कुछ चिड़चिड़ी-सी, जो हर समय सामाजिक लोकाचारों के बारे में दो टूक बातें कहकर अपने समाज और बहुओं को तिरस्कृत करती रहती थीं, मगर जिनकी नाक इतनी तेज़ थी कि वो बिना किसी चूक के पाखंड को सूँघ लेती थीं।

शान्तिनिकेतन

सन् 1902 में महाकवि टैगोर ने बंगाल के बोलपुर के सांथाल इलाक़े में एक अनोखे गुरुकुल की स्थापना की, जिसका नाम उन्होंने रखा 'शान्तिनिकेतन'। हालाँकि टैगोर परिवार बंगाल का सबसे प्रसिद्ध सामन्ती परिवार माना जाता था, रवीन्द्रनाथ को अपने परिवार के वैभव व ज़मींदारी से कोई ख़ास दिलचस्पी न थी। उनका मानना था कि इसी सामन्ती जीवन के कारण इन परिवारों के बच्चों का विनाश होता था और अपने बचपन के संस्मरण में उन्होंने कहीं उल्लेख भी किया है कि उनको अपने माँ-बाप का सच्चा प्यार उनसे दूरी के कारण न मिल पाया। पैसा, मान-सम्मान, रवीन्द्रनाथ बहुत देख चुके थे, वे पहले भारतीय लेखक थे जिन्हें नोबेल पुरस्कार से सम्मानित किया गया, और उनको देश के सर्वोच्च कवि और कलाकार के रूप में सराहा जाता था। जब उन्होंने शान्तिनिकेतन की स्थापना की, वे एक प्रकार से जीवन से उदासीन हो चुके थे। उनका इकलौता बेटा हैज़े में जाता रहा और दोनों बेटियाँ टीबी को बलि चढ़ चुकी थीं। और रह क्या गया था उनके लिए कलकत्ते में पाने या खोने को? शायद इन्हीं सब कारणों की वजह से कलकत्ते की खोखली ठाठदार ज़िन्दगी से एक प्रकार का संन्यास लेकर उन्होंने शान्तिनिकेतन में एक नया जीवन शुरू किया।

शान्तिनिकेतन एक आश्रम ही नहीं, एक नई शिक्षा का विकल्प भी था। उन दिनों, भारत में गांधी जी के नेतृत्व में अपने देश की मौलिक-सांस्कृतिक छवि को बदलने का एक ज़बरदस्त अभियान चला हुआ था। टैगोर उन सैकड़ों बुद्धिजीवियों में से थे जो शिक्षा के माध्यम से देश की सोच में एक बदलाव लाना चाहते थे। दिद्दी के अपने दादा भी ऐसे ही एक आदर्शवादी बुद्धिजीवी थे और पंडित मदन मोहन मालवीय के घनिष्ठ मित्र। उनके साथ मिलकर उन्होंने बनारस विश्वविद्यालय की नींव डाली थी और वहाँ के ज्योतिष विभाग के वे प्रथम मुखिया नियुक्त हुए। लेकिन जब बात आई अपने पोते-पोतियों को उच्च शिक्षा देने की, तो उन्होंने उन्हें बनारस नहीं, सुदूर बंगाल के शान्तिनिकेतन भेजने की ठानी। इस कारण के पीछे एक दिलचस्प इतिहास है।

दिद्दी की जो तसवीरें मुझे मिलीं, उनमें एक बेहद सुन्दर फ्रेम में हमारे नाना की तसवीर थी। हमारे नाना, जिन्हें उनके बच्चे 'हब्बी' कह के पुकारते थे, बहुत ही ठसकेदार आदमी थे। इस तसवीर में वे स्टूडियो की एक कुर्सी पर हाथ में सिगार लिये, ठेठ अंग्रेज़ी पोशाक में सजे-धजे रोबदार अन्दाज़ में बैठे हुए हैं। सिर पर है एक शानदार कलगीदार साफ़ा, जो उन दिनों सब रियासतों में पहनना अनिवार्य था। उनकी शक्ल दिद्दी से बहुत मिलती-जुलती लगती है।

हब्बी अपने पिता से बिलकुल विपरीत प्रवृत्ति के इनसान थे। उन्हें अपने पिता के ब्राह्मण लोक से कोई लगाव न था : वे सिगरेट और शराब पीते, क्लब जाने वाले साहब थे। उनके दोस्त थे रजवाड़ों के भड़कीले लोग, लेखक, कवि और कलाकार। अंग्रेज़ी के स्कॉलर थे और उनके लेख अक्सर प्रसिद्ध पत्रिका 'एशिया मैगज़ीन' में छपते थे। कसून की लाइब्रेरी में उनकी कई किताबें सालों तक दिखती थीं, जिनके पहले पन्ने पर ख़ास लिखावट में उनका कलात्मक हस्ताक्षर देखकर हम उनकी प्रतिभा की कल्पना करते। एक की मुझे स्पष्ट याद है : 'मैन ईटर्स ऑफ़ कुमाऊँ' कुमाऊँ पर लिखा, 'टू माई अफ़ेक्शनेट फ्रेंड अश्विनी, जिम कॉर्बेट'। पता नहीं वो किताबें अब कहाँ हैं। बहरहाल, हब्बी के पिता को अपने बेटे के ये साहबी लटके समझ

नहीं आते थे और इस डर से कि वे अपने बच्चों को भी अपना जैसा न बना दें, उन्होंने अपने ज्येष्ठ पोते त्रिभी को नैनीताल से मिस मम्फर्ड के क़ब्ज़े से हटा के अल्मोड़े में लोहनी जी के सुपुर्द कर दिया था। और जब पोते-पोतियों को बड़े स्कूल भेजने का समय आया तो उनको उनके पिता के रजवाड़ों की अय्याश ज़िन्दगी से बहुत दूर शान्तिनिकेतन भेज दिया। देखा जाए, तो दिद्दी के दादा और टैगोर की शक्ल भी काफ़ी मिलती है। दोनों की लम्बी, श्वेत दाढ़ी थी और लम्बा काला चोग़ा पहनते थे।

अल्मोड़े से शान्तिनिकेतन या कहीं भी जाने के लिए निकटतम रेल का स्टेशन आज तक भी काठगोदाम है। उन दिनों, अल्मोड़े और काठगोदाम के बीच मोटर सड़क तक न थी, तो दिद्दी, उसकी बड़ी बहन जयंती और भाई त्रिभी वहाँ तक पैदल जाते थे। इस यात्रा को तय करने में करीब दो दिन लग जाते और साथ में होते लोहनी जी और कई नेपाली कुली जिन्हें सामान ढोने के लिए नियुक्त किया जाता था। रात को जब पड़ाव पड़ता तो लोहनी जी बच्चों के खाने का इन्तज़ाम करने में जुट जाते। चुपचाप से दिद्दी और त्रिभी मामा नेपाली कुलियों की 'रसोई' में पहुँच जाते जहाँ एक अनोखा मछली का झोल बन रहा होता। बेचारे ग़रीब कुली थोड़े मसालों को पतीले में डाल पास की नदी से कुछ पत्थर चुन लाते जिनमें मछली की सुगन्ध होती और उसे पतीले में डाल के उसके झोल के साथ अपना भात या रोटी खाते। मामा और दिद्दी लोहनी जी और जयंती की नज़र बचाकर उनसे उनका खाना माँगने बैठ जाते।

शान्तिनिकेतन में बिताया समय दिद्दी को कभी न भूला। वहाँ की स्वच्छन्द और उदार शिक्षा-प्रणाली ने उसे कितना प्रभावित किया इसका उसने एक बार नहीं, बार-बार उल्लेख किया है। उसने कुछ ही समय में बांग्ला भाषा सीख ली और अपनी पहली कहानी दिद्दी ने हिन्दी में नहीं, बांग्ला में ही लिखी थी। मुझे लगता है कि जिनका कान सुरीला होता है उन्हें भाषाएँ सीखने में आसानी होती है। दिद्दी का कान बहुत सुरीला था और वो कोई भी भाषा बहुत सहजता से सीख लेती थी। शान्तिनिकेतन में उसे संगीत सीखने का

अवसर मिला और वो टैगोर के प्रसिद्ध नृत्य-नाटिकाओं में अक्सर गाती थी और आश्रम की टोली के साथ कलकत्ते जाती। उसी से सुनी वहाँ की बातों से हमें पता लगा कि दिद्दी बहुत चुलबुली और नटखट मानी जाती थी, और बातून। गुरुदेव की मुँहलगी छात्रा भी थी और उनकी हर नई योजना में भाग लेने को तत्पर। उसके एलबम में कई तसवीरें हैं—किसी में वो बड़ा-सा बिस्तरबन्द लिये अपनी सहेली के साथ उसे ढोकर अपने हॉस्टल को ले जा रही है, कहीं बैलगाड़ी में बैठ गन्ना चूस रही है, कहीं बनारस में एक बजरे में फ्रेंच फ़िल्ममेकर रेनोआ की टीम के साथ है, जो उन दिनों गंगा पर कोई फ़िल्म बनाने हिन्दुस्तान आए थे। कितने सहपाठी हैं—जो बाद में कला और साहित्य में प्रसिद्ध हस्तियाँ बने—सत्यजीत रे, बलराज साहनी, मृणालिनी साराभाई, जया अप्पास्वामी, कनिका देवी, शंखो चौधरी और न जाने कौन-कौन। मैं सिर्फ़ कल्पना ही कर सकती हूँ कि दिद्दी—जो सुन्दर भी थी और मेधावी भी—आश्रम में कितनी लोकप्रिय रही होगी।

टैगोर का अपने शिष्यों से जो सम्बन्ध था वह अनुसरणीय भी था और उससे उन्होंने अपने हर छात्र पर अपनी प्रतिभा की बेमेल छाप भी छोड़ी। इसमें एक बड़ा योगदान स्वयं शान्तिनिकेतन जैसी संस्था का भी था जहाँ का उदार व स्वच्छ वातावरण हर बालक के अन्त:करण को बदल देता था। अन्त तक, शान्तिनिकेतन के उल्लेख भर से दिद्दी का चेहरा खिल उठता था और वह एक बार फिर अपने को उस छोटी लड़की के रूप में देखने लगती जो गुरुदेव के चरणों में शिक्षा ग्रहण करने अल्मोड़े से बंगाल तक पहुँची।

उन दिनों, अल्मोड़े में कई बुद्धिजीवी, साधु-संन्यासी व कलाकार आया करते थे। अल्मोड़े का प्राकृतिक सौन्दर्य और वहाँ का शान्त वातावरण शायद उन्हें यहाँ खींच लाता था। ऐसे लोगों में से एक थे पंडित उदय शंकर, जिन्होंने अल्मोड़े से कुछ दूर सिमतोला में एक अनोखी डांस अकादमी की स्थापना की। यहाँ आते जाने-माने भारतीय व विदेशी कलाकार व नर्तक और कुछ ही दिनों में ये अल्मोड़े का 'बोहीमियन' इलाक़ा घोषित कर दिया गया। शहर के खूसट लोगों ने अपने घर के युवा लोगों को वहाँ न जाने की हिदायत दी

लेकिन दिद्दी और उसकी बड़ी बहन जयंती अक्सर वहाँ जाया करते थे। शान्तिनिकेतन में पढ़े, वे शहर के अन्य परिवारों से अधिक प्रगतिशील तो थे ही, दोनों को वहाँ रचे डांस ड्रामा की पोशाकें व गहने ढूँढ़ने में मदद करने के लिए अक्सर बुलाया जाता था। टैगोर स्वयं भी अल्मोड़ा भ्रमण करने आते थे। रहते तो वे शहर के देवदार होटल में थे लेकिन कसून भी पधारते थे। उनकी पोती से दिद्दी की ख़ूब दोस्ती थी तो दोनों साथ-साथ समय बितातीं। दिद्दी और उसकी बहन जयंती कभी वहाँ शहर के लोक-गायकों को ले जातीं और गुरुदेव को उनके गाने सुनवातीं। दिद्दी ने स्वयं लिखा है कि इस प्रकार पहाड़ी लोक संगीत शान्तिनिकेतन तक पहुँचा।

दिद्दी ने अपने शान्तिनिकेतन के संस्मरण एक नन्ही-सी किताब, *आमादेर शान्तिनिकेतन,* में इतनी ख़ूबसूरती से लिखे हैं कि उसे पढ़कर लगता है वह सारा युग पुन: जीवित हो उठा है। मेरी समझ में ये उसकी सबसे सुन्दर कृतियों में है, लेकिन आगामी लेख मैंने उसमें से नहीं लिया है। बहुत साल पहले दिद्दी ने अपने प्रिय गुरु, आचार्य हजारी प्रसाद द्विवेदी का एक रेखाचित्र लिखा था जिसमें उसकी छुटपन की यादें ऐसे झलकती हैं कि मन भर आता है।

भूली कहाँ हूँ

पंडित जी का, गुरु-रूप में परिचय, मेरे जीवन में एक श्रेष्ठ सम्पदा के रूप में सर्वदा संचित रहा है। अपने व्यक्तिगत सौभाग्य से मैं उस उदारमना व्यक्तित्व के स्नेहमय साये में आठ वर्ष तक रही। आज जब उन आठ वर्षों के संस्मरण सँजोने बैठती हूँ, तो सहसा 1935 के आश्रय-रंगमंच के रेशमी पर्दे स्वयं सरसराकर उठ जाते हैं। आश्रम के 'खैलार माठ' से एक लाल सड़क के हाशिये से विभाजित दूसरा धूलि-धूसरित मैदान था और उसी से

लगी थी 'गुरुपल्ली'। एक ही कतार में ताड़-खजूर और मालती लता के साये में खड़े, एक नक़्शे के बने, कच्ची मिट्टी की खपरैल से छाए मकानों में पहला मकान था बड़े पंडित जी का, व्यक्तित्व में गृहस्वामी की ही भाँति सरल, छोटा-सा बरामदा, फिर एक बरामदा, कोने में बिछा लकड़ी का तख़्त, अलमारी में उसी विभिन्न आकार की पुस्तकों का स्तूपाकार गट्ठर, फिर एक बरामदा, आँगन और आँगन से ही लगी छोटी-सी कोठरी में बनी भाभी की सुरम्य रसोई, जहाँ से आती उत्तर प्रदेशी नथुनों से पूर्वपरिचित खाद्य-सामग्री की सुगन्ध-लपट, बंगाल के 'घंट', 'चड़चड़ी', 'कोपीर डालना' और 'आलू पटल' के सर्वथा नवीन अटपटे स्वाद की कसक को पल-भर में धो-पोंछकर बहा देती। पंडित जी के यहाँ तो हम उत्तर प्रदेशी छात्राओं का अड्डा ही था। भूख लगी तो चल दी। कभी भी समय-असमय हमारा आक्रमण निरीह भाभीजी की रसोई पर होता और वे हँसकर हमारा स्वागत करतीं। गोरे बूटे से क़द की आनन्दी भाभीजी कभी मूड़ी का पूरा कनस्तर ही उतारकर हमारे सम्मुख रख देतीं, सरसों के तेल में सनी, हरी मिर्च और कच्चे प्याज़ में बनी वह मूड़ी, सुरदुर्लभ पदार्थ लगती और देखते-ही-देखते वह पूरा कनस्तर साफ़ हो जाता। धोती, ढीला कुर्ता और अंडी की चादरधारी पंडित जी दूर ही से पहचाने जाते। लडबा क़द, न दुर्बल, न स्थूल, प्रशस्त माथा, आँखों में अनूठी चमक और अधरों पर बात-बात पर उतर आने वाली स्निग्ध हँसी।

उनके पढ़ाने का अपना अनूठा ढंग था। कभी-कभी अपने कट्टर गुरुजी की कहानियाँ सुनाते और कभी सामान्य-सी बूँदा-बाँदी होने पर ही भीगने की छुट्टी कर देते। यह आश्रम की एक विशेष प्रकार की मौलिक छुट्टी होती थी, वर्षा होने पर कोई भी कक्षा अपने अध्यापक के साथ 'भीगने की छुट्टी मनाने जा सकती थी। कभी अनिल चन्दा के साथ गाते, हो-हल्ला मचाते हम लोग 'श्रीनिकेतन' की ओर चले जाते,

श्रावनेर गगनेर गाय, विद्युत् चमकिया जाए,
क्षणे-क्षणे, शर्वरी सिहरिया उठे हाय...

शर्वरी सिहरे न सिहरे, समवेत कंठ-स्वर से आश्रम की दिशाएँ अवश्य सिहर उठतीं।

पंडित जी की कक्षा में, इस छुट्टी के अतिरिक्त, एक प्रकार की छुट्टी और भी होती थी जब कभी कुछ चुने छात्र-छात्राओं को पंडित जी के लिए ब्लेड, साबुन आदि लेने आश्रम की एकमात्र दुकान 'को-ऑपरेटिव स्टोर' तक भेजा जाता। लाने वाले के लिए सचमुच पारिश्रमिक की भी व्यवस्था रहती, इसी से इस उदार प्रस्ताव को स्वीकार करने कभी-कभी पूरी कक्षा ही चल पड़ती। किन्तु प्रत्येक शान्त व्यक्ति की भाँति पंडित जी का क्रोध भी बड़ा विकट होता था। एक बार हमारी कक्षा के एक अत्यन्त निरीह छात्र शरणप्रसाद को पंडित जी ने पढ़ाते समय आँवले की गुठली कड़काते पकड़ लिया। उन दिनों आश्रम में छात्र-छात्राओं के इस 'आमल के भक्षण' से सभी अध्यापक परेशान थे। जिसे देखो, वही आँवले की गुठलियाँ मुँह में सुपारी-सी कुतर रहा है। एक-दो बार पंडित जी कुछ अन्य छात्राओं को इस उद्दंड कुड़क-कुड़क के लिए डपट चुके थे, "तुम लोग यहाँ आँवला खाने आती हो या पढ़ने? अब किसी को गुठली कड़काते देखा तो बाहर निकाल दूँगा..., समझी?"

उन्होंने कहा था और समझनेवालियाँ ख़ूब समझती थीं कि गरजने वाला यह निरीह मेघ कभी बरसता नहीं।

उस बार हमारी कक्षा का शरणप्रसाद न जाने कैसे पकड़ में आ गया। 'क्यों शरणप्रसाद,' पंडित जी का चेहरा तमतमा उठा, "कितनी दर्जन गुठलियाँ हैं मुँह में? खोलो मुँह!" शरणप्रसाद ने भोले कन्हैया की भाँति मुँह खोलकर त्रैलोक्य-दर्शन करा दिये। स्पष्ट था कि गुठली बाज़ीगरी सफ़ाई से जीभ के नीचे छिपा ली गई है।

"हूँ!" पंडित जी बोले, "हम क्या समझते नहीं, जीभ के नीचे छिपा ली है? खड़े रहो पूरा पीरियड। उसे देखो।" मेरी ओर उँगली दिखाकर उन्होंने कहा, "अभी नई-नई आई है पहाड़ से, कैसे सिर झुकाए शान्त गऊ-सी बैठी रहती है! एक तुम हो, इतने दिनों से आश्रम में हो, पल-भर सीधे नहीं बैठ सकते?"

उस सार्वजनिक सभा में अपनी प्रशंसा सुनकर मैं अपनी प्रसन्नता का गह्वर सहसा रोक नहीं पाई। ऐसी खाँसी उठी कि जीभ के नीचे बड़े छलबल से छिपाई गई आँवले की गुठली गोली सी छिटककर सीधी पंडित जी की गोद में जा गिरी। पहले वे चौंके, फिर ठहाका मारकर ज़ोर से हँस पड़े।

उस उदार गुरु का वह राशिभूत अट्टहास आज भी रह-रहकर मेरी स्मृति-प्राचीर में गूँज उठता है। कान उमेठकर लेखनी की सही पकड़ सिखाने वाले उस सहृदय गुरु के संस्मरण क्या एक-आध हैं?

घटा तले हिन्दी कक्षा के मुट्ठी-भर छात्र-छात्राएँ पंडित जी को घेरकर बैठे हैं। उन दिनों हमारे पाठ्यक्रम में 'सुन्दर कांड' था और पढ़ाते थे स्वयं पंडित जी। अपनी अंडी की चादर गुड़ी-मुड़ी कर लपेट पंडित जी हिल-हिलकर 'सुन्दर कांड' पढ़ाने लगते तो लगता कि पूछने को कुछ है ही नहीं। एक-एक दोहा, चौपाई उलझे तागे-सी स्वयं सुलझती जाती। लगता, जैसे अवनीन्द्र ठाकुर की रोचक 'गल्पेर क्लास' का ही पीरियड चल रहा हो।

तब एक काव्य-संग्रह हमारे पाठ्यक्रम में था, उस पीरियड को भी पंडित जी ही लेते, पर काव्य-संग्रह पढ़ाने में पंडित जी को न जाने क्यों विशेष रुचि नहीं रहती। "क्या करोगी यह सब यहाँ पढ़कर, घर में पढ़ लेना।" एक दिन मैं पीछे पड़ गई, "घर पर भला कौन बैठा है पढ़ाने वाला, परीक्षा सिर पर आ गई है; अब तो आप पढ़ा ही दीजिए।"

"मूरख कहीं की," बार-बार एक कविता का अर्थ समझा देने की ज़िद से पंडित जी झल्लाकर बोले, "क्या धरा है इसमें समझने को!"

मुझे आज भी वह कविता याद है और सोचती हूँ, पंडित जी नहीं भूले होंगे। कविता थी,

कोकिल बोलो तो!
प्राणों में मधु घोलो तो...

"अब कोकिल है," पंडित जी बोले, "कौआ तो है नहीं, जो काँव-काँव होगी। कुहू-कुहू कर रही होगी, बस घुल गया होगा, प्राणों में मधु, जाओ

भागो—छुट्टी।" इस सहज, सजीव व्याख्या के पश्चात भला कुछ पूछने का प्रश्न ही कैसे उठ सकता था? कभी-कभी दस मिनट पहले ही ऐसी अप्रत्याशित छुट्टी मिल जाती, पर कभी व्याकरण की कक्षा में अनुशासन की पतली जानलेवा रस्सी पर किसी क्रूर नट पिता की ही भाँति पंडित जी हमें चढ़ाकर एक-एक नपा-तुला क़दम रखना सिखाते थे।

"व्याकरण की क्लास में फाँकी देकर क्या कभी एक ढंग का निबन्ध भी लिख पाओगी तुम लोग? और यह गउरा," अचानक वे मुझ पर बरस पड़ते, "जितनी ही सीधी थी, उतनी ही शैतान हो गई है। देखेंगे अब हम तुमको, एक दिन कान जड़ से उखाड़कर रख देंगे। आज ही कहेंगे जयंती से," —जड़ के बीच एक विशेष मीड़-सी खींचकर पंडित जी ऐसे सहमा देते, लगता कान सचमुच ही जड़ से उखाड़ा जा रहा है, पर कहना व्यर्थ है—मुझे वह एक दिन देखने को कभी न आया, कर्णद्वय अभी भी समूल सुरक्षित हैं और मेरी बड़ी बहन जयंती से मेरी शिकायत जड़ने की भयावह धमकी सदा कक्षा तक ही सीमित रही।

पाठ्यक्रम की पुस्तकों को ही पढ़ाने की पंडित जी को विशेष चिन्ता नहीं रहती, वैसे कर्ता, कर्म, करण, अधिकरण की नीरस बारहखड़ी जिस महत व्यक्तित्व ने बड़े परिश्रम से रटाई है—यह जब स्मरण करती हूँ तो गर्व से फूलकर कुप्पा हो उठती हूँ।

कभी-कभी हमारी पूरी कक्षा को ही तारे निकलने पर, पंडित जी के घर आने का निमंत्रण मिल जाता, "जाओ, भागो सब आज इस पीरियड को इस बेला नहीं पढ़ाएँगे, हमें गुरुदेव के पास जाना है, संझा को घर पर आना, वहीं पढ़ाएँगे।" पता नहीं इस युग के शिक्षाशास्त्री इस विचित्र शिक्षा-पद्धति के विषय में क्या कहेंगे, पर ऐसी सरस कक्षा, बोलता, चलता-फिरता पाठ्यक्रम और छात्र-छात्राओं की भीड़ को 'पाइड पाइपर' की सी जादुई वंशी-धुन से खींचे लिये जा रहे पंडित जी। क्या अनुशासनहीनता के इस युग में, जहाँ प्रतिवर्ष परीक्षा भवन में उद्दंड छात्र वर्ग, क्रुद्ध, बर्बर, आदिमयुगीन हृदयहीनता से अनेक अध्यापकों को अपने अचूक भाले या छुरे का निशाना बना, समय से

पूर्व ही अवकाश-ग्रहण करवा देते हैं, यह सब कुछ अविश्वसनीय नहीं लगता?

गुरु की परिभाषा शायद अब बदल गई है; पर लाख बदले, हमारी मोबाइल कक्षा की स्मृति कभी नहीं बदल सकती—ली कार्बुजे निर्मित वर्ण-विन्यास की जटिल अभिरामतापूर्ण नगरी चंडीगढ़ में रहकर भी निश्चय ही नई सभ्यता के विघटनकारी संस्पर्श से अछूती गुरुपल्ली के अपने उस कच्ची मिट्टी के आँगन में जुटी हमारी मुँहलगी कक्षा की भीड़ को नहीं भूले होंगे...।

एक-एक बार, आकाश के रहस्यमय सौरमंडल से परिचय चलता। "वह रहा सप्तर्षि," सहसा एक ही अँगूठे की धुरी पर गोल घूमते पंडित जी सप्तर्षि से परिचय कराने लगते।

"अरे, कहाँ हैं पंडित जी?"

"अरे, इस मूर्ख कुसुम को कुछ नहीं सूझता—देखतीं नहीं?"

फिर आकाशगंगा की दुरूह पहेली सुगम हो उठती। आज जब मेरा पुत्र बहुमूल्य विदेशी यंत्रों से विभूषित नैनीताल की 'ऑब्ज़रवेटरी' से विराट आकाश की महिमा पहली बार देख मुझ अपनी पांडित्यपूर्ण दलीलों से प्रभावित करने की चेष्टा करता है तो मुझे हँसी आती है, "इतनी पावरफुल दूरबीन है कि बस..." मैं कैसे उस नन्हे मस्तिष्क को समझाऊँ कि जिस शक्तिशाली दूरबीन से मैंने सौरमंडल को देखा है, उससे वह कभी नहीं देख सकता।

पंडित जी एक-एक तारे की महिमा समझाते जाते और आकाश के समग्र जगमगाते तारे, जैसे झुक-झुककर परिचित मित्र की भाँति मुस्कराकर हमसे हाथ मिलाने लगते। न तब हमारे पास दूरबीन थी, न कोई यंत्र। विचित्र ऑब्ज़रवेटरी का विचित्र संचालक था। केवल कंठनली टेपरिकॉर्ड था और लम्बे-लम्बे हाथों को हिला-हिलाकर समझाया गया सुगम रोचक पाठ। अचानक रात के खाने का घंटा बजता, आश्रम के प्रत्येक घंटे का अपना अनोखा ही आरोह-अवरोह रहता। एक-दो-तीन-चार-पाँच—बीते समय का ध्यान आता और हम भोजनालय की ओर भागते।

दूसरे दिन व्याकरण का पीरियड है। आज पंडित जी गुरुदेव का नया लिखा उपन्यास 'चार अध्याय' ले आए हैं। कई दिनों तक पढ़-पढ़कर पंडित

जी हमें सुनाते रहे। मौलसिरी के विराट वृक्ष की छाया में एक बार पंडित जी गुरुदेव की उन पर लिखी गई पंक्ति 'डेके आनो बालुकडांगार पंडित हजारीप्रसाद के' को पढ़कर बड़ी देर तक हँसते रहे थे। उनकी इसी हँसी के विषय में मुझे कुछ कहना है। जैसे मुक्ता को गुणी जौहरी नेचुरल और कल्चर्ड की परिभाषा में बाँधकर रख देते हैं—हँसी को भी इसी मापदंड से मापा जा सकता है। कल्चर्ड पर्ल की बनावटी लालिमा की ही भाँति कल्चर्ड हँसी का पानी भी मुझे छिछला लगता है। किसी विदेशी चलचित्र के जटिल परिहास को न ग्रहण कर पाने पर भी, कंठ से जबरन खींचकर निकाली गई हँसी, जो सबकी हँसी बन्द हो जाने पर भी बड़ी देर तक हॉल में गूँजती रहती है, ऐसी ही कल्चर्ड हँसी है।

पर एक दूसरी ही हँसी होती है—असली पानीदार मोती की दमक से स्वयं दमकती और दूसरे को दमकाती, दिशाएँ गुंजाती, रोड़े-पत्थर ठेलती, पहाड़ी झरने-सी सरस जलधार जो पास खड़े लोगों को भिगोती चली जाती है—ऐसी ही हँसी थी पंडित जी की। हो सकता है, अब बदल गई हो, पर ऐसी हँसी बदलती कम है। पंडित जी हिलते तो पूरा शरीर हिलने लगता। आश्रम में गज़-गज़ की दूरी पर असंख्य कक्षाएँ बिखरी रहतीं। पंडित जी हँसने लगते और सब मुड़कर देखने लगते। एक ही रस्सी में बँधी कई घंटियाँ एक साथ खनकने लगतीं।

"क्यों जी कमला, कल बड़े सवेरे तुम्हारा भाई संकट, लाल लँगोट लगाए डंड पेल रहा था।" अचानक अपनी छात्रा के लाल लँगोटधारी डंड-प्रेमी सहोदर की स्मृति पंडित जी को गुदगुदा जाती और वे एक ठहाका लगाकर हँस उठते।

एक बार पंडित जी ने बड़ी सी दाढ़ी रख ली थी। बस, फिर क्या था—पूरी कक्षा उनके पीछे पड़ गई। "छि:-छि: पंडित जी! एकदम जोगी बाबा लग रहे हैं आप। कटवानी ही होगी दाढ़ी।" पंडित जी बराबर कहते कि "कुछ फुड़ियाँ निकल गई हैं, इसी से दाढ़ी बढ़ा ली है, कोई शौक़ से थोड़े ही पाली है।" पर उनकी कौन सुनता? आज अपनी बचकानी ज़िद पर हँसी भी आती है।

अन्तरराष्ट्रीय साहित्यिक ख्याति के उस विद्वान गुरु की कैसी मुँहलगी कक्षा थी हमारी—कभी साबुन-ब्लेड के मूल्य से भी अधिक बड़ी बेईमानी से वसूल किया गया कमीशन, कभी दाढ़ी कटवाने की ज़िद, कभी अकारण ही सामान्य-सी बूँदा-बाँदी का बहाना बनाकर माँगी गई छुट्टी।

कुछ वर्ष पहले, अपने क्षणिक प्रयाग-प्रवास के बीच भी समय निकालकर पंडित जी मुझसे मिलने आए। वही परिचित स्नेहस्निग्ध हँसी, वही मोटे हौर्नरिम का चश्मा और ढीला कुर्ता बस, नहीं थी तो अंडी की चादर और शायद उसी के बिना मेरा रेखाचित्र अधूरा सा बुना जा रहा है।

एक बार पंडित जी ने मुझे लिखा था, "तुम्हारी पुस्तिका मिली, पढ़कर बड़ी प्रसन्नता हुई। शान्तिनिकेतन का उन दिनों का तुमने ऐसा सजीव चित्र खींचा है कि कई दिनों तक उन स्मृतियों से पीछा नहीं छूटा। उस छोटी-सी पुस्तिका में शान्तिनिकेतन जितना सजीव हुआ है, उतना बड़े-बड़े पोथों से नहीं हो पाया। तुममें छोटी-छोटी किन्तु महत्त्वपूर्ण आत्मीयताव्यंजक बातों के द्वारा सम्पूर्ण को जीवन्त बनाने की बड़ी क्षमता है।"

उक्त पुस्तिका मैंने एक परिचित प्रकाशक के विशेष आग्रह पर लिखी थी—साथ में प्रकाशक ने एक लुभावनी पुरस्कार-योजना की भी घोषणा की थी। सौभाग्य से पुरस्कार मुझे नहीं मिला, पर अपने गुरु द्वारा प्रदत्त प्रशंसा का यह अनूठा कोहिनूर मेरी साहित्यिक मंजूषा का सबसे जगमगाता रत्न है।

उसी दिन से मेरी लेखनी एक ऐसे गहन वन में वनमृगी-सी निर्भीक छलाँगें लगाने लगी है, जहाँ उसे क्रूर-से-क्रूर व्याध के बाणों का भी भय नहीं रहा है। पर आज सब संस्मरणों की पोटली खोलकर लिखने बैठी हूँ तो सम्पूर्ण को जीवन्त बनाने की 'क्षमता' सहसा खो बैठी हूँ। 'गुरु-शापात् स्मृति-भ्रष्टा' का सा आभास हो रहा है।

पंडित जी के बहुरूपी व्यक्तित्व की कई रंगीन स्लाइडें एक-एक कर उभर आती हैं :

हिल-हिलकर सुन्दर कांड पढ़ाते पंडित जी।

संकट लाल की लाल लँगोटी की स्मृति पर ठहाका लगाते पंडित जी।

'जऽड़' से कान उखाड़ने की धमकी देते पंडित जी।

दाढ़ी बढ़ाए, अंडी की चादर लपेटे, मिट्टी के आँगन में गोल-गोल पैर के अँगूठे की धुरी पर घूमते आकाश के अतिथियों से परिचय कराते पंडित जी और अन्त में कार से उतरते रेशमी कुर्ते और धोती में पहले से कुछ-कुछ बदले पंडित जी—क्यों फ़ोकस बार-बार बिगड़ जाता है? अच्छे चित्र के लिए कलाकार बैकग्राउंड को बड़ा महत्त्व देते हैं। चित्र बने भी कैसे? एक बार भी यदि पंडित जी फिर उसी कच्चे मकान के आँगन में खड़े हो सकते! गुड़ी-मुड़ी कर ओढ़ी गई चादर, ढीला कुर्ता और काँख में दबा 'विश्वभारती' का नारंगी रजिस्टर—एक बार भी यदि गरजकर कह सकते, "देख लेंगे तुमको एक दिन—कान जुऽड़ से उखाड़कर रख देंगे..."

तब शायद फिर सम्पूर्ण को जीवन्त बनाने की क्षमता पा लेती।

एक बार पूज्य हजारीप्रसाद द्विवेदी जी ने मेरे एक पत्र के उत्तर में लिखा था,

"अपनी पुरानी छात्र-मंडली को कभी भूल सकता हूँ। मेरे सामने तुम सब छोटी-छोटी छात्राओं के रूप में उसी प्रकार साकार हो। तुम लोगों को कैसे भूल सकता हूँ! कामकाज में भूलकर भूलना भी कोई भूलना है!"

गुरुदेव ने लिखा था,

अन्यमने चलि पथे
भूलि ने की फूल
भूलि ने की तारा
तबुओ ताहारा
प्राणेर निश्वास वायु करे सुमधुर
भूलेर शून्यता मांझे भरि ये सुर
भूले थाका, नय शे ते भोला—

अन्यमनस्क पथिक यदि राह चलते, तारों और खिले फूलों को नहीं

देख पाता तो क्या उन्हें भूल जाता है? वे ही तो उसके प्राणों की निश्वास वायु को सुमधुर बनाते हैं। भूलने की शून्यता में वही तो स्वर भर देते हैं। इसे भला भूलना कहते हैं!"

गुरुपल्ली की मीठी स्मृति भी मेरे प्राणों की निश्वास वायु को चिरन्तन माधुर्य से भरती, भूलने की शून्यता में मीठे स्वर भरती रहेगी और इसी से मैं भी कहती हूँ :

भूली कहाँ हूँ?

दिद्दी और बाबू

1943 में, दिद्दी विश्वभारती से जब अल्मोड़ा वापस लौटी, उसके पास थी दर्शनशास्त्र में बी.ए. ऑनर्स की डिग्री। इस बीच दिद्दी के पिता का अचानक निधन हो चुका था और परिवार पर दुखों का पहाड़-सा टूट पड़ा। पैसों की तंगी तो थी ही, फिर भी दिद्दी ने शान्तिनिकेतन में अपने अन्तिम साल की पढ़ाई पूरी कर ही ली। इस ख़र्चे का भार उठाया उसकी बड़ी बहन जयंती ने, जो अब शान्तिनिकेतन में पढ़ाने लगी थीं, और दिद्दी के प्रिय मित्र हामिद भाई ने, जो रामपुर नवाब के करीबी रिश्तेदार थे। यही कारण था कि दिद्दी हामिद भाई को अन्त तक अपना सच्चा भाई मानती थी।

कसून का स्वर्ण युग बीत चुका था और आमा अपने विशाल परिवार को किसी तरह पाल ही रही थीं। अपने रिश्तेदारों से तो उन्हें कोई ख़ास मदद न मिली तो रामपुर से मिली एक छोटी से पेंशन के सहारे किसी तरह निर्वाह होता था। घर की सभी मूल्यवान चीज़ों को बेचना या गिरवी रखवाना पड़ा था। मुझे याद है कि आमा के कसून वाले कमरे में एक बड़ा-सा लकड़ी का सन्दूक़ हुआ करता था। एक बार मैंने उनसे पूछा था, "आमा, इसमें क्या रखा है?"

"अरे, अब तो कुछ नहीं है, लेकिन कभी इसमें मेरे दहेज के चाँदी के

बर्तन रखे जाते थे," वे लापरवाही से उधर हाथ हिला के बोलीं।

"तो कहाँ गए सब?" मैंने पूछा।

आमा ज़ोर से हँसीं और अपने गुदगुदे पेट को सहलाते हुए बोलीं, "यहाँ!"

जब तक हम बड़े हुए तब तक उस निधि में से बस एक चाँदी का थाल ही बचा था और वो आमा की पूजा में स्थापित था, जिन पर उनके ठाकुर जी विराजमान थे।

दिद्दी की ही तरह, त्रिभी मामा की भी पढ़ाई तब चल रही थी, लेकिन उनको भी अपने पिता के निधन के बाद अल्मोड़ा लौटना पड़ा और कुछ ही समय बाद, वे टीकमगढ़ में ओरछा महाराज के निजी सचिव नियुक्त हो गए। किसी ज़माने में इनके पिता वहाँ दीवान थे और ओरछा शाही परिवार से कसून के परिवार का एक लम्बा व घनिष्ठ सम्बन्ध रहा है, जिसे आज तक हम बहुत मानते हैं। त्रिभी मामा की तब नई-नई शादी हुई थी, और वे अपनी सुन्दर दुल्हन दया, जो दिद्दी की अभिन्न मित्र थीं, को लेकर अल्मोड़ा से टीकमगढ़ चले गए। इसी मामी को देखने कभी लोहनी जी को भेजा गया था। दया मामी के कहने पर, और शायद इसलिए कि दिद्दी अपने परिवार पर अब और बोझ नहीं डालना चाहती थी, दिद्दी ने उनकी मर्ज़ी के वर से शादी करने के लिए अपनी अनुमति दे दी। वर थे मेरे पिता, शुकदेव पंत, जिनकी पहली पत्नी का हाल में ही निधन हो चुका था।

दिद्दी और बाबू की कहानी भी एक अजीब दास्तान है, और किसी उपन्यास से कम दिलचस्प नहीं।

मेरे पिता की पहली पत्नी, गंगा, और उन दोनों की प्रेम-कहानी आज मुझे किसी अठारहवीं शताब्दी के रोमांटिक उपन्यास का प्लॉट-सा प्रतीत होती है। बाबू एक मेधावी छात्र थे, इलाहाबाद विश्वविद्यालय में केमिस्ट्री के टॉपर और सबको आशा थी कि वे ज़रूर आई.सी.एस. का इम्तेहान पास कर लेंगे। दुर्भाग्यवश ऐसा न हुआ और परिवार की परिस्थिति ऐसी थी कि उनको स्कूल में मास्टर की नौकरी करनी पड़ी। मामला और पेचीदा तब बन गया जब उन्हें गंगा नाम की एक सुन्दर लड़की से प्रेम हो गया। गंगा को टीबी

था, और बाबू के पिताजी को किसी तरह ये रिश्ता मंज़ूर न था। "तुम्हारा दिमाग़ ख़राब है?" वे ग़ुस्से में गरजे, "जानते हो उस लड़की को क्षय-रोग है?" उन दिनों टीबी एक ऐसा अभिशाप था जिसने कुमाऊँ के कई परिवार नष्ट कर दिये थे। जिनके पास साधन होते, वे मरीज़ों को किसी सैनिटोरियम ले जाके उनकी जान बचाने की कोशिश करते लेकिन इसका ख़र्चा उठाने की क्षमता कुमाऊँ के निर्धन परिवारों में किसी-किसी में ही थी।

सुनते हैं, बाबू ने भी ज़िद पकड़ ली और आख़िर उनके पिता को हार माननी ही पड़ी। तब तक गंगा की हालत और नाजुक हो चुकी थी और शादी के मंडप में ही वे बेहोश होकर जब गिर पड़ीं तो सुनते हैं बाबू उन्हें अपनी गोद में उठा के अन्दर ले गए। मैं जब इस दृश्य की कल्पना करने की कोशिश करती हूँ तो दिमाग़ चकराने लगता है। उन दिनों में, जब सम्भ्रान्त घरों के पुरुषों को भरी सभा में अपनी पत्नी को हाथ लगाने की हिम्मत नहीं होती थी, इस हादसे को लेकर अल्मोड़े में कितनी चर्चा हुई होगी! बहरहाल, साल-भर के अन्दर उनकी एक नन्ही बेटी भी हो गई—हमारी बहन बीनू—और इसके शीघ्र बाद गंगा की हालत इतनी बिगड़ गई कि उन्हें गेठिया सैनिटोरियम ले जाना पड़ा। लेकिन बाबू की भरपूर सेवा और डॉक्टरों की दवा-दारू भी उन्हें न बचा पाए और बाबू से शादी करने के लगभग दो साल बाद, एक बच्ची को छोड़, वे चल बसीं।

उनके गुज़र जाने के बाद हमारे दादा बाबू के पीछे पड़ गए कि वो दुबारा घर बसाएँ। अपनी कहानी 'लाटी' में दिद्दी ने कहीं पर लिखा है कि जाड़े की रात और जवानी बहुत लम्बी होती है। शायद ये एक कारण था या शायद इसलिए कि बीनू को पालने का सवाल भी था—जो भी हो, बाबू और दिद्दी की शादी मई 1945 में सम्पन्न हुई। और ठीक नौ महीने बाद, फ़रवरी 1946, उनकी पहली बेटी, मृणाल का जन्म हुआ। दिद्दी ने हमसे कभी इस प्रसंग को लेकर कोई बात नहीं करी, न हमें कभी ये बताया कि उसने इतनी आसानी से इस अजीब रिश्ते को क्यों मान लिया। न कभी उसने हमें ये खुल के बताया कि अपने उदार व समृद्ध बचपन के बाद उसे बाबू

के घोर सनातनी और पुराने विचारों के परिवार में अपने को ढालने में कितनी मुश्किल हुई थी। याद रहे, बाबू तब एक स्कूल मास्टर ही थे और पैसों की कमी थी। दिद्दी को सुघड़ता या किफ़ायत से घर चलाने की शिक्षा कभी नहीं मिली थी। सालों बाद, जब उसने इन परिस्थितियों से समझौता कर लिया था, तब कभी वो हमें हँसाने के लिए उस समय में अपनी अनोखी घर-गृहस्थी की कहानियाँ मज़ेदार लतीफ़े बना के सुनाती थी। लेकिन उस कठिन समय की जो भी दुखद यादें थीं, उसे उसने केवल अपनी कहानियों में लिखकर मिटाया।

मृणाल के पैदा होने के पहले दिद्दी टीकमगढ़ चली गई, क्योंकि अब आमा और त्रिभी मामा वहीं रहने लगे थे। पहुँचने पर आमा ने दिद्दी को आदेश दिया कि वो बीनू को उसके ननिहाल से फ़ौरन बुलवा भेजे जिससे कि दोनों बच्चे साथ-साथ पलें। इस काम के लिए बाबू को नैनीताल भेजा गया। सालों बाद, एक दिन दिद्दी ने मुझे उस समय का एक ऐसा क़िस्सा सुनाया जिसे मैं कभी नहीं भूल पाई हूँ। किसी ने दिद्दी को उस दृश्य का वर्णन दिया था जब बाबू नन्ही-सी बीनू को नैनीताल से टीकमगढ़ ले जाने के लिए काठगोदाम के स्टेशन पर ट्रेन के लिए प्लेटफ़ॉर्म पर खड़े थे। बीनू उनका हाथ पकड़े प्लेटफ़ॉर्म पर खड़ी थी और उसका ध्यान पास में एक मुर्ग़ियों की टोकरी पर था। वो बार-बार बाबू का हाथ हिला के कह रही थी, "मुग्गी, मुग्गी!" और बाबू, अपने-आपमें खोए से, उसकी ओर बिलकुल ध्यान नहीं दे रहे थे। न जाने उनके दिमाग़ में उस समय क्या-क्या चल रहा होगा। गंगा से ये अन्तिम बिछड़ना, भविष्य की चिन्ता, पैसों की चिन्ता...जो भी हो, उस दृश्य को दिद्दी भी कभी न भुला पाई। शायद इसी वजह से बीनू के प्रति दिद्दी हमेशा बेहद संवेदनशील रही। अन्त तक, बिना पहले बीनू को दिये दिद्दी मीनू और मुझे एक तिनका भी न देती और अपनी वसीयत में उसने बीनू के लिए एक ख़ास धनराशि अलग से रखी हुई थी। लेकिन ये रिश्ता एकतरफ़ा कभी न रहा। बीनू ने उसे वही प्यार दिया जो सगी औलाद देती है, और उस धनराशि को हम सबमें बराबर बाँटकर ही स्वीकार किया।

जब बीनू टीकमगढ़ पहुँची, तो वो बहुत कमज़ोर और सहमी हुई थी।

और ऐसा होना स्वाभाविक भी था। आख़िर उसे अपनी माँ का दूध तक पीने को न मिला होगा और फिर एक साल के अन्दर वो कभी एक घर कभी दूसरे घर पहुँचाई जाती थी। दिद्दी के एलबम में एक फ़ोटो है जिसमें नन्ही-सी बीनू और मीनू एक से फ्रॉक पहने खड़ी हैं। मीनू का मुँह ख़ुश है और उसके गोद में एक ख़रगोश का बच्चा है। बीनू ने गले में अपनी माँ की एक माला पहनी है और भौंहों में गाँठ डाले तसवीर लेने वाले की ओर बिना मुस्कुराए देख रही है। उस तसवीर को देख के अब लगता है कि बीनू को अपना बनाने के लिए दिद्दी को कितना कठिन परिश्रम करना पड़ा होगा। सुना, आमा ने उससे तब कहा था, "परायी औलाद पालना और हथेली का मांस खाना एक बराबर होता है, गौरा! पर मुझे वचन दो कि तुम अपने बच्चों और उसके बीच कभी भेदभाव न करोगी।"

दिद्दी ने अन्त तक यह वचन निभाया और इसमें उसका साथ दिया कसून के समूचे परिवार ने। इस सौतेले रिश्ते को हमने कभी इस नाम से जाना ही नहीं। हमारे परिवार ने बीनू की माँ के नाम को लेकर हमेशा के लिए एक गहरी चुप्पी साध ली। नतीजा ये हुआ कि मुझे इस इतिहास का पता बहुत दिनों के बाद चला।

मीनू के पैदा होने के कुछ समय के बाद बाबू और दिद्दी नैनीताल चले आए जहाँ बाबू को बिरला ट्रस्ट द्वारा खोले एक नए पब्लिक स्कूल में केमिस्ट्री पढ़ाने के लिए नियुक्त किया गया। आमा की मुँहबोली बेटी, मोहिनी, जिन्हें उन्होंने अपने बच्चों की तरह शान्तिनिकेतन में पढ़ाया था, अब वहाँ मेट्रन थीं और उन्होंने दिद्दी को इस समय में बहुत सहारा दिया। हमारे दादा अब बहुत बीमार थे और दिद्दी को उनकी तीमारदारी और दो छोटी बेटियों को पालने में काफ़ी काम करना पड़ता था। मेरा जन्म 1951 अल्मोड़े में हुआ, और उसी साल बाबू ने प्रदेश के शिक्षा विभाग में प्रवेश किया। एक बार फिर हमारा परिवार अल्मोड़े पहुँच गया जहाँ अब बाबू डिस्ट्रिक्ट इंस्पेक्टर ऑफ़ स्कूल्स नियुक्त हुए। इस तरह हम कैंटूनमेंट वाले घर में रहने लगे। मेरे जन्म का मतलब था कि अब उनकी तीन छोटी बेटियाँ थीं, छोटा-सा वेतन और यहीं

से शायद शुरू होता है दिद्दी और बाबू का संघर्षमय सम्बन्ध।

आज जब मैं उन दिनों को याद करने की कोशिश करती हूँ, मुझे लगता है कि दिद्दी और बाबू के बीच छत्तीस का आँकड़ा था। दिद्दी थी खुले स्वभाव की, हँसने और हँसाने वाली, बाबू थे गम्भीर, मितभाषी और गुमसुम रहने वाले। दिद्दी का हाथ खुला था, बाबू थे आदतन किफ़ायती। दिद्दी को घर-गृहस्थी से कोई लगाव न था, उसे रसोई चलाना या सुघड़ता से काम करना एक मुसीबत लगती थी, बाबू चाहते थे वे अन्य सुगृहिणियों की तरह घर का कामकाज ख़ुद करे, नौकरों पर न छोड़े। दिद्दी को मांस-मच्छी अति पसन्द थे, बाबू का परिवार घोर वैष्णवी प्रवृत्ति का था, सामिष खाने से उन्हें आन्तरिक घृणा थी। दिद्दी हमें अक्सर बताती थी कि अपने मायके में उसने खाट के अलावा चार पैर वाली हर चीज़ खाई थी, और पतंग के अलावा हर उड़ने वाले का ज़ायक़ा लिया था। घर में जब कभी गोश्त बनता तो बाबू घिन के मारे उस दिन मेज़ पर न खाते और दिद्दी जान-बूझ के हड्डियों को ज़ोर से दाँत से तोड़ के उनका मैरो चूसकर उनकी घृणा पर हँसती। घर में खड़ाऊँ पहन के खट-पट आवाज़ कर चलने में भी दिद्दी को बहुत आनन्द आता था ये जानते हुए कि बाबू को व्यर्थ के शोर से कितनी चिढ़ थी। इसी तरह जब उसे मालूम था कि बाबू को तेज़ महकवाली अगरबत्ती या ख़ुशबूदार चीज़ों से चिढ़ है, वो अपनी पूजा में तेज़ सुगन्धवाली अगरबत्ती अवश्य जलाती। ज़ाहिर है, दोनों के बीच ख़ूब कहा-सुनी होती और कई बार दिद्दी लाल नाक लिये जब घर में घूमती तो सबको पता चल जाता कि दोनों के बीच कुछ हुआ है। बाबू को चिढ़ाने में दिद्दी को एक अनोखा मज़ा आता था, और उसके पीछे एक कारण भी था। ऐसा करने से बाबू को ये जताना चाहती थी कि उसे बदलने वाला आज तक कोई पैदा नहीं हुआ है, कर लो जो चाहो।

अजीब बात ये है कि बाबू के निधन के बाद, दिद्दी ने मीट-मच्छी खाना एकदम छोड़ दिया। उसे अभी भी सामिष खाना बेहद पसन्द था, बल्कि एक बार उसने मीनू से कहा कि एक टिन सार्डीन के लिए वो कुछ भी कर सकती थी, लेकिन बाबू के बाद उसने अपना यह प्रण कभी न तोड़ा। हमारे

लिए वो कबाब और कोरमा बनाती लेकिन मजाल है जो कभी नमक चखने के बहाने एक टुकड़ा मुँह से भी लगा ले।

दिद्दी बाबू से न डरने का नाटक तो काफ़ी कर लेती थी लेकिन सच ये था कि उसे हमेशा उनका सहारा या समर्थन भी चाहिए था। बाबू कुछ कहते कभी न थे पर उनकी एक दृष्टि से दिद्दी के मुँह पर बना वाक्य आधा ही रह जाता था। वो भुनभुनाती और कोसती ज़रूर थी, लेकिन हमारे घर में किसकी बात ज़्यादा अहम मानी जाती थी, ये उसे भी मालूम था और हमें भी। बाबू का ब्रह्मास्त्र था उनकी चुप्पी। जब उनको किसी बात पर ग़ुस्सा आता वे हफ़्तों तक बोलना बन्द कर देते। घर में किसी को ये पूछने की हिम्मत न होती कि आख़िर किसने क्या कह या कर दिया है, और हम उनसे दूर चुपचाप घर में परछाइयों की तरह दीवारों से चिपके रहते। कोई किताब पढ़ने का उपक्रम करता कोई होमवर्क करने का। और चारों ओर होती हमारे माँ-बाप के बीच एक गहरी चुप्पी। इसके पीछे कौन-सा हादसा है, ये हमने कभी पूछने की हिम्मत नहीं करी।

दिद्दी इस युद्ध में हमेशा हारती थी। वो लाल नाक लिये, एक त्रासदी की पात्र की तरह अपना काम करने हमारे बीच आती तो हम सब उससे आँख चुरा लेते। उसकी पीठ के पीछे कभी हम उसका मज़ाक़ भी उड़ाते थे, और आपस में हमने उसका नाम 'रूडॉल्फ़ द रेड-नोज़्ड रेनडियर' रखा था। कभी-कभी, जैसा कि बच्चे अक्सर करते हैं, मैं सोचती थी कि उनमें से अगर एक मर जाएगा तो कम-से-कम इस चुप्पी से तो हम मुक्त होंगे। फिर सोचती थी, हम कैसे अपना पालन-पोषण करेंगे, हमारी बहादुरी की सब कितनी तारीफ़ करेंगे, वग़ैरह-वग़ैरह। आज तक, मुझे किसी भी तरह की चुप्पी बेहद घबरा देती है। शायद मेरा बातूनी स्वभाव बचपन की उस मनहूस चुप्पी को आज तक बातों से भगाना चाहता है। मुझे उन सब बच्चों से ईर्ष्या थी जिनके माँ-बाप एक-दूसरे से प्यार से बोलते, जो अपने परिवारों को लम्बी छुट्टियों पर दूर घुमाने ले जाते, और जिनके घरों में पैसों को लेकर इतनी बहस न होती।

लेकिन आज मैं ये मानती हूँ कि दिद्दी का रूडॉल्फ़ बनके हमारे बीच अपना दुख जताना कितना ग़लत था। वो चाहे बाबू और अपने बीच के रिश्ते की बात हमसे नहीं करती थी, उसका दुख हमसे कभी न छिपा था। नतीजा ये था कि बाबू बचपन में हमारे लिए एक हौवा बन गए, हम उनसे उचित दूरी रखते। उनसे हम सबने वही रिश्ता बनाके रखा जो उनके मूड से मेल खाता था, वे ख़ुश होते तो हम उनके साथ मुस्कुरा लेते थे। वे चुप होते तो हम उनसे दूर अपने कमरे में दुबक के बैठे रहते। और जब वे कभी दौरे पर शहर से बाहर जाते तो घर का वातावरण अचानक बदल जाता। बाबू के क़दम फाटक से बाहर न पड़ते कि पूरे घर में एक ख़ुशी की लहर दौड़ जाती! कोई रेडियो को पूरे वॉल्यूम पर चलाकर उस पर फ़िल्मी गाने ज़ोर-ज़ोर से लगा देता, कोई उनके पलंग पर खड़े होकर कूदता और सब चैन की साँस लेते, कि चलो अब कुछ दिनों के लिए तो चुप्पी से मोहलत मिली! जितने दिन बाबू दौरे पर रहते, घर में हंगामा होता और हँसी की बहार। लेकिन जैसे ही उनके वापसी का दिन आता, घर फिर से मुरझा जाता। सालों बाद, जब मैंने 'साउंड ऑफ़ म्यूज़िक' पिक्चर देखी, तो क्रिस्टफ़र प्लमर के बच्चों को अपने बाप के आतंक से थर्राते देख मुझे अपने बचपन के दिन दुबारा याद आ गए। दुर्भाग्य से, हमारी माँ जूली एंड्रूज़-सी नायिका न थी, और अपने बच्चों को उनके पिता के स्वभाव को बदलना न सिखा पाई। अब जब मैं कभी बाबू को याद करती हूँ तो मुझे बचपन में उनसे इस दूरी पर गहरा अफ़सोस भी होता है। वे बेचारे चाहते थे कि उन्हें भी अपने बच्चों से वही प्यार या नज़दीकी का रिश्ता मिले जो हमारा दिद्दी के साथ था, लेकिन वो ये कभी न जान पाए कि शुरुआत कहाँ से और कैसे करें। उनकी चुप्पी उनकी निराशा का प्रतीक था, और उस औरत से हार का इज़हार जिसके ज़िन्दादिल स्वभाव ने उनको उनके बच्चों का आदर तो दिलवा दिया, लेकिन अपना प्यार उन तक कभी न पहुँचाना सिखाया।

मुझे ख़ुशी सिर्फ़ इस बात की है कि बाबू से हमारा बचपन वाला आतंक का रिश्ता बड़े होने पर बदल गया। जब दिद्दी और वे अकेले लखनऊ में रहने लगे, हम जब भी मायके जाते तो उनसे ख़ूब खुल के बातें होतीं। हमेशा

की तरह, वे कम बोलते थे लेकिन उनको हमारे बच्चों के शोरग़ुल से घर का भर जाना अच्छा लगता था। हमें कभी यक़ीन करना मुश्किल लगता था कि ये वही बाबू हैं जो प्रायरी लॉज में बचपन में हमें सीढ़ियों पर ज़ोर से धम-धम करने से रोकते थे। लेकिन अब, जब हम दिद्दी-बाबू को अपने ससुराल की बातें सुनाते तो वो बहुत दिलचस्पी से हमारी बातें सुनते और उन लोगों की टीका-टिप्पणी पर हँस भी लेते। हमने दिद्दी-बाबू के बीच ऐसी आत्मीयता पहले कभी न देखी थी, तो उनके इस नए रिश्ते से हमें कितनी ख़ुशी होती थी नहीं बता सकती। दिद्दी भी अब बाबू की कितनी सेवा करती थी! जब उसे पता चला कि बाबू को सिरोसिस की बीमारी हो गई है, दिद्दी ने रात-दिन एक कर दिये। उनकी बीमारी का सारा भार उसने अकेले सँभाला और जब वे चल बसे, आमा की तरह उसने उनके अन्तिम संस्कार का इन्तज़ाम स्वयं निभाया।

अपने आख़िरी सालों में दिद्दी-बाबू एक-दूसरे के बिना नहीं रह सकते थे। दिद्दी अब अपने कसून के परिवार के पास जाने को कभी न मचलती और बाबू को उसके साहित्यिक जीवन में कितनी रुचि थी और उसके यश पर कितना गर्व, ये जानकर दिद्दी को बहुत ख़ुशी थी। जब उसके बच्चे उसके पास से चले गए, दिद्दी ने अपने को पूर्णत: बाबू की सेवा में समर्पित कर दिया। उनके चले जाने के बाद, कई बार मुझे उसके वो लाल नाक लेकर घूमने वाले पुराने दिन याद कर लगता था कि क्या हमने उसे तब ग़लत समझा था? वो हमारे बच्चों को जब हमारे बचपन के दिनों की कहानियाँ सुनाती तो उसमें केवल हँसने वाले लतीफ़े होते, न उन यादों में कोई विषाद झलकता, न ग़ुस्सा। एक बार, मृणाल की बेटी राधिका, नेत्रदान के काग़ज़ात लेकर दिद्दी के पास आई कि नानी तुम इस पर हस्ताक्षर कर दो कि जब मैं मरूँ तो मेरी आँखें किसी और को दे दी जाएँ। "चल हट," दिद्दी बोली, "जब मैं मरूँगी और ऊपर पहुँचूँगी तो कितने दिनों के बाद तो तेरे नाना से मिलूँगी। अगर तब आँखें न होंगी तो कहीं किसी ग़लत बुड्ढे के गले लटक गई तो क्या होगा?"

फिर अचानक, दिद्दी की एक बहुत पुरानी कहानी जिसे कभी छुटपन में पढ़ा था, मुझे याद आई। कहानी का नाम था 'बन्द घड़ी', और उसे दिद्दी ने लगभग चालीस साल पहले तब लिखा था जब हम प्रायरी लॉज में रहते थे। कहानी की नायिका, माया, मुझे हमेशा दिद्दी ही लगती थी। जब बहुत ढूँढ़ने पर भी मुझे कहानी न मिली, तो मैंने अपनी बहनों की मदद माँगी। एक दिन, बीनू ने दिद्दी के किसी पुराने कहानी-संग्रह से वो ढूँढ़ निकाली और मुझे उसकी फ़ोटोकॉपी देहरादून से भेज दी। मैंने तब तक ये अध्याय पूरा लिख लिया था लेकिन जब उस कहानी को दोबारा पढ़ा तो लगा उसके बिना ये अधूरा ही रह जाएगा, क्योंकि उसको पढ़कर प्रायरी लॉज और अपने बचपन के दिन इस तरह सजीव हो गए कि लगा कि दिद्दी ने भी बाबू से अपने रिश्ते की कहानी स्वयं लिखी थी। मुझे सबसे ज़्यादा ख़ुशी इस बात से हुई कि मेरी यादें और दिद्दी का वर्णन कितना मेल खाता था। बाबू के मूड, उनके दौरे पर जाने पर हमारे घर का वातावरण दिद्दी ने कितनी सुन्दरता से हमारे लिए इस कहानी में हमेशा याद करने के लिए रख छोड़ा था।

लिहाज़ा, जब तक मैं इस अध्याय को पूरा करने लगी, मुझे एक नए सत्य की जानकारी मिली। और वो ये कि दिद्दी का लेखक के रूप में जन्म हुआ बाबू के कारण। उसने शायद लिखना इसलिए शुरू किया था कि उसे अपनी कुंठा से मुक्ति पाने का यही सही तरीक़ा लगा होगा, और अपने नए जीवन में अपने को ख़ुश रखने का यही एक रास्ता। लेकिन जैसे-जैसे उसकी ख्याति बढ़ती चली गई, उसे इस बात ने डरा दिया कि कहीं वो बाबू से आगे न निकल जाए। यही कारण था कि वो उनको बिना दिखाए अपनी कोई कहानी या उपन्यास किसी प्रकाशक को न भेजती और अपने लेखक होने का ढिंढोरा नहीं पीटती थी। कहीं उसे ये मालूम था कि यदि बाबू ने उसको बाँधकर न रखा होता, और उसकी आज़ादी पर रोक न लगाई होती तो दिद्दी भी, जयंती जेड़जा की तरह, एक प्यारी मौसी बनकर रह जाती, जो बच्चों को क़िस्से-कहानी सुनाने में माहिर होती पर लेखिका न बन पाती। बीनू से

आमा ने कहा था, "तुम्हारी माँ बहुत सिरचढ़ी थी, एक बिगड़ैल घोड़ी। एक शुकदेव जी ही थे जो उसे लगाम में बाँध सकते थे।"

तभी, जब 1974 में बाबू चल बसे, दिद्दी कुछ दिनों तक अपने को सँभाल न पाई। ज़िन्दगी में पहली बार उसको दिशा दिखाने वाला कोई मर्द न था। उसे तब आभास हुआ कि बाबू का शान्त स्वभाव उसके चंचल मन को साधने के लिए कितना अनिवार्य था। उसे बाबू ने एक बिदकती घोड़ी से एक ज़िम्मेदार माँ व पत्नी का रूप दिया और उन्हीं के बनाए नियमों ने उसे व हमें एक संस्कारमय सन्दर्भ। बाबू के निधन पर दिद्दी ने नवनीत में 'बांधीश ना आर मायार डोरे' नाम का लेख लिखा जिसमें उसने बाबू के चरित्र की ऐसी सराहना की है कि पाठक उन्हें देवता माने। दिद्दी ने बहुत-सी मार्मिक श्रद्धांजलियाँ लिखी हैं, लेकिन इसका स्थान कुछ और ही है। मैंने यहाँ केवल उसका पहला अंश लिया है क्योंकि उसे आज तक मैं पूरा नहीं पढ़ पाती हूँ। जब उसे इस पुस्तक के लिए मैंने दोबारा पढ़ा, मैं कई दिनों तक कुछ और न पढ़ पाई और मुझे एक ऐसा सत्य दिखाई देने लगा जिसे मैंने पहले कभी न देखा था। और वो ये कि अगर बाबू बाबू न होते, तो शायद दिद्दी भी दिद्दी न होती।

बांधीश ना आर मायार डोरे से

समझ में नहीं आता, कहाँ से आरम्भ करूँ! क्या चैन की उस स्निग्ध आलोकमयी संध्या से, जब पितृगृह की बुंदेलखंडी राजसी हवेली के द्वार पर झूमते हाथियों के साथ मेरी बरात खड़ी हुई थी, ड्योढ़ी पर आम्रपल्लवों के रंगीन पन्नी लगे तोरणलोलकों के नीचे अपने उल्लसित आबनूसी चेहरों को कंठ-माधुर्य से रससिक्त कर रही थीं रियासत की लोकप्रिय गवनारियाँ ईदिया और कोयल—

हाथ धनुष बन्ना ठाँड़ै री कोई जोड़ी तो मिला लो...

कहाँ से आरम्भ करूँ? क्या उस स्पर्श से, जब पहली बार उन्होंने मेरा अँगूठा थामा था? या उस स्पर्श से, जब मृत्यु के एक दिन पूर्व गहन अन्धकार में छल-बल से छिपाई गई, कंठ में ही घुटती जा रही मेरी सिसकियों का आभास पा, पार्श्व के पर्यंक से अपनी प्रलम्ब भुजा बढ़ा मेरे काँपते हाथ को अपनी दुर्बल मुट्ठी में बाँध मुझसे नि:शब्द विदा ली थी?

एक ओर हठीली लेखनी मचलती है, उस विस्मृत क्षण को लिपिबद्ध करने के लिए जब उत्सव और उत्साह के बीच, *किं गोत्रं, किं प्रवरस्य, किं वेदाध्यायिन:, किं शर्मण: पौत्रीं, किं शर्मण: प्रपौत्रीम्* आदि के सगर्व घोषित शंखोच्चार के साथ मैंने पतिगृह की मर्यादा को स्वीकारा था।

और दूसरी ओर क्रूर नियति मुझे लेखनी सहित यथार्थ के कठोर धरातल पर खींच, सती घाट की हिमशीतल सीढ़ियों पर बैठा देती है। आषाढ़ के प्रथम बादलों की वर्षा गंगातट की सिकता को सिंचित करने लगी है। वर्षा से भीगी धरती की ऐसी ही सोंधी महक ने कभी श्रीराम के वेदना-विधुर हृदय को झकझोरकर बिछुड़ी सीता को कल्पना में सजीव कर दिया था,

एषा धर्मपरिक्लिष्टा नववारिपरिप्लुता।
सीतेव शोकसन्तप्ता मही बाष्पं विमुंचति॥

धीरे-धीरे सीढ़ियाँ उतरती हूँ, कटि तक डूबी मेरी अवश देह सहसा काँप उठती है। हाथ में तिलांजलि देकर पंडित हरीराम जी मेरे आहत हृदय में अपने गम्भीर स्वर की पहली गोली दागते हैं—चितादाहशमनार्थम्। उनके चितादाह-शमन की कामना के साथ ही मेरी भीगी देह को पंडित जी का स्वर जिस अदृश्य धधकती चिता पर धर देता है, उस दाह का शमन संसार की कौन तिलांजलि कर सकती है?

जो नाम प्राणों से प्रिय था, उसी के आगे निर्ममता से प्रयुक्त 'प्रेत' शब्द की कर्णकटु आवृत्ति कलेजे में छुरी की तीखी फाल बार-बार भीतर तक घोंपकर

बड़ी निर्ममता से घुमा देती है। जल में अर्धनिमग्न किशोर पुत्र के पितृहीन चेहरे के उदास प्रतिबिम्ब को उसी के हाथ से छोड़ी गई तिलांजलि विचलित कर देती है। पंडित जी का स्वर एक बार फिर कानों में गर्म सीसा उड़ेल देता है, "उनकी नित्य व्यवहृत वस्तुओं को भी यहीं प्रवाहित कर दीजिए..." एक-एक करके सारे स्मृति-चिह्न मुझे विदा देते चले जाते हैं। गंगा की उठती-गिरती तरंगों में विवश तिनके-सा बहता चश्मा पहनने वाले की करुण स्नेह-विगलित दृष्टि से ही मुझे विदा देने लगता है, तो आँखें फेर लेती हूँ।

सम्मुख है हरिद्वार की विस्तृत शिवालिक श्रेणी, उसके पीछे शून्य क्षितिज और गंगावक्ष से उठती एक आर्त हाहाकार ध्वनि, जो बार-बार मेरी भीगी देह को झकझोरकर कहती चली जा रही है—कल तक तू राजमहिषी थी, आज है गतवैभवा, निर्धूतकेशा पथ की भिखारिन! विधाता किसी भी नारी को इससे बड़ा दंड और दे भी क्या सकता है?

बन्द घड़ी

माया ने छाया जीजी के हरे पर्दे खिसकाकर देखा। दूर-दूर तक कोहरा फैल गया था। अँधेरे में चमकती छिपती रोशनियाँ, जुगनू-सी दप-दप दमक रही थीं। गरजते मेघों का तर्जन सुनकर लगता था कि पानी बड़े वेग से बरसेगा। "अभी तक जीजी हॉस्पिटल के राउंड से नहीं लौटीं। क्या पता किसी कमबख़्त को दर्द उठ आया हो? बच्चे कब के स्कूल से लौट आए होंगे।" झुँझलाकर माया ने छाता उठा लिया और जीजी के ख़ानसामे से बोली, "जीजी से कहना, मैं आई थी। बड़ी देर रुकी रही। कल फिर आऊँगी।" कोहरा चीरकर वह घर की ओर चल दी, "कितनी अच्छी पिक्चर आई थी—'लव इन दी आफ़्टरनून' और जीजी ने सब चौपट कर दिया—कल का दिन बीच में है, परसों फिर मेरे

पैरों में बेड़ियाँ पड़ जाएँगी। बुध को लौटेगा गिरीश। ख़ैर, कल सही—कल जीजी को फिर कोई निगोड़ी मरीज़ न बाँध बैठे।"

घर पहुँची तो गोल कमरे की बत्ती जल रही थी। रानीखेत की हिमशीतल बयार और हृदय के आतंक ने उसे कँपा दिया—तो क्या लौट आए हैं? वह भीतर गई ही थी कि सोनिया भागती हुई उससे लिपट गई "ममी," वह फुसफुसाकर बोली, "पापा दौरे से लौट आए हैं, मूड बहुत ख़राब है। इत्ता ख़राब।" वह अपनी नन्ही-सी बाँहों को शून्य में फैलाकर पिता के भयंकर मूड का घनत्व बतलाने लगी। "बाई गॉड ममी, ड्राइवर से बोले, सूअर का बच्चा और..."

"अच्छा-अच्छा, बस कर।" माया ने झुँझलाकर उसे अपने से अलग कर कहा।

इसी बीच ग़ुसलख़ाने का द्वार खुला। द्वार क्या खुला कि सर्कस के शेर का पिंजड़ा खुल गया, "अच्छा कहिए, घूम आईं! जानलेवा घाटियों पर जीप दौड़ाकर इनसान घर आता है तो एक प्याली चाय का ठिकाना नहीं—जाइए न, और घूम आइए।" गिरीश ने उसे क्रूर दृष्टि से चीरकर देखा।

अपनी शान्त दृष्टि से पति का व्यंग्य और क्रोध झेलकर माया बोली, "घूमने नहीं, छाया जीजी के यहाँ गई थी।"

"बड़ी कृपा की।" गिरीश ने स्वर का बाण मारा और अख़बार उठाकर पढ़ने लगा।

डबडबाई आँखें पोंछकर माया चौके में जाने लगी तो 'ममी, ममी' कहता दो वर्ष का अतुल पैरों से लिपट गया। उसके पीछे कूदता-फाँदता ऐल्सेशियन रौस्ट्री आ गया। उसकी कूदा-फाँदी से पीतल का फूलदान झनझनाकर गिरा। अख़बार हटाकर गिरीश ने एक लात रौस्ट्री को जड़ दी और गरजकर बोला, "भाग जा हरामज़ादे, दो मिनट तो कहीं शान्ति से बैठने को मिले।"

सहमकर क्षण-भर में पूरा परिवार बिखर गया। आया आकर अतुल बाबा को ले गई, "बाप रे बाप! साहब हैं या बम का गोला।" वह मन-ही-मन बुदबुदाई। माया ने चट ग़ुसलख़ाने में जाकर द्वार बन्द कर लिये। सहमी सोना

अपनी होमवर्क की रफ़ कॉपी में भयंकर दैत्याकृतियाँ बनाकर लिखने लगी, "पापा इज़ ए डेविल।" "पापा भूत हैं।" "पापा इज़ ए बिग फ़ैट डेविल।" प्रतुल अपने मित्र के यहाँ अंग्रेज़ी गाने के रिकॉर्ड सुनने गया था, तंग मोरी की पैंट की जेब में हाथ डालकर मस्तानी चाल से गुनगुनाता भीतर घुस आया, 'लिपस्टिक ऑन योर कॉलर', गिरी मेज़ और बिखरे फूलदान को बिना देखे ही कंठस्वर तीव्रतर करता वह बढ़ता गया। सहसा कोने की कुर्सी पर पापा को देखा तो साँप सूँघ गया।

"अक्खाह, आइए, प्रिंस ऑफ़ वेल्स।" व्यंग्य के तीखे स्वर में पापा बोले, "कहिए, कितनी पिक्चर देखी? यह लिपस्टिक वाला वाहियात गाना भी उसी पिक्चर का है क्या?"

"न पापा, यह तो बिनाका 'टॉप हिट' है।" रुआँसा-सा होकर प्रतुल बोला।

"क्यों नहीं, क्यों नहीं! बाप साला हड्डियाँ तोड़कर पैसा कमाता है कि लाड़ले यही हिट सुनें। चल, ये ज़नानी चूड़ीदार-सी पैंट बदलकर आ। बेशर्म ज़माना बोल रहा है, बाप के सामने बेहूदे गाने गाए जाते हैं। चल, हिसाब की कॉपी लेकर बैठ। इनकी उम्र में हमें चक्रवर्ती की अंकगणित जीभ की नोक पर थी, पर इनसे पूछिए सोलह का पहाड़ा, तो साफ़। हरामी स्कूल के मास्टर और दो अंगुल बढ़कर ये छोकरे।" सहमकर प्रतुल पैंट बदलने चला गया।

गिरीशचन्द्र शर्मा अपने विभाग का सबसे सम्मानित एवं ख्याति-प्राप्त इंजीनियर था। दुर्गम पहाड़ों के वक्ष चीरकर नई-नई मोटर रोड बनाने का भार इसी से उसे सौंपा गया था, किन्तु लोहे का पुल और बड़े-बड़े पहाड़ डायनामाइट से उड़ाकर चौड़ी सुगम सड़क बनाने की प्रणाली वह अपने व्यक्तिगत जीवन में भी खींचकर लाना चाहता था। कठोर अनुशासन ममता और वात्सल्य की डोर को चतुर चूहे की भाँति भीतर-ही-भीतर कुतरे जा रहा था, इसका उसे ध्यान ही नहीं था। इसी से वह दौरे पर जाता तो घर में शहनाइयाँ बजने लगतीं। अत्ती को आया को सौंप माया जीजी के यहाँ चली जाती। घंटों दोनों बहनें गप लड़ातीं और दिन डूबे माया घर लौट आती तो सोचती, 'हाय, छाया जीजी कितनी सुखी हैं! न बच्चों की चें-पें, न पति की

झिड़कियाँ। काश, मैं छाया जीजी होती!' और छाया सोचती, 'हाय, माया कितनी सुखी है! फूल से बच्चे और कार्तिकेय का सा सुन्दर पति। काश, मैं माया होती!' छाया थी साँवली, देखने में अति सामान्य किन्तु पढ़ने में प्रखरबुद्धि। इसी से वह बन गई डॉक्टर और माया थी सुन्दरी, भावुक, शरीर और मन दोनों से दुर्बल। सिविल सर्जन पिता की लड़ैती पुत्रियाँ बड़े दुलार में पलकर बड़ी हुई थीं। माया नाजुक और छोटी होने के कारण पिता के बहुत मुँहलगी थी, इसी से बड़े यत्न से उसके लिए वर चयन किया गया था।

गिरीश रुड़की इंजीनियरिंग कॉलेज का मेधावी छात्र था। लाखों में एक जानकर ही उसके सम्पन्न श्वसुर ने उसे चुना है, यह वह जानता था। किन्तु उनका धन-वैभव उसके व्यक्तित्व को मोल-तोल की डोर में कभी नहीं बाँध सकेगा, यह उसने एक प्रकार से स्पष्ट कर दिया। दोनों का व्यक्तित्व नहले पर दहला था। झड़प होती तो माया और गिरीश साँप और नेवले की भाँति आमने-सामने खड़े हो जाते। जय-पराजय का लेखा कब किसके पल्ले रहा, कोई जान भी न पाता। माया थी भावुक। गिरीश को भावुकता से चिढ़ थी। माया को शोख़ रंग की साड़ियाँ पसन्द थीं। कभी-कभी लिपस्टिक भी लगा लेती, तो गिरीश कहता, "चूहा मारकर ख़ून लगा लो न होंठों पर, और अच्छी लगोगी।" माया जल-भुनकर रह जाती। माया को रोस्ट चिकन चिचोड़ने में स्वर्गीय आनन्द आता और गिरीश को गोश्त देखकर उबकाइयाँ आती थीं।

छाया जीजी कभी बड़ी चेष्टा और चातुर्य से छोटी बहन से बातें उगलवा लेतीं, "हद है यह गिरीश! अजब क़साई है, गोया बाप नहीं हौआ हो गया है! कल ही कहूँगी मैं।" वह कहतीं, पर मन-ही-मन वह स्वयं उस मान-मुनौवल के लिए तरसकर रह जातीं। कैसे अमूल्य होते होंगे वे मान-अभिमान के मधुर क्षण! वह रूठना, वह मनाना उसके जीवन में आकाश-कुसुम चयन सम रहेंगे।

उधर गिरीश उनसे मन-ही-मन चिढ़ उठा। जब से छाया की बदली रानीखेत को हो गई, माया एकदम ही परायी-सी हो गई थी। पति-पत्नी में बोलचाल 'हाँ-हूँ' तक ही सीमित थी। निरंकुश स्वेच्छाचारी सम्राट की भाँति गिरीश ने शासन की बागडोर, अव्यवस्था के भय से और कड़ी कर दी।

खाने की मेज़ पर सब किलकते, पर गिरीश के आते ही अनुशासन का कठोर मेघ-सा छा जाता। यंत्रवत कौर निगलकर सब चुपचाप उठ जाते। मेज़ पर लगे क़हक़हे, चुहलबाज़ियाँ जैसे सब भूल गए। ममी और पापा के सामान्य से झगड़े ने भीषण रूप धारण कर लिया। नन्हे मासूम भोले चेहरे बेरौनक हो गए, जैसे दुकान पर सजे बहुत पुराने खिलौने हों। घर की झुँझलाहट बाहर निकलने लगी। मेमसाहब महरी और आया से बेमतलब उलझने लगीं, उधर दफ़्तर के हेडक्लर्क और चपरासियों पर साहब ज़रा-ज़रा सी बात पर बरसने लगे। एक तो मार्च का महीना, बिलों और फ़ाइलों का अम्बार, उधर पत्नी और बच्चे मोर्चा बाँधकर अलग हो गए। ममी और पापा के झगड़े में बच्चों की सहानुभूति ममी के साथ देख गिरीश जल-भुन बैठा। उसने अत्याचारों की झड़ी लगा दी। परांठे बनते तो फुलके माँगता। पहले मूँग की दाल से कोसों दूर भागता, अब दिन-रात मूँग की दाल की फ़रमाइश होती। खाकर झनाक से थाली पटक देता, कभी झनक से गिलास! उधर क्रोध और झुँझलाहट से भरी माया चौके से ही चिमटे और सँड़सी का जलतरंग बजाकर प्रत्युत्तर देती। ऐसी बाढ़ आ गई, जिसका कूल-किनारा नज़र नहीं आता था। लगता था, क्रोध की नदी हरी-भरी गृहस्थी को निगलकर ही मानेगी।

एक दिन माया हल्दी की पुड़िया खोलकर सँभाल रही थी कि पुड़िया के काग़ज़ पर दृष्टि दौड़ गई। फटे अख़बार का पृष्ठ था—“बीस वर्षीया स्त्री की दुखद मृत्यु। घर के झगड़े से ऊबकर बीस वर्षीया मिसेज़ खेर ने कल मिट्टी का तेल डालकर आत्महत्या कर ली।” डूबते को तिनका मिला। क्षण-भर की यातना और वह सदा के लिए मुक्त हो जाएगी। आज ही वह यह संकल्प पूरा करेगी। माया की आँखें चमक उठीं। ख़ूब सबक़ मिलेगा बच्चू को! अक्ल ठिकाने आ जाएगी। ज़रा रख तो लें धोबी और दूध का हिसाब! चला तो लें घरख़र्चा, जान लेंगे बच्चू कि कै बीसी सैकड़ा होते हैं! एक रात अतुल बीमार पड़ जाए तो छठी का दूध याद आ जाएगा! पर सहसा मातृहीन अतुल की काल्पनिक बीमारी की आशंका ने पति के प्रति प्रतिहिंसा की ज्वाला पर ठंडा पानी गिरा दिया। माँ के गले का हार पकड़े बिना अतुल दूध की बोतल

मुँह में नहीं लेता। एक दिन उसे छाया के यहाँ से लौटने में देर हो गई थी, तो 'ममी-ममी' चीख़कर उसे बुख़ार हो आया था। सोनिया को स्कूल जाने से पूर्व, माँ से लिपटकर नित्य पैसे वसूल करने की कुटेव है। और उसके सौ-सौ लाड़ों का लड़ाया प्रतुल। महीने में दस अंग्रेज़ी कॉमिक पढ़े बिना उसे पेचिश हो जाती है। घर के डेफ़िसिट बजट को खींच-खींचकर उसके पेचिश की दवा भी माया को ही जुटानी होती है। स्वयं गिरीश! कितना ही गरजे और तरजे, पर माया के बिना मणिहारा सर्प-सा व्याकुल हो उठता है सो?

हुँ, जाएँ भाड़ में सब! मान-अभिमान से माया की छाती फूल उठी। अपनी काल्पनिक मृत्यु पर स्वयं ही उसकी रुलाई फूट पड़ी। सोनिया लौटेगी तो देखेगी नित्य की भाँति ममी चाय की मेज़ पर नाश्ता सजाए खड़ी नहीं है। बड़ी-सी चादर से उसकी लाश ढक दी गई है। अपराधी गिरीश विषाद से काला चेहरा लिये कुर्सी पर स्तब्ध बैठा है। अतुल आकर माँ की लाश से चिपटकर कहता है, 'ममी, उतो।' तभी अपने को रोक नहीं सकता गिरीश! बुक़्क़ा फाड़कर रो उठता है, 'माया इतनी बड़ी सज़ा क्यों दे गई?'

परम सन्तोष से माया ने मिट्टी के तेल की बोतल पकड़ ली। सहसा माया को याद आया, छाया जीजी ने उसे नई ऑलिवग्रीन साड़ी लेकर दी। एक दिन भी तो नहीं पहनी उसने! क्यों न आज अन्तिम बार पहन ले? माया ने मुँह धोया, नई साड़ी पहनी, जूड़ा बनाया, सफ़ेद माथे पर बड़े जतन से बिन्दी धरी और अन्तिम बार शहीद की करुण दृष्टि से अपना मोहक प्रतिबिम्ब आईने में देखा। एक बार, केवल एक बार अतुल को देखने की इच्छा बलवती हो उठी। धीरे-धीरे वह दबे पैरों से गोल कमरे तक गई। अकेला बैठा अत्ती बूटपॉलिश की डिबिया को फ़र्श पर लुढ़का रहा था और भाग-भागकर मुँह में दबाकर रौस्ट्री उसे फिर-फिर नन्हे मालिक के चरणों पर रख रहा था। दोनों हाथों से तालियाँ बजाकर, किलकारियाँ मारता अतुल फिर उसे पहिए की भाँति लुढ़का दे रहा था। पुत्र की क्रीड़ारत छवि को डबडबाई आँखों में भरकर माया देहरी से ही लौट आई। घड़ी में दो बजे थे। तीन बजे बच्चे लौट आएँगे। इससे पहले ही मन पक्का कर मुक्ति पा लेनी होगी उसे। मिट्टी के

तेल की बोतल और दियासलाई लेकर वह ग़ुसलख़ाने में घुसने को ही थी कि सहसा स्मरण हो आया, प्रतुल सुबह कह गया था, "ममी, मेरी सफ़ेद क़मीज़ में बटन टाँक देना, मुझे डिबेट में जाना है।" झुँझलाकर बाहर निकली और क़मीज़ निकालकर बटन टाँकने बैठ गई। कभी याद करेगा, ममी के हाथ का टँका आख़िरी बटन। बेसमझ आँखें फिर बरसने लगीं। अतुल की किलकारियाँ और नन्ही-सी हथेली की तालियाँ उसके हृदय पर घन की सी चोटें कर रही थीं। पर अब नहीं रुकेगी वह, बाथरूम में घुसकर कुंडी चढ़ाएगी, और...

पर क्या इतनी सुन्दर ऑलिवग्रीन कांजीवरम पर मिट्टी का तेल छिड़कना बुद्धिमानी होगी? क्यों न कोई फटी-सी इकलाई पहन ले। 'इसे कभी सोनिया पहनेगी।' एक लम्बी साँस खींचकर उसने सोचा। वह सोच ही रही थी कि गिरीश का स्वर आया, "अरे दुष्ट, यह क्या लंगूर-सी शक्ल बना ली है? ओ हो हो हो!" और पति का वही चिर-परिचित उन्मुक्त हास्य जिसे वह प्राय: भूल ही गई थी। स्नेहमयी वात्सल्यपूर्ण झिड़की ही थी, क्रोध का लेश भी न था उसमें, "हत् तेरी नानी की दुम! क्या चेहरा बना लिया है रे भूत!"

"क्या किया, पापा?" सोनिया और प्रतुल का स्वर था, साथ ही पिता और बालकों का सम्मिलित राशिभूत अट्टहास! चट मिट्टी के तेल की बोतल कोने में पटक वह बाहर निकल आई। घड़ी में अब भी दो ही बजे थे। सर्वनाश! तो क्या घड़ी बन्द थी? कान के पास घड़ी ले जाकर देखा तो सचमुच घड़ी बन्द थी। चाय का पानी भी तो नहीं चढ़ाया था उसने! इतने में ही अतुल को कन्धे पर बिठाकर गिरीश आ गया। उसके पीछे प्रतुल, सोनिया और सबके पीछे दुम हिला-हिलाकर नन्हे मालिक के अनुपम कला-चातुर्य की दाद देता रौस्ट्री!

बादलों को चीरकर जैसे सहसा तरुण चन्द्र की धौत चन्द्रिका म्लान वनवनान्त को रँग जाती है, ऐसे ही पुत्र को देख मधुर हास्य से माया का वेदना-विकीर्ण म्लान मुखमंडल उज्ज्वल हो उठा। पति के कन्धे पर बन्दर का सा चेहरा बनाए श्री अतुलचन्द्र शर्मा विराजमान थे—बूटपॉलिश की काली डिबिया से उन्होंने अपने चन्द्रमुख को नाना आकार के त्रिपुंडों से शोभित कर

लिया था और अपने दो दाँतों की अनुपम छटा बिखेरते फक से मुस्करा रहे थे। पति की ओर देखकर माया ने आँखों-ही-आँखों में सन्धिपत्र पर हस्ताक्षर कर दिये। माया को देखकर अतुल उसकी गोद में आने को मचलने लगा। बाँहें फैलाकर माया उसे लेने लगी तो पति के कन्धे से उसका हाथ छू गया। बच्चों की दृष्टि बचाकर गिरीश ने उसकी बाँह में चिमटी काट दी। 'उफ़,' माया ने स्नेहपूर्ण कटाक्ष से गिरीश की ओर देखकर अतुल को गोद में ले लिया और मन-ही-मन सोचने लगी, 'कैसी नासमझ हैं छाया जीजी! कहती थीं, तेरा पति क़साई है—क़साई भला ऐसी स्नेहभीनी हरकतें कर सकता है!'

"देख तो सोनी, घड़ी में क्या बजा है, सवा चार बजे मुझे एक मीटिंग में जाना है।" गिरीश ने कहा।

भागकर सोनिया घड़ी देख आई, "हाय पापा, कैसी कनस्तर घड़ी है, जब देखो तब बन्द! उसमें तो दो ही बजा है। यह देखिए।" सच घड़ी में अब भी दो ही बजे थे।

माया ने कृतज्ञता-कातर दृष्टि से बन्द घड़ी को देखा। उसे लगा जैसे उस बन्द निर्जीव घड़ी से सुन्दर अन्य कोई वस्तु संसार में हो ही नहीं सकती।

प्रायरी लॉज

हमारे भाई मिकी, का जन्म 1954 में कसून वाले घर में हुआ था। हालाँकि मैं तब केवल तीन ही वर्ष की थी मुझे अच्छी तरह याद है कि हमारे घर में पुत्र के आगमन से आमा के परिवार में कितनी ख़ुशी फैली थी। मिकी दोपहर के बाद पैदा हुआ था और तारा दीदी ने मेरी पीठ पर एक गुड़ की भेली फोड़ी कि इस पीठ के पीछे बेटा पैदा हुआ, और एक बकरे का कान ऐंठ के उससे 'हँसने की आवाज़' निकलवाई थी। आमा ने अपनी पूजा में ज़ोर से शंख बजा के अपने ठाकुरजी का अभिनन्दन किया और इसी निनाद के साथ, मिकी हमारे परिवार का सबसे दुलारा बच्चा भी घोषित हो गया। कुछ ही महीने बाद, बाबू का तबादला लखनऊ हो गया और हम पहाड़ छोड़ के अब 'देश' चले गए। कसून की दुनिया छोड़ कहीं और रहने का यह मेरे जीवनकाल का पहला अवसर था।

उस समय के लखनऊ की मुझे थोड़ी-बहुत याद है—हम रिवर बैंक कॉलोनी एक छोटे से फ़्लैट में रहते थे, जिसकी बालकनी से हमें बेलीगारद के खँडहर दिखाई देते थे। गर्मियों में हम छत पर खाट लगा के सोते थे। लखनऊ आए हमें शायद एक साल भी न हुआ था जब बाबू को सरकार ने किसी कोर्स के लिए एक साल के लिए कनाडा भेज दिया और शादी के

बाद दिद्दी को पहली बार बिना अपने मायके के या बाबू के, अकेले जीवन व्यतीत करने का अवसर मिला। लगभग इसी समय से दिद्दी ने नियमित रूप से लिखना शुरू किया और अपने लिए एक उपनाम—शिवानी—चुना, क्योंकि वो उसके अपने नाम—गौरा—का ही पर्यायवाची शब्द था। अब वो अक्सर ऑल इंडिया रेडियो में प्रोग्राम पेश करने लगी—कभी वार्ता, कभी कोई नाटक। बीनू को भातखंडे अकादमी में संगीत सीखने भेजा गया, मीनू ने भरतनाट्यम सीखना शुरू किया और मैंने ला मार्टनियर स्कूल फ़ॉर गर्ल्स में पढ़ना शुरू कर दिया। दिद्दी को इस बात से बहुत सन्तोष मिला कि हम तीनों ने अपने-अपने नए वातावरण में ख़ूब नाम कमाया। बीनू का गला बहुत मधुर था और कई बार उसे रेडियो पर बच्चों के कार्यक्रम में भाग लेने बुलाया जाता। मीनू पढ़ाई में और नृत्य में निपुण थी और मुझे भी स्कूल में कई इनाम मिले। तो उस एक साल में, जब बाबू विदेश रहे, दिद्दी ने अपने बच्चों को ऐसे जीवन से अवगत करवा दिया जो रोज़ के स्कूल व पारिवारिक जीवन से कोसों दूर था। इससे हम तीनों को बाद में कितना आनन्द मिला वो कभी फिर बताऊँगी।

रिवर बैंक कॉलोनी एक अर्ध-चन्द्राकार घेरा था जिसमें कोई 36 फ़्लैट थे। 36 परिवारों के इतने समीप रहने का ये हमारा पहला अनुभव था और हमने जल्दी से इस नए रहने के स्टाइल को अपना लिया। अल्मोड़े में अपने सुनसान व एकान्त कैंटूनमेंट वाले घर के बाद इसमें कितना आनन्द आता था कि अब हमारे पड़ोसी न हमारे रिश्तेदार थे न सम्बन्धी, केवल मित्र! हमारे फ़्लैट की बाईं ओर वाले फ़्लैट में तीन युवतियाँ रहती थीं—लीला ख़ज़ानचन्द, लीला जोसेफ़ और सुषमी मैथ्यूज़। लीला ख़ज़ानचन्द के पिता डॉ. ख़ज़ानचन्द अल्मोड़े में हमारे परिवार के डॉक्टर रह चुके थे और बाद में वे भवाली के प्रसिद्ध सैनिटोरियम के निर्देशक बने। लीला जोसेफ़ महिला कॉलेज में पढ़ाती थीं और सुषमी मैथ्यूज़ सेंट्रल ड्रग रिसर्च इंस्टीट्यूट में वरिष्ठ वैज्ञानिक थीं। उन्होंने हमारे भाई का नाम मिकी रखा और लखनऊ को छोड़ने के कई सालों तक हम लोग उन तीनों से पत्र लिख के सम्पर्क रखते थे। उनके फ़्लैट में

हमेशा लोगों की आवत-जावत और चहल-पहल लगी रहती और मुझे वहाँ सुनहरी मछलियों के अक्वेरियम की अभी तक याद है। हमारे दूसरी तरफ़ रहता था चतुर्वेदी परिवार, जिनके बहुत सारे बेटे थे और जहाँ तक मुझे याद है, सब-के-सब डॉक्टर थे। उनकी एक बूढ़ी माँ भी थीं जिन्हें हम सब चाची के नाम से जानते थे। इस तरफ़ के एक डॉक्टर को उस तरफ़ वाले फ़्लैट की एक युवती से प्रेम हो गया और चाची दुख से विह्वल हो गईं कि कहीं उनका विशुद्ध ब्राह्मण परिवार किसी किरिस्तान लड़की के कारण म्लेच्छ न बन जाए! ऊपर की मंज़िल में कोई रोज़ सितार का रियाज़ करता था और दिद्दी ने उस परिवार का नाम 'ड-ड-ड्याऊँ' रख दिया था, क्योंकि उस फूहड़ सितार वादक का रियाज़ हमें ऐसा ही सुनाई देता था। रिवर बैंक की चहल-पहल से दिद्दी को न जाने कितने कहानियों के प्लॉट मिले और सालों तक हमें उसके उपन्यासों में वहाँ का कोई पात्र या क़िस्सा दिखाई देता था।

1958 में, बाबू की बदली नैनीताल हो गई और चार साल के 'देश' में प्रवास के बाद, हमारे परिवार का एक बार फिर कुमाऊँ लौटना हुआ। हमारे नए घर का नाम था प्रायरी लॉज, और उसमें इतने कमरे थे कि शायद किसी ने कभी उनकी गिनती तक न की थी। घर के एक भाग में हम रहते थे और बाक़ी में था बाबू का दफ़्तर, जिसमें से आती थी पुरानी फ़ाइलों, सिगड़ियों से उठती कोयले के धुएँ की, और क्लर्कों की बीड़ियों की बास। दिद्दी ने कहीं से पता लगाया कि किसी ज़माने में ये घर अंग्रेज़ों का एक क्लब हुआ करता था और उसमें लगी आग से एक मेम और उसका ख़ानसामा जल के मर गए थे, अब उनका भूत घर में विचरता था और उसे कई बार घर के नौकरों ने देखा भी था। हमने उस भूत का नाम 'मिस पेरी' रख दिया था क्योंकि मिकी स्कूल में इसी नाम की एक जल्लाद टीचर थी जो बच्चों को संटी से मारती थी। प्रायरी लॉज आयरपाटा के घने जंगल वाले इलाके में स्थित था जहाँ कभी जिम कॉर्बेट रहा करते थे। उनका पुराना घर, गर्नी हाउस, हमारे घर के पास एक क़ब्रिस्तान के समीप था। उस एकान्त, शान्त जगह से मुझे बेहद लगाव था और हर शनिवार की दोपहर को मैं वहाँ झाड़

लगाने पहुँच जाती। क़ब्रों को मेरा पोंछ-पाछ के उनपे फूल सजाना दिद्दी को बहुत मज़ेदार लगता था। वहाँ अनुभव की गई उदासी मुझे अभी भी याद आती है—क़ब्रों की शिलाओं पर दिवंगत आत्मा की याद में एक दुखभरा वाक्य लिखा होता था। किसी क़ब्र में था कोई नन्हा बच्चा जिसने शिशुकाल में ही दम तोड़ दिया, किसी में कोई युवा सिपाही जिसे हिन्दुस्तान की गर्मी ने मार डाला, और एक कोने में था एक मिशनरी परिवार की क़ब्रों का समूह जिसका सारा कुनबा साथ दफ़नाया गया था। वे कौन होंगे, कैसे और कहाँ रहते होंगे, इन सवालों पर मैं घंटों चिन्तन करती थी।

हमारे घर के चारों ओर उत्तर प्रदेश के विभिन्न रजवाड़ों के घर थे, और दिद्दी को अपने बचपन की यादें ताज़ा करने का मौक़ा मिल गया। उसने इस समय में जितनी भी कहानियाँ या उपन्यास लिखे हैं सबमें इस जीवन की झलक मिलती है। देश को आज़ाद हुए कोई दस-पन्द्रह साल ही हुए थे और उस ज़माने में गर्मियों में नैनीताल जैसे कई हिल स्टेशन थे जहाँ का जीवन बहुत रंगीन था। इन घरों के नाम भी अनोखे थे—स्ट्रॉबेरी लॉज, वियेना लॉज, द हाईव, एलस्मेयर, द रिट्रीट और फ़र्न कॉटेज। साल-भर ये बन्द रहते और फिर, मई में—जब शहर का 'सीज़न' शुरू होता—इनमें रहने वाले भड़कीले परिवार देश की भयंकर गर्मी के प्रकोप से बचने यहाँ पधारते।

वियेना लॉज में धामपुर की राजमाता रहती थीं और उनके साथी थे उनकी 'कम्पैनियन' मिस ब्राउन और उनके निजी सचिव, मिस्टर जोशी। तीनों ब्रिटिश राज पर बनी किसी फ़िल्म के पात्र लगते थे। दिद्दी की उनसे दोस्ती हो गई और हम कभी राजमाता की लाइब्रेरी से किताबें माँग के अपने घर लाते। हमको पढ़ने का शौक़ है जान के एक बार मिस्टर जोशी ने मुझे समरसेट मौम की कहानियों का संग्रह भेंट किया था और मेरे भाई को—जो चित्र बनाता था—ऑइल पेंट का एक बेहद ख़ूबसूरत सेट। उनके घर के नीचे, उसी पहाड़ी पर थी एक राणा परिवार की कोठी, द रिट्रीट, जहाँ हर साल राणा जी का परिवार नेपाल से नैनीताल भ्रमण करने आता। सुबह तो घर को एक चुप्पी घेरे रहती, लेकिन दोपहर के बाद वहाँ की छटा ही निराली होती।

राणा जी नशे से तब उठते होंगे और उनकी छ्योड़ियाँ, तितलियों की तरह, उनके इर्द-गिर्द घूमतीं। कोई उनकी मालिश करती, कोई उन्हें पंखा झलती और कोई उन्हें चाँदी के थाल से नाश्ता खिलाती। इस ड्रामे को हम अपने घर के बरामदे से बेहद निर्लज्जता से देखते और उसपे आपस में हँसते। प्रायरी लॉज के ठीक ऊपर थी फ़र्न कॉटेज, जिसमें रहता था एक ख़ूँखार सरदार परिवार। हम उन्हें टिक्का राजा के नाम से जानते थे और उनकी एक आदत से हमें बेहद हँसी आती थी। राजा साहब का मुँह हर समय अजीब तरह से चलता रहता और एक बार जब वे हमारे घर दिद्दी-बाबू से मिलने आए, तो हम बच्चों को उनसे मिलने बैठक में बुलवाया गया। उनका विकृत मुँह देखते ही हम सबको हँसी का ऐसा दौरा पड़ा कि आँखों से आँसू निकलने की नौबत आ गई। "कितनी सोणी बेटियाँ हैं, कितनी हँसमुख!" वे दिद्दी से बोले, "साड्डे मुंडे ते हँसते नहीं।" कौन उन्हें बताता कि बेटियों की हँसी के पीछे क्या राज़ था!

हर शाम, हमारे ये रँगीले पड़ोसी दामी कपड़े-ज़ेवर पहने अपनी-अपनी डांडियों में सेंट की ख़ुशबू के गुबार छोड़ते हुए, बोट हाउस क्लव को चल देते। वहाँ शराब की चुस्कियों के बीच चलते ताश और नाचने के दौर। देर रात, नशे में चूर, उनकी सवारियाँ अपने शिविर लौटतीं। हमें ये ज़िन्दगी बेहद ग्लैमरस लगती थी और कई बार मन करता कि हम भी कभी ऐसे ही सज-धज के कहीं घूमने जाते। लेकिन हमको मालूम था कि हम इन लोगों से फ़र्क़ थे—बाबू को क्लब की अय्याशी से घोर चिढ़ थी और हमको नीचे 'फ़्लैट्स' जाने की अनुमति हफ़्ते में केवल एक बार मिलती। तो जब सारा शहर सीज़न का आनन्द उठाता, हम अपने घर में बैठकर अपना होमवर्क करते और ताल के किनारे से आती बैंड की मादक आवाज़ को दूर से ही सुन के सन्तोष कर लेते। बाबू का आदेश तोड़ने की हिम्मत किसी में न थी।

इसी बीच, हमारी बड़ी मौसी जयंती के दोनों पुत्र, पुष्पेश और मुक्तेश, हमारे पास आके रहने लगे। आज तक, हम सबका मानना है कि नैनीताल में साथ बिताया वह समय हम सबके जीवन के सबसे मज़ेदार दिन थे। दिद्दी

भी आमा की तरह घर का कामकाज नौकरों पर छोड़ देती थी। हालाँकि बाबू को यह क़तई पसन्द न था, उसका ज़्यादा समय लिखने-पढ़ने और हमको पढ़ाने में बीतता। शाम को वो अक्सर हमें अपनी कहानियाँ पढ़कर सुनाती। बाबू के दफ़्तर में कई पुराने गैज़ेट और पत्रिकाएँ भी थीं। हम सब किताबी कीड़े थे क्योंकि और कुछ करने को न था, हमने उनको चाट-चाट के पढ़ना शुरू कर दिया। दिद्दी की छत्रच्छाया में हमने कई छोटे-मोटे नाटक, घरेलू पत्रिकाएँ भी निकालना शुरू किया और धीरे-धीरे, हमारा घर पड़ोस के बच्चों के लिए एक सांस्कृतिक केन्द्र बन गया। कसून, आमा और उनका परिवार अब धीरे-धीरे हम भूलने लगे, और हालाँकि नैनीताल और अल्मोड़े के बीच महज़ डेढ़ ही घंटे का फासला है, हम कभी नैनीताल से अल्मोड़ा नहीं गए।

उस समय की मेरी सबसे तीव्र याद है हमारे घर में पैसों के अभाव की। दिद्दी के पास केवल कुछ ही साड़ियाँ थीं—दो-तीन घर पहनने की और उतनी ही बाहर जाने की। हमारे पास होते थे केवल दो जोड़ी स्कूल के कपड़े और दो-तीन बाहर जाने के कपड़े। हम स्कूल में पुरानी किताबों से पढ़ते और किसी को बाबू से नए जूते माँगने की हिम्मत तब तक न होती जब तक पुराने वाले बिलकुल फट न जाते। मेरी अधिकांश किताबें किसी से माँगी होतीं और उनमें भद्दे चित्र या किसी और के लिखे नोट्स होते। मैं उन्हें किसी तरह साफ़ कवर चढ़ा के नया बनाने की कोशिश करती लेकिन अन्दर की हालत काफ़ी ख़स्ता होती थी। उस समय का एक हादसा अभी तक मुझे हँसाने लगता है। हमारी हिन्दी की पुस्तक में सुमित्रानन्दन पंत की एक कविता थी। जिसने मुझे वो पुस्तक दी थी उसने बड़े प्रेम से बेचारे कविवर को पुरुष से नारी बना दिया था। उनके माथे पर थी बिन्दी, कान में कुंडल, और उनकी लटों को और भी घुँघराला बनाकर सिर को पल्ले से ढाँक के ऐसा बना दिया था कि कोई उन्हें पहचान न पाए। मेरे स्कूल में हिन्दी की टीचर, मिस सूद को पता था कि मेरी माँ शिवानी के नाम से लिखती हैं, इसलिए एक दिन उन्होंने मुझसे पूछा, "क्यों इरा, क्या सुमित्रानन्दन पंत से तुम्हारा कोई रिश्ता है?" मैं ये तो जानती थी कि हर पंत, पांडे या जोशी का

कोई-न-कोई रिश्ता होता है, तो मैंने कविवर की तसवीर याद करते हुए बड़ी शान से कहा, "यस, शी इज़ माय आंट।" —वो मेरी मौसी हैं।

जब दिद्दी को मैंने ये कहानी सुनाई तो वो खिलखिला के हँस पड़ी। उसके बाद, जो भी हमारे घर आता, दिद्दी मुझसे ये कहानी उन्हें सुनवाती। मुझे नक़ल उतारने में मज़ा आने लगा और जब कहानी के अन्त में श्रोता लोग हँसते, तो मुझे बहुत गर्व भी होता। अब लगता है कि इससे मुझे दिद्दी ने कितना बड़ा सबक़ सिखाया कि जीवन में अपनी ग़लतियों पर हँसना कितना आवश्यक है, और पैसों की कमी पर शर्म न महसूस करना कितना अनिवार्य। अपने स्कूल के या पड़ोस के धनी परिवारों को देखकर हमें कभी अपने जीवन में पैसों के अभाव से कभी शर्म नहीं आई। दिद्दी से सीखा ये सबक़ मैं आज तक नहीं भूली हूँ।

हमारे चारों ओर बहुत धनी परिवार रहते थे। हम उनका रहन-सहन देखते लेकिन कभी हमें ये न लगा कि उनकी तुलना में हमारे जीवन में किसी तरह का अभाव है। बल्कि क्योंकि हम सब पढ़ने में बहुत अच्छे थे, हमें उन बेचारों पर दया आती जिनके पास पैसों के अलावा कुछ और न था, और जिनके माँ-बाप अमीर तो थे लेकिन उनके पास हमारी तरह हँसने-हँसाने वाला परिवार न था। न उनके घरों में मिस पेरी-सा कोई भूत आता और न ही उनकी माँ हमारी माँ की तरह लेखिका थी। दिद्दी से पढ़ने पड़ोस के सब बच्चे आ जाते थे क्योंकि उसे पढ़ाने का शौक़ था और उसके पढ़ाने का ढंग भी अनोखा था। रोज़ शाम को दिद्दी हमारा होमवर्क करवाने हमारे साथ बैठती और कभी सूत्र बनाकर कभी कहानी सुनाकर हमें सबक़ याद करवाती। उसे कहानी कहने का ऐसा वरदान था कि उससे सुनी कहानियाँ हम जीवन-भर न भूल पाए। बाद तक, जब वो हमारे पास आती थी, तो हमारे बच्चे उससे कहानियाँ सुनते न थकते। यही नहीं, वे साल-भर के निबन्ध दिद्दी से लिखवा लेते थे। एक बार गर्मी की छुट्टी में, मृणाल की बेटी रोहिणी को एक निबन्ध लिखने को मिला था, शीर्षक था—'एक कौए की आत्मकथा'। दिद्दी ने उसे सुझाया कि वो उसे कुछ ऐसे लिखे कि कौए का बच्चा असल में एक

कोयल का बच्चा था जिसे उसकी माँ ने कौए के घोंसले में डाल दिया था। जहाँ तक मुझे याद है, रोहिणी को इस निबन्ध के लिए पुरस्कार भी मिला। बचपन में, दिद्दी हमारा सारा होमवर्क करवाती थी। केवल गणित हम बाबू से सीखते, और डर के मारे हमारी जान निकली रहती थी, जबकि बाबू न कभी आवाज़ उठाते, न दिद्दी की तरह उन्होंने हमें कभी थप्पड़ जड़ा, लेकिन हम उनसे इतना घबराते थे कि आसान-से आसान सवाल करते समय मुझे मानो लकवा पड़ जाता।

हम बच्चों का कमरा एक विशाल हॉलनुमा कमरा था, जिसमें छह पलंगों पर हम भाई-बहन सोते। देर रात तक हम दबी आवाज़ में आपस में क़िस्से-कहानी कहते और बातें करते। ठंड में बार-बार जब ग़ुसलख़ाने जाना होता, तो डर के मारे हमारी जान निकल जाती थी क्योंकि ग़ुसलख़ाने तक जाने के लिए घर के उस हिस्से को पार करना पड़ता था जहाँ 'मिस पेरी' का भूत मँडराता था। इसलिए जैसे ही एक बच्चा उठता, हम सब उसके पीछे लग लेते कि बाद में अकेले न जाना पड़े। पुष्पेश ने इस मुसीबत से निबटने के लिए एक विशेष मंत्र बनाया और उसका कहना था कि अगर इस मंत्र का जाप करो तो किसी को कोई भूत नहीं लग सकता। तो हर रात, हम छह-के-छह पुष्पेश के पीछे ग़ुसलख़ाने को एक क़तार में इस मंत्र को जपते चलते—'पंत पुत्त मुत्त, विसर्जन तड़-तड़ सुत्त।' कितने मज़ेदार दिन थे वो, बाद में दिद्दी हमसे कहती। हम ग़रीब थे, लेकिन अपनी ग़रीबी में कितने मस्त!

शायद यही कारण था कि दिद्दी ने अब ज़ोर-शोर से लिखना शुरू कर दिया। 'धर्मयुग', 'नवनीत', 'ज्ञानोदय', न जाने कहाँ-कहाँ दिद्दी की कहानियाँ अब छपने लगीं। 'धर्मयुग' में छपी उस समय की एक कहानी मुझे बेहद पसन्द है। 'लाल हवेली' को जब अब पढ़ती हूँ तो लगता है कि उसमें भी ताहिरा अपना पुराना जीवन भुला के एक नए जीवन को अपनाने पर मजबूर हो जाती है। शायद हम तब इस कहानी में झलकता ताहिरा के पुराने जीवन की यादों को उसी तरह न देख पाए थे, जिस तरह दिद्दी के नैनीताल के जीवन में हम उसके अल्मोड़े के जीवन को भूल गए थे।

लाल हवेली

ताहिरा ने पास के बर्थ पर सोए अपने पति को देखा और एक लम्बी साँस खींचकर करवट बदल ली। कम्बल से ढकी रहमान अली की ऊँची तोंद गाड़ी के झकोलों से रह-रहकर काँप रही थी। अभी तीन घंटे और थे। ताहिरा ने अपनी नाजुक कलाई में बँधी हीरे की जगमगाती घड़ी को कोसा, कमबख़्त कितनी देर-देर में घंटी बजा रही थी। रात-भर एक आँख भी नहीं लगी थी उसकी। पास के बर्थ में उसका पति और नीचे के बर्थ में उसकी बेटी सलमा दोनों नींद में बेख़बर बेहोश पड़े थे। ताहिरा घबराकर बैठ गई। क्यों आ गई थी वह पति के कहने में, सौ बहाने बना सकती थी! जो घाव समय और विस्मृति ने पूर दिया था, उसी पर उसने स्वयं ही नश्तर रख दिया, अब भुगतने के सिवाय और चारा ही क्या था?

स्टेशन आ ही गया। ताहिरा ने काला रेशमी बुर्क़ा खींच लिया। दामी सूटकेस, नए बिस्तरबन्द, एयर बैग, चाँदी की सुराही उतरवाकर रहमान अली ने हाथ पकड़कर ताहिरा को ऐसे सँभलकर अन्दाज़ से उतारा जैसे वह काँच की गुड़िया हो, तनिक-सा धक्का लगने पर टूटकर बिखर जाएगी। सलमा पहले ही कूदकर उतर चुकी थी। दूर से भागते, हाँफते हाथ में काली टोपी पकड़े एक नाटे से आदमी ने लपककर रहमान अली को गले से लगाया और गोद में लेकर हवा में उठा लिया। उन दोनों की आँखों से आँसू बह रहे थे। 'तो यही मामू बित्ते हैं।' ताहिरा ने मन-ही-मन सोचा और थे भी बित्ते ही भर के। बिटिया को देखकर मामू ने झट गले से लगा लिया, "बिलकुल इस्मत है, रहमान।" वे सलमा का माथा चूम-चूमकर कहे जा रहे थे, "वही चेहरा-मोहरा, वही नैन-नक़्श। इस्मत नहीं रही तो ख़ुदा ने दूसरी इस्मत भेज दी।"

ताहिरा पत्थर की सी मूरत बनी चुप खड़ी थी। उसके दिल पर जो दहकते अंगारे दहक रहे थे उन्हें कौन देख सकता था? वही स्टेशन, वही कनेर का

पेड़, पन्द्रह साल में इस छोटे से स्टेशन को भी क्या कोई नहीं बदल सका!

"चलो बेटी।" मामू बोले, "बाहर कार खड़ी है। ज़िला तो छोटा है, पर अल्ताफ़ की पहली पोस्टिंग यहीं हुई। इंशाअल्लाह अब कोई बड़ा शहर मिलेगा।"

मामू के इकलौते बेटे अल्ताफ़ की शादी में रहमान अली पाकिस्तान से आया था, अल्ताफ़ को पुलिस कप्तान बनकर भी क्या इसी शहर में आना था? ताहिरा फिर मन-ही-मन कुढ़ी।

घर पहुँचे तो बूढ़ी नानी ख़ुशी से पागल-सी हो गईं। बार-बार रहमान अली को गले लगा-लगाकर चूमती थीं और सलमा को देखकर ताहिरा को देखना ही भूल गईं, "या अल्लाह, यह क्या तेरी क़ुदरत? इस्मत को ही फिर भेज दिया!" दोनों बहुएँ भी बोल उठीं, "सच अम्मी जान, बिलकुल इस्मत आपा हैं, पर बहू का मुँह भी तो देखिए। लीजिए ये रही अशर्फ़ी।" और झट अशर्फ़ी थमाकर ननिया सास ने ताहिरा का बर्क़ा उलट दिया, "अल्लाह, चाँद का टुकड़ा है! नन्ही, नजमा देखो, सोने का दीया जला धरा है।"

ताहिरा ने लज्जा से सिर झुका लिया। पन्द्रह साल में वह पहली बार ससुराल आई थी। बड़ी मुश्किल से वीज़ा मिला था, तीन दिन रहकर वह फिर पाकिस्तान चली जाएगी, पर कैसे कटेंगे ये तीन दिन?

"चलो बहू, ऊपर कमरे में चलकर आराम करो। मैं चाय भिजवाती हूँ।" कहकर नन्ही मामी उसे ऊपर पहुँचा आई। रहमान नीचे ही बैठकर मामू से बातों में लग गया और सलमा को तो बड़ी अम्मी ने गोदी में ही खींच लिया। बार-बार उसके माथे पर हाथ फेरतीं और हिचकियाँ बँध जातीं, "मेरी इस्मत, मेरी बच्ची!"

ताहिरा ने एकान्त कमरे में आकर बुर्क़ा दूर फेंक दिया। बन्द खिड़की को खोला तो कलेजा धक् हो गया—सामने लाल हवेली खड़ी थी। चटपट खिड़की बन्द कर वह तख़्त पर गिरती-पड़ती बैठ गई, "ख़ुदाया—तू मुझे क्यों सता रहा है?" वह मुँह ढाँपकर सिसक उठी। पर क्यों दोष दे वह किसी को? वह तो जान गई थी कि हिन्दुस्तान के जिस शहर में उसे जाना है, वहाँ

का एक-एक कंकड़ उस पर पहाड़-सा टूटकर बरसेगा। उसके नेक पति को क्या पता! भोला रहमान अली, जिसकी पवित्र आँखों में ताहिरा के प्रति प्रेम की गंगा छलकती थी, जिसने उसे पालतू हिरनी-सा बनाकर अपनी बेड़ियों से बाँध लिया था, उस रहमान अली से वह क्या कहती?

पाकिस्तान के बँटवारे में कितने पिसे, उसी में से एक थी ताहिरा! तब थी वह सोलह वर्ष की कनक छड़ी-सी सुन्दरी, सुधा! सुधा अपने मामा के साथ ममेरी बहन के ब्याह में मुल्तान आई। दंगे की ज्वाला ने उसे फूँक दिया। मुस्लिम गुंडों की भीड़ जब भूखे कुत्तों की भाँति उसे बोटी-सी चिचोड़ने को थी तब ही आ गया फ़रिश्ता बनकर रहमान अली। नहीं, वे नहीं छोड़ेंगे, हिन्दुओं ने उनकी बहू-बेटियों को छोड़ दिया था क्या? पर रहमान अली की आवाज़ की मीठी डोर ने उन्हें बाँध लिया। साँवला, दुबला-पतला रहमान सहसा कठोर मेघ बनकर उस पर छा गया। सुधा बच गई पर ताहिरा बनकर। रहमान की जबान बीवी को भी देहली में ऐसे ही पीस दिया था, वह जान बचाकर भाग आया था, बुझा और घायल दिल लेकर। सुधा ने बहुत सोचा-समझा और रहमान ने भी दलीलें कीं, पर परेशान हो गया। हारकर किसी ने एक-दूसरे पर बीती बिना सुने ही मजबूरियों से समझौता कर लिया। ताहिरा उदास होती तो रहमान अली आसमान से तारे तोड़ लाता, वह हँसती तो वह क़ुर्बान हो जाता। एक साल बाद बेटी पैदा हुई तो रहा-सहा मैल भी धुलकर बह गया। अब ताहिरा उसकी बेटी की माँ थी, उसकी क़िस्मत का बुलन्द सितारा। पहले कराची में छोटी-सी बजाजी की दुकान थी, अब वह सबसे बड़े डिपार्टमेंटल स्टोर का मालिक था। दस-दस सुन्दरी एंग्लो इंडियन छोकरियाँ उसके इशारों पर नाचतीं, धड़ाधड़ अमेरिकी नायलॉन और डैकरॉन बेचतीं। दुबला-पतला रहमान हवा भरे रबर के खिलौने-सा फूलने लगा। तोंद बढ़ गई। गर्दन ऐंठकर शानदार अकड़ से ऊँची उठ गई, सीना तन गया, आवाज़ में ख़ुद-ब-ख़ुद एक अमेरिकी ड्रौल आ गया।

पर नीलम-पुखराज से जड़ी, हीरे से चमकती-दमकती ताहिरा, शीशम के हाथी दाँत जड़े छपर-खट पर अब भी बेचैन करवटें ही बदलती। हर मार्च

के जाड़े से दामन छुड़ाती हल्की गर्मी की उमस लिये पाकिस्तानी दुपहरिया में पानी से निकली मछली-सी तड़फड़ा उठती। मस्ती भरे होली के दिन जो अब उसकी पाकिस्तानी ज़िन्दगी में कभी नहीं आएँगे : गुलाबी मलमल की वह चुनरी उसे अभी भी याद है, अम्मा ने हल्का-सा गोटा टाँक दिया था। हाथ में मोटी-सी पुस्तक लिये उसका तरुण पति कुछ पढ़ रहा था। घुँघराली लटों का गुच्छा चौड़े माथे पर झुक गया था, हाथ की अधजली सिगरेट हाथ में ही बुझ गई थी। गुलाबी चुनरी के गोटे की चमक देखते ही उसने और भी सिर झुका दिया था, चुलबुली सुन्दरी बालिका नववधू से झेंप-झेंपकर रह जाता था, बेचारा। पीछे से चुपचाप आकर सुधा ने गालों पर अबीर मल दिया था और झट चौके में घुसकर अम्मा के साथ गुझिया बनाने में जुट गई थी। वहीं से सास की नज़र बचाकर भोली चितवन से पति की ओर देख चट से छोटी-सी गुलाबी जीभ निकालकर चिढ़ा भी दिया था, उसने। जब वह मुल्तान जाने को हुई तो कितना कहा था उन्होंने, "सुधा, मुल्तान मत जाओ।" पर वह क्या जानती थी कि दुर्भाग्य का मेघ उस पर मँडरा रहा है? स्टेशन पर छोड़ने आए थे, इसी स्टेशन पर। यही कनेर का पेड़ था, यही जँगला। मामा जी के साथ गठरी-सी बनी सुधा को घूँघट उठाने का अवकाश नहीं मिला। गाड़ी चली तो साहस कर उसने घूँघट ज़रा-सा खिसकाकर अन्तिम बार उन्हें देखा था। वही अमृत की अन्तिम घूँट थी।

सुधा तो मर गई थी, अब वह ताहिरा थी। उसने फिर काँपते हाथों से खिड़की खोली, वही लाल हवेली थी उसके श्वसुर वकील साहब की। वही छत पर चढ़ी रात की रानी की बेल, तीसरा कमरा जहाँ उसके जीवन की कितनी रस भरी रातें बीती थीं। न जाने क्या कर रहे होंगे, शादी कर ली होगी, क्या पता बच्चों से खेल रहे हों! आँखें फिर बरसने लगीं और एक अनजाने मोह से वह जूझ उठी।

"ताहिरा, अरे कहाँ हो?" रहमान अली का स्वर आया और हड़बड़ाकर आँखें पोंछ ताहिरा बिस्तरबन्द खोलने लगी। रहमान अली ने गीली आँखें देखीं तो घुटना टेककर उसके पास बैठ गया, "अब बीबी, क्या बात हो गई? सिर

तो नहीं दुख रहा है? चलो-चलो, लेटो चलकर। कितनी बार समझाया है कि यह सब काम मत करो, पर सुनता कौन है! बैठो कुर्सी पर, मैं बिस्तर खोलता हूँ।" मख़मली गद्दे पर रेशमी चादर बिछाकर रहमान अली ने ताहिरा को लिटा दिया और शर्बत लेने चला गया। सलमा आकर सिर दबाने लगी, बड़ी अम्मी ने आकर कहा, "नज़र लग गई है, और क्या!" नहीं नजमा ने दहकते अंगारों पर चून और मिर्च से नज़र उतारी। किसी ने कहा, "दिल का दौरा पड़ गया, आँवले का मुरब्बा चटाकर देखो।"

लाड़ और दुलार की थपकियाँ देकर सब चले गए। पास में लेटा रहमान अली ख़र्राटें भरने लगा। तो दबे पैरों वह फिर खिड़की पर जा खड़ी हुई। बहुत दिन से प्यासे को जैसे ठंडे पानी की झील मिल गई थी, पानी पी-पीकर भी प्यास नहीं बुझ रही थी। तीसरी मंज़िल पर रोशनी जल रही थी। उस घर में रात का खाना देर से ही निबटता था। फिर खाने के बाद दूध पीने की भी तो उन्हें आदत थी। इतने साल गुज़र गए, फिर भी उनकी एक-एक आदत उसे दो के पहाड़े की तरह ज़बानी याद थी। सुधा, सुधा कहाँ है तू? उसका हृदय उसे स्वयं धिक्कार उठा, तूने अपना गला क्यों नहीं घोंट दिया? तू मर क्यों नहीं गई, कुएँ में कूदकर? क्या पाकिस्तान के कुएँ सूख गए थे? तूने धर्म छोड़ा, पर संस्कार रह गए, प्रेम की धारा मोड़ दी, पर बेड़ी नहीं कटी, हर तीज, होली, दीवाली तेरे कलेजे पर भाला भोंककर निकल जाती है। हर ईद तुझे ख़ुशी से क्यों नहीं भर देती? आज सामने तेरे ससुराल की हवेली है, जा उनके चरणों में गिरकर अपने पाप धो ले। ताहिरा ने सिसकियाँ रोकने को दुपट्टा मुँह में दबा लिया।

रहमान अली ने करवट बदली और पलंग चरमराया। दबे पैर रखती ताहिरा फिर लेट गई। सुबह उठी तो शहनाइयाँ बज रही थीं, रेशमी रंग-बिरंगी गरारा-क़मीज़, अबरखी चमकते दुपट्टे, हिना और मोतियों की गमक से पूरा घर मह-मह कर रहा था। पुलिस बैंड तैयार था, ख़ाकी वर्दियाँ और लाल तुर्रम के साफ़े सूरज की किरनों से चमक रहे थे। बरात में घर की सब औरतें भी जाएँगी। एक बस में रेशमी चादर तानकर पर्दा खींच दिया गया था। लड़कियाँ

बड़ी-बड़ी सुरमेदार आँखों से नशा-सा बिखेरती एक-दूसरे पर गिरती-पड़ती बस पर चढ़ रही थीं। बड़ी-बूढ़ियाँ पानदान समेटकर बड़े इत्मीनान से बैठने जा रही थीं और पीछे-पीछे ताहिरा काला बुर्क़ा ओढ़कर ऐसी गुमसुम चली जा रही थी जैसे सुध-बुध खो बैठी हो। ऐसी ही एक साँझ को वह भी दुल्हन बनकर इसी शहर में आई थी, बस में सिमटी-सिमटाई लाल चूनर से ढकी। आज था स्याह बुर्क़ा, जिसने उसका चेहरा ही नहीं, पूरी पिछली ज़िन्दगी अँधेरे में डुबाकर रख दी थी।

"अरे, किसी ने वकील साहब के यहाँ बुलौआ भेजा या नहीं?" बड़ी अम्मी बोलीं और ताहिरा के दिल पर फिर नश्तर फिरा।

"दे दिया, अम्मी।" मामूजान बोले, "उनकी तबीयत ठीक नहीं है, इसी से नहीं आए।"

"बड़े नेक आदमी हैं।" बड़ी अम्मी ने डिबिया खोलकर पान मुँह में भरा, फिर छाली की चुटकी निकाली और बोलीं, "शहर के सबसे नामी वकील के बेटे हैं पर आस न औलाद। सुना एक बीवी दंगे में मर गई सो फिर घर ही नहीं बसाया।"

बड़ी धूमधाम से ब्याह हुआ, चाँद-सी दुल्हन आई। शाम को पिक्चर का प्रोग्राम बना। नया जोड़ा, बड़ी अम्मी, लड़कियाँ यहाँ तक कि घर की नौकरानियाँ भी बन-ठनकर तैयार हो गईं। पर ताहिरा नहीं गई, उसका सिर दुख रहा था। बेसिर-पैर के मुहब्बत के गाने सुनने की ताक़त उसमें नहीं थी। अकेले अँधेरे कमरे में वह चुपचाप पड़ी रहना चाहती थी—हिन्दुस्तान, प्यारे हिन्दुस्तान की आख़िरी साँझ।

जब सब चले गए तो तेज़ बत्ती जलाकर वह आदमकद आईने के सामने खड़ी हो गई। समय और भाग्य का अत्याचार भी उसका अलौकिक सौन्दर्य

नहीं लूट सका। वही बड़ी-बड़ी आँखें, गोरा रंग और संगमरमर-सी सफ़ेद देह—कौन कहेगा एक जवान बेटी की माँ है? कहीं पर भी उसके पुष्ट यौवन ने समय से मुँह की नहीं खाई थी। कल वह सुबह चार बजे चली जाएगी। जिस देवता ने उसके लिए सर्वस्व त्यागकर वैरागी का वेश धर लिया है, क्या एक बार भी उसके दर्शन नहीं मिलेंगे? किसी शैतान-नटखट बालक की भाँति उसकी आँखें चमकने लगीं।

झटपट बुर्क़ा ओढ़, वह बाहर निकल आई, पैरों में बिजली की गति आ गई, पर हवेली के पास आकर वह पसीना-पसीना हो गई। पिछवाड़े की सीढ़ियाँ उसे याद थीं जो ठीक उनके कमरे की छोटी खिड़की के पास आकर ही रुकती थीं। एक-एक पैर दस मन का हो गया, कलेजा फट-फटकर मुँह को आ गया, पर अब वह ताहिरा नहीं थी, वह सोलह वर्ष पूर्व की चंचल बालिका नववधू सुधा थी जो सास की नज़र बचाकर तरुण पति के गालों पर अबीर मलने जा रही थी। मिलन के उन अमूल्य क्षणों में सैयद वंश के रहमान अली का अस्तित्व मिट गया था। आख़िरी सीढ़ी आई, साँस रोककर, आँखें मूँद वह मनाने लगी, "हे बालेश्वर महादेव, तुम्हारे चरणों में यह हीरे की अँगूठी चढ़ाऊँगी, एक बार उन्हें दि खा दो पर वे मुझे न देखें।"

बहुत दिन बाद भक्त ने भगवान का स्मरण किया था, कैसे न सुनते? आँसुओं से अन्धी आँखों ने देवता को देख लिया। वही गम्भीर मुद्रा, वही लट्‌ठे का इकबर्रा पाजामा और मलमल का कुर्ता। मेज़ पर अभागिन सुधा की तसवीर थी जो गौने पर बड़े भैया ने खींची थी।

"जी भरकर देख पगली और भाग जा, भाग ताहिरा भाग!" उसके कानों में जैसे स्वयं भोलानाथ गरजे।

सुधा फिर डूब गई, ताहिरा जगी। सब सिनेमा से लौटने को होंगे। अन्तिम बार आँखों-ही-आँखों में देवता की चरण-धूलि लेकर वह लौटी और बालेश्वर महादेव के निर्जन देवालय की ओर भागी। न जाने कितनी मनौतियाँ माँगी थीं, इसी देहरी पर। सिर पटककर वह लोट गई, आँचल पसारकर उसने आख़िरी मनौती माँगी, "हे भोलानाथ, उन्हें सुखी रखना। उनके पैरों में काँटा भी न

गड़े।" हीरे की अँगूठी उतारकर चढ़ा दी और भागती-हाँफती घर पहुँची।

रहमान अली ने आते ही उसका पीला चेहरा देखा तो नब्ज़ पकड़ ली, "देखूँ, बुखार तो नहीं है, अरे अँगूठी कहाँ गई?" वह अँगूठी रहमान ने उसे इसी साल शादी के दिन की यादगार में पहनाई थी।

"न जाने कहाँ गिर गई?" थके स्वर में ताहिरा ने कहा।

"कोई बात नहीं।" रहमान ने झुककर ठंडी बर्फ़-सी उँगलियों को चूमकर कहा, "ये उँगलियाँ आबाद रहें। इंशाअल्ला अब के तेहरान से चौकोर हीरा मँगवा लेंगे।"

ताहिरा की खोई दृष्टि खिड़की से बाहर अँधेरे में डूबती लाल हवेली पर थी, जिसके तीसरे कमरे की रोशनी दप से बुझ गई थी। ताहिरा ने एक सर्द साँस खींचकर खिड़की बन्द कर दी।

लाल हवेली अँधेरे में गले तक डूब चुकी थी।

बीनू

मैं लगभग बारह साल की हो चुकी थी जब मुझे ये पता चला कि बीनू हमारी सगी बहन नहीं है। शायद मैं बेहद बेवकूफ़ रही होंगी क्योंकि मुझे ये कभी अजब नहीं लगा कि देखने में बीनू हम तीनों बहनों में अलग सी थी। मीनू और मेरी शक्ल काफ़ी मिलती थी, लेकिन रंग, नाक-नक्श और डील-डौल में बीनू हमसे काफ़ी भिन्न थी। अक्सर बाहर के लोग दिद्दी से यही सवाल पूछते पर दिद्दी बहुत सफ़ाई से उसे टाल देती। शायद यही क़ारण था कि मिकी और मुझे इस राज़ का पता बहुत देर में चला।

जब वे छोटी थीं, दिद्दी बीनू-मीनू को एक-से कपड़े पहनाती, जिससे कि वे जुड़वाँ बहनें लगें। एक बार मैंने दिद्दी से पूछा था कि हमारे उपनाम किसने चुने? जवाब था, बीनू ने। बीनू ने ही ज़िद की थी कि मीनू को मैं मीनू कहूँ, और तुम्हारा नाम, माऊँ, भी उसी ने रखा। आज तक, पूरे परिवार में बीनू ही मुझे माऊँ कह के पुकारती है। लेकिन बीनू का नाम किसने रखा? मैंने पूछा। दिद्दी मुस्कराई, अरे वो तो मेरे पास बीनू ही बन के आई थी, उसने कहा। और मैंने ये मान लिया कि किसी पहुँचे हुए साधु-महात्मा की तरह, बीनू हमेशा से बीनू ही थी।

लेकिन मुझे अच्छी तरह याद है कि मुझे असली बात कैसे पता चली।

मुझे प्रायरी लॉज के दफ़्तर वाले हिस्से में जाना बेहद पसन्द था। वहाँ कभी टाइपराइटर पर कुछ लिखती या घंटों बैठ के क्लर्कों से उनके परिवारों के बारे में बातें सुनती। एक दिन एक क्लर्क ने मुझसे पूछा, "तो तुम्हारी सौतेली बहन कहाँ है?" "सौतेली बहन?" मैंने आश्चर्य से उसे देखा, "हमारी कोई सौतेली बहन नहीं है!" वो कुछ कहने ही वाला था कि किसी ने शायद उसे मेज़ के नीचे से एक लात मारी और वो खिसिया के चुप हो गया। "हम तो ऐसी औरत को देवी कहते हैं!" कह के वो चुप हो गया।

मैं धड़धड़ाती हुई दिद्दी के कमरे में घुसी। "दी!" मैंने उससे कहा, "क्या हमारी कोई सौतेली बहन भी है?" दिद्दी उस समय कुछ लिख रही थी, उसने झुँझला के मेरी ओर देखा और पूछा, "ये किसने कहा तुमसे?" मैंने उस क्लर्क का नाम जैसे ही लिया, दिद्दी ने एक डाँट लगा के मुझसे कहा, "कितनी बार कहा है तुमसे कि दफ़्तर मत जाया करो! बाबू को पता चलेगा, तो बहुत नाराज़ होंगे। जाओ, कोई किताब पढ़ो या बाहर जाके खेलो, समझीं।"

लेकिन आख़िर ये राज़ खुल गया। इसके बाद, कई बार इस बात का उल्लेख मैंने और लोगों से भी सुना, और धीरे-धीरे ये बात मेरे समझ में आ गई कि बीनू की माँ कोई और ही थीं। इस बात से मुझे बीनू के प्रति और लाड़ हो गया और मैंने प्रण किया कि मैं किसी तरह उसे ये अनुभव न होने दूँगी कि हम सगी बहनें नहीं हैं। नतीजा ये हुआ कि आज तक हम सब बीनू को सबसे ज्यादा प्यार करते हैं और जहाँ बचपन में मीनू और मेरी निरन्तर लड़ाई होती रहती, बीनू से हम सबका बेहद लगाव था। अब लगता है कि बचपन में मिकी और मुझे बीनू से वही प्यार मिला जो एक माँ से मिलता है और हमारे लिए बीनू का दर्जा दिद्दी के ही बराबर रहा है।

जैसे-जैसे हम बड़े हुए, और दिद्दी ने ये मान लिया कि हमें सत्य पता चल चुका है, कभी-कभी दिद्दी से हमें बीनू की माँ के बारे में कोई बात पता चलती। तो हमें धीरे-धीरे ये मालूम हुआ कि उनकी दिद्दी से दोस्ती थी, जब जयंती और दिद्दी शान्तिनिकेतन से घर आते थे, तो वे उनसे मिलते

और कि उन्होंने एक बार दिद्दी से उसके एक ब्लाउज़ का नमूना लिया था। लेकिन इन छुटपुट बातों के अलावा, दिद्दी ने हमें कभी कुछ न बताया, न कभी ये जानने दिया कि उसने बाबू से शादी करना कैसे स्वीकार कर लिया ये जानते हुए कि वे बीनू की माँ को कितना चाहते थे।

दिद्दी के निधन के बाद, जब एक बार बीनू और मैं उसके काग़ज़ात सँभाल रहे थे, मैंने बीनू से पूछा कि क्या उसे इस बात से आश्चर्य नहीं हुआ कि दिद्दी की चीज़ों में उसकी माँ की कोई निशानी, यहाँ तक कि एक तसवीर भी नहीं थी? बीनू कुछ देर चुप रही फिर बोली, "ठहरो!" उठकर, उसने अपनी अलमारी में से एक पुराना टॉफी का डिब्बा निकाला, और मेरे सामने रख के बोली, "इसे देखो।" अन्दर थीं बाबू और उसकी माँ, गंगा की चन्द तसवीरें। मैं कह नहीं सकती हूँ कि उनको देखकर मुझे कैसा लगा। बाबू को किसी अन्य महिला के साथ देखकर एक मिनट को मेरा दिमाग चकरा गया। सामने पड़ी वो तसवीर मेरी आँखों को चौंधिया गई। बार-बार मैं बाबू को देखती—उनकी आँखों में अपनी नवेली पत्नी के प्रति गर्व और प्रेम साफ़ झलक रहा था। फिर मेरी नज़र गंगा पर टिकी—तो ये थीं बीनू की माँ! ज़िन्दगी-भर हमने इनका नाम भी नहीं लिया था, उन्हें गंगा कहना अभद्र लगा लेकिन उन्हें माँ भी तो नहीं कह सकती थी। उनके बारे में हम कितना कम जानते थे! शादी के बाद मुझे मेरी सास ने उनकी कुछ बातें बताई थीं, क्योंकि छुटपन में वे सखियाँ थीं। गंगा बहुत चुलबुली थी, चटोरी भी। उसे लाल मिर्च का अचार और साथ में खौलती चाय पीने का शौक़ था। शादी के दिन उसने इतनी सारी कच्ची ख़ुबानियाँ खा लीं कि उसका पेट चल पड़ा और कन्यादान के समय वो बेहोश हो पड़ी थी। तुम्हारे बाबू उसे उठाकर अपने घर ले गए थे...

मैंने फिर से उस तसवीर को देखा—गंगा का जब निधन हुआ तो वो मुश्किल से 25 साल की थीं, मेरे मन में बार-बार यही वाक्य घूम रहा था। उनकी नाजुक, सलोनी शक्ल में एक मासूमियत थी, वही मासूमियत जो अक्सर उन चेहरों पर होती है जिन्हें ईश्वर लम्बी आयु नहीं देता। हो सकता

है कि अगर वो आज भी ज़िन्दा होतीं तो ये नाजुक सौन्दर्य कुछ और ही बन गया होता। लेकिन ये सब व्यर्थ की बातें थीं : सत्य तो ये था कि बाबू उनसे बेहद प्यार करते थे और आजन्म उन्होंने गंगा को इसी नज़र से देखा और याद किया होगा। धीरे-धीरे मेरी समझ में आने लगा कि बाबू के भयंकर 'मूड' का असली कारण क्या हो सकता था।

अचानक मुझे आभास हुआ कि दिद्दी पर तब क्या बीतती होगी जब-जब उसे ये लगता कि बाबू के जीवन में उसका ओहदा हमेशा दूसरे नम्बर पर रहेगा। उस पर तब क्या बीती होगी जब उसे पहली बार ये पता चला होगा कि बाबू गंगा को कभी न भुला पाएँगे। दिद्दी का बाबू से ये अपेक्षा करना कि वो उसे भी वही दर्जा दें, उसके लिए ये कितना अनिवार्य था। और फिर ये मान लेना कि ऐसा कभी न होगा, कितना दुखद!

मैं अब 52 साल की हो चुकी थी, और दिद्दी-बाबू के सम्बन्ध को अब सर्वथा नवीन ढंग से देखने की जो क्षमता अब मुझमें थी वो तब न थी जब 12 साल की आयु पर मुझे इस रिश्ते का पहले आभास हुआ था। तब मेरी पूरी सहानुभूति बीनू के साथ थी, लेकिन अब मुझे दिद्दी पर कितना तरस आने लगा था। जब दिद्दी और बाबू की शादी हुई होगी, दिद्दी क्या थी, इसे मैं समझने लगी। शान्तिनिकेतन में पढ़ी, मेधावी, सुन्दर और सबकी लाडली। 'लाल हवेली' में जिस तरह ताहिरा को अपना पुराना जीवन भुलाकर एक नया जीवन अपनाना पड़ता है, उसी तरह दिद्दी ने भी अपना अतीत भुला दिया। तभी शायद वो कहानी इतनी मार्मिक बन पाई।

"तुमने अपनी माँ की तसवीर कभी अपने घर में क्यों नहीं लगाई?" मैंने बीनू से पूछा। "नहीं कर पाई," बीनू ने उत्तर दिया, "मैं उन्हें जानती ही कहाँ थी! ज़िन्दगी-भर मैंने दिद्दी को ही अपनी माँ माना, और जब तक दिद्दी ज़िन्दा थी ऐसा करना न उचित लगा, न मेरा मन ही किया। मुझे कभी ये हिम्मत ही नहीं हुई कि मैं दिद्दी से—या किसी और से—अपनी माँ के बारे में पूछूँ। बहुत पहले ही मैंने यह सोच लिया था कि इस चुप्पी को मैं कभी भंग नहीं करूँगी। और अब जब दिद्दी ही नहीं रही, इस प्रसंग को यहीं बन्द

कर देना चाहिए।" ये कहते हुए, उसने तसवीरों को उसी डिब्बे में रखकर, वापस अलमारी में बन्द कर दिया।

लेकिन एक कहानी है, जिसमें दिद्दी ने बाबू और गंगा की पूरी गाथा रख छोड़ी है। 60 के दशक में, दिद्दी ने 'लाटी' नाम की एक मार्मिक कहानी में वो सब लिख डाला जो वो कभी अपनी ज़ुबान से हमें नहीं बता पाई।

लाटी

लम्बे देवदारों का झुरमुट झुक-झुककर गेठिया सैनेटोरिया की बलैया-सी ले रहा था। काँच की खिड़कियों पर सूरज की आड़ी-तिरछी किरणें मरीज़ों के क्लान्त चेहरों पर पड़कर उन्हें उठा देती थीं। मौत की नगरी के मुसाफ़िरों के रोग जीर्ण पीले चेहरे सुबह की मीठी धूप में क्षण-भर को खिल उठते। आज टीबी सिरदर्द और जुकाम-खाँसी की तरह आसानी से जीती जाने वाली बीमारी है, पर आज से कोई बीस साल पहले टीबी मृत्यु का जीवन्त आह्वान थी। भुवाली से भी अधिक माँग तब गेठिया सैनेटोरियम की थी। काठगोदाम से कुछ ही मील दूर एक ऊँचे पहाड़ पर गेठिया सैनेटोरियम के लाल-लाल छतों के बँगले छोटे-छोटे गुलदस्ते से सजे थे।

तीन नम्बर के बँगले का दुगुना किराया देकर कप्तान जोशी स्वयं अपनी रोगिणी पत्नी के साथ रहता था। बँगले के बरामदे में पत्नी के पलंग के पास वह दिन-भर आरामकुर्सी डाले बैठा रहता, कभी अपने हाथों से टेम्परेचर चार्ट भरता और कभी समय देख-देखकर दवाइयाँ देता। पास के बँगलों के मरीज़ बड़ी तृष्णा और चाव से उनकी कबूतर-सी जोड़ी को देखते। ऐसी घातक बीमारी में कितने यत्न और स्नेह से सेवा करता था कप्तान जोशी! कभी उसके आनन्दी चेहरे पर झुँझलाहट या खीज की अस्पष्ट रेखा भी नहीं उभरती। कभी

वह घुँघराले बालों को ब्रश से सँवारता, बड़े ही मीठे स्वर में पहाड़ी झोड़े गाता, जिनकी मिठास में तिब्बती बकरियों के गले में बँधी, बजती-रुनकती घंटियों की सी छुनक रहती। पहाड़ी मरीज़ बिस्तरों से पुकारकर कहते, "वाह कप्तान साहब, एक और।" कप्तान अपने पलंग से घुली-मिली सुन्दरी 'बानो' की ओर देख बड़े लाड़ से मुस्करा देता। बानो का गोरा चेहरा बीमारी से एकदम पीला पड़ गया था और उसकी बड़ी-बड़ी आँखें और भी बड़ी-बड़ी हो गई थीं। शान्त-तरल दृष्टि से वह कप्तान को दिन-रात टुकुर टुकुर देखती रहती। विवाह के दो वर्ष पश्चात यही उनका वास्तविक हनीमून था, जहाँ न अम्मा, चाची और ताई की शासन की लगाम थी, न नई बहू के घूँघट की बन्दिश। पिंजड़े की चिड़िया आज़ाद कर दी गई थी किन्तु अब उसके कमज़ोर डैनों में उड़ने की ताक़त नहीं थी। कप्तान उसकी दुर्बल तप्त हथेली को अपनी कसरती मुट्ठी में बड़े प्यार से दबाकर सहलाने लगता तो उसकी सींक-सी कलाई की सोने की चूड़ी सर सर कर कोहनी तक सरक जाती।

उन दिनों गेठिया का डॉक्टर एक अधेड़ स्विस था। एक दिन उसने कप्तान को अकेले में बुलाकर कहा, "कप्तान, तुम अभी जवान हो, यह बीमारी जवानी की भूखी है। मैं देख रहा हूँ, तुम ज़रा भी परहेज़ नहीं बरतते। मरीज़ की भूख को दवा से जीतना होगा, मुहब्बत से नहीं।"

क्षण-भर को सब समझाकर कप्तान लाल पड़ गया। उसके बूढ़े पिता के भी कई पत्र आ चुके थे और माँ ने रो-रोकर चिट्ठियाँ डाल दी थीं, "मेरे दस-बीस पूत नहीं हैं बेटा, यह बीमारी सत्यानाशी है;" पर कप्तान पहले की तरह अलमस्त डोलता, कभी बानो के चिकने केशों को चूमता, कभी उसकी रेशमी पलकों को, कभी पास के प्राइवेट वार्ड की गुमानसिंह मालदार की गोल-मटोल पत्नी से मज़ाक़ करता।

सैनेटोरियम की मनहूस ज़िन्दगी के काले आकाश में रोबदार ठकुरानी ही एकमात्र द्युतिमान तारिका थी। भरे-भरे हाथ-पैर की, चिकने चेहरे पर सदा मुस्कान बिखेरती वह पूरे सैनेटोरियम की भाभी थी। उसके स्वास्थ्य के दुर्गम दुर्ग में भी न जाने बीमारी का घुन किस अरक्षित छिद्र से प्रवेश पा गया था।

टीबी लगने की पीड़ा से कराहती वह अपनी कदर्य गालियों का अक्षय भंडार खोल देती। कभी लक्षपति श्वसुर को लक्ष्य बनाती, "हैं हमारे 'बुड़ज्यू' आधी कुमाऊँ के छत्रपति, पर बहू तिथांण (श्मशान) को जा रही है तो उनकी बला से! दुम उठाकर जिसे देखा, वही बदज़ात नर से मादा निकला।" "ए शाबाश, क्या पंच के स्टैंडर्ड का सेंस ऑफ़ ह्यूमर है! भाभी, तबीयत बाग़-बाग़ कर दी।" कप्तान कहता। "एक मेरा ख़सम है साला। पी के धुत्त होगा किसी गोरी मेम को लेकर। दो महीने से हरामी झाँकने भी नहीं आया। दाढ़ाजरे की ठठरी उठेगी तो मजाल मैं भी सुहाग उतारूँ।" वह फिर कहती। "क्यों भाभी, क्यों कोस रही हो?" कप्तान हँसकर कहता।

प्रौढ़ा नेपाली भाभी की सदाबहार हँसी से खिलखिलाती आँखें छलक उठतीं, "शाबास है, कप्तान बेटा, तुझे देखकर मेरी छातियों में दूध उतर आता है। कैसी सेवा कर रहा है तू, और एक हमारे हैं कुतिया के जने! मिले तो मूँछें उखाड़कर हरामी के मुँह में ठूँस दूँ।"

कप्तान हँसते-हँसते दुहरा हो जाता, मूँछें उखाड़कर मुँह में ठूँसने की बात कुछ ऐसी जम जाती कि वह भागकर बानो को सुना आता।

नेपाली भाभी के पति की असंख्य मोटरें अल्मोड़ा-नैनीताल को घेरे रहतीं, चाय के बग़ीचों का अन्त नहीं था; किन्तु उनके वैभव ने पत्नी के प्रति प्रेम और मोह की बेड़ियाँ काट दी थीं। एक वर्ष से वे एक बार भी उसे देखने नहीं आए।

एक दिन कप्तान ने देखा, नेपाली भाभी की खाँसी बहुत ही बढ़ गई है, खाँसी का दौरा-सा पड़ा और कप्तान भागकर देखने गया तो देखा, रक्त के कुंड के बीच नेपाली भाभी की विराट गेहुँआ देह निष्प्राण पड़ी थी। पति की मूँछों को उसके मुँह में ठूँसने का स्वप्न अधूरा ही छोड़कर भाभी चली गई थी।

कुछ दिन तक कप्तान उदास हो गया। बानो की बड़ी-बड़ी आँखों में भी उदासी के डोरे पड़ गए। जब ऐसी हँसती-खेलती लाल-लाल भाभी को मौत खींच ले गई तो हड्डियों का ढाँचा मात्र बानो तो हवा में उड़ती रुई का फाहा थी। भाभी की मौत आकर जैसे उन दोनों के कान में कह गई थी कि

ज़िन्दगी कुछ ही पलों की है। उन अमूल्य पलों के अमृतस्वरूपी रस की अन्तिम बूँद भी उन दोनों को छोड़ना मंजूर न था। नित्य निकट आती मौत ने बानो को चिड़चिड़ा बना दिया, पर जैसे इकलौते ज़िद्दी दुर्बल बालक की हर ज़िद को स्नेहमयी माता हँस-खेलकर झेल लेती है, वैसे ही कप्तान हठीली बानो की हर ज़िद पूरी करता। कभी वह खिली चाँदनी में बाहर जाने को मचलती तो वह अपने ख़ाकी ओवरकोट में उसे लपेटकर अपनी देह से सटाए लम्बे चीड़ की छाया में बैठा रहता।

बानो को विवाह के ठीक तीसरे ही दिन छोड़कर उसे बसरा जाना पड़ा था। उन तीन दिनों में, ख़ाकी वर्दी में कसे छह फ़ुटी शरीर और भूरी-भूरी मूँछों को देखकर, बानो उससे जितना ही कटी-कटी छिपी फिरती, वह उसे पाने को उतना ही उन्मत्त हो उठता। उसे देखते ही वह अपनी मेहँदी लगी नाज़ुक हथेलियों से लाज से गुलाबी चेहरा ढाँक लेती। दूसरे दिन बड़ी कठिनता से कप्तान उसके मुँह से धीमी फुसफुसाहट में उसका नाम कहलवा पाया था, बहुत धीमे स्वर में ही प्रणय-निवेदन की भूमिका बाँधनी पड़ी थी; क्योंकि पास के कमरे में ही ताऊजी लेटते थे।

"क्या नाम है तुम्हारा?" उसकी तीखी ठुड्डी उठाकर कप्तान ने पूछा था।

"बानो।" उसके पतले होंठ हिलकर रह गए।

"राम-राम, मुसलमानी नाम।" कप्तान ने हँसकर छेड़ दिया।

"सब यही कहते हैं, मैं क्या करूँ?" बानो की आँखें छलक उठीं।

"मैं तो तुम्हें छेड़ रहा था, कितना प्यारा नाम है! पहाड़ी नाम भी कोई नाम होते हैं भला सरुली, परुली, रमा, खष्टी।" वह बोला, "कितने साल की हो तुम, बानो?"

"इस आषाढ़ में मुझे सोलहवाँ लगेगा।" बानो ऐसे उत्साह से बोली जैसे

उसने आधी ज़िन्दगी पार कर ली हो। कप्तान का दिल भर आया, अपनी खिलौने-सी बहू को उसने खींचकर हृदय से लगा लिया। पहले वह अपने ताऊ और पिता से सख़्त नाराज़ हो गया था, कहाँ वह ठसकेदार बाँका कप्तान और कहाँ हाईस्कूल पास छोकरी को पल्ले बाँधकर रख दिया! पर बालिका बानो की सरल आँखों का जादू उस पर चल गया। तीसरे दिन ही उसे बसरा जाना था। कप्तान बानो से विदा लेने गया तो वह कोने में बैठी छालियाँ कतर रही थी, उसकी पलकें भीगी थीं और पति की आहट पाकर उसने घुटनों में सिर डाल दिया। झट से झुककर कप्तान ने उसका माथा चूम लिया। उसका गला भर आया।

तीन दिन की ताज़ी सुन्दरी नववधू को इस तरह छोड़कर जाना कप्तान को दुश्मन की गोलाबारी से भी भयंकर लगा। इसके बाद दो वर्षों तक कप्तान युद्ध की विभीषिका में भटक गया। बर्मा और बसरा के जंगलों में भटक-भटककर उसके साथी वहशी बन गए थे। गन्दे, अश्लील मज़ाक़ करते। फ़ौजी अफ़सरों में कप्तान ही सबसे छोटी उम्र का था। बर्मा की युद्ध से स्तब्ध सड़कों पर चपल बर्मी रमणियों के कुटिल कटाक्षों का अभाव नहीं था, फिर भी कप्तान अपनी जवानी को दाँतों के बीच जीभ-सी बचाता सेंत गया।

दो साल बाद घर पहुँचा तो दुनिया बदल चुकी थी। उन दो वर्षों में बानो ने सात-सात ननदों के ताने सुने, भतीजों के कपड़े धोए, ससुर के होज बीने, पहाड़ की नुकीली छतों पर पाँच-पाँच सेर उड़द पीसकर बड़ियाँ तोड़ीं। कभी सुनती उसके पति को जापानियों ने क़ैद कर लिया है, अब वह कभी नहीं लौटेगा। सास और चचिया सास के व्यंग्य-बाण उसे छेद देते, वह घुलती गई और एक दिन क्षय का तक्षक कुंडली मारकर उसकी नन्ही-सी छाती पर बैठ गया। उसे सैनेटोरियम भेज दिया था। दूसरे ही दिन कप्तान बानो को देखने चल दिया तो घरवालों के चेहरे लटक गए।

गेठिया पहुँचा और एक प्राइवेट वार्ड के बरामदे में लेटी बानो को देखकर उसका कलेजा उछलकर मुँह को आ गया। दो वर्षों में बानो घिसकर और भी बच्ची बन गई थी। कप्तान को देखकर उसकी तरल आँखें खुली ही रह

गईं, फिर आँसू टपकने लगे। कहने और कैफ़ियत देने की कोई गुंजाइश नहीं रही। बानो के बहते आँसुओं की धारा ने दो साल के सारे उलाहने सुना दिये। दोनों ने समझ लिया कि मिलन के वे क्षण मुट्ठी-भर ही रह गए थे।

उन दिनों सैनेटोरियम में एक अत्यन्त क्रूर नियम था। रोगियों को उनकी अन्तिम अवस्था जानकर उन्हें घर भेज दिया जाता। सैनेटोरियम में मृत्यु का प्रवेश सर्वथा निषिद्ध था। नेपाली भाभी की मृत्यु के बाद कप्तान और बानो मातम में डूब गए, पर चौथे दिन वे फिर हनीमून मनाने लगे। अपनी साड़ियों का बक्स निकलवाकर बानो ने कई साड़ियों पर इस्त्री करवाई। बड़ी देर तक दोनों ने पेशेंस खेला, पर शाम होते ही बानो मुरझाने लगी। दिन-भर उसे दस्त आ रहे थे और टीबी के मरीज़ को दस्त आना ख़तरे से ख़ाली नहीं होता। डॉक्टर दलाल आया, उसने कप्तान को बाहर ले जाकर कमरा ख़ाली करवाने का नोटिस दे दिया, "कल ही ले जाना होगा, आई गिव हर टू टु-थ्री डेज़। इससे ज़्यादा नहीं बचेगी।"

कप्तान का चेहरा सफ़ेद पड़ गया। घर जाने का प्रश्न नहीं उठता था, तीन रसभरे महीनों की मीठी धरोहर को वह घर की कड़वाहट से अछूता ही रखना चाहता था। भुवाली के पास ही एक चाय की दुकान के नीचे साफ़-सुथरा कमरा, मृत्यु का पासपोर्ट पाए बानो जैसे अभागे मरीज़ों के लिए सदा बाँहें फैलाए खुला रहता था।

"सैनेटोरियम छोड़कर हम कल दूसरी जगह चलेंगे, बानो। यहाँ साली तबीयत बोर हो गई है।" बड़े उत्साह और आनन्द से कप्तान ने भूमिका बाँधी, पर बानो का चेहरा फक पड़ गया। वह समझ गई कि आज उसे भी नोटिस दे दिया गया है।

बड़ी रात तक कप्तान उसके गालों के पास अपना चेहरा ले जाकर गुनगुनाता रहा, "बानो, मेरी बन्नी, बन्नू!" और फिर जब बानो को नींद आ गई तो वह भी अपने पलंग पर जाकर सो गया।

सुबह उठा तो बानो पलंग पर नहीं थी। सोचा, घिसटती बाथरूम तक चली गई होगी। जोश आने पर वह काफ़ी दूर तक चल लेती थी। बड़ी

देर तक नहीं लौटी तो वह घबराकर उठा। बानो कहीं नहीं थी। भागकर वह मरीज़ों के पास गया, डॉक्टर आया, नर्सें आईं, चौकीदार आया, पर बानो कहीं नहीं थी। सैनेटोरियम में आज पहली बार ऐसी अनहोनी घटना घटी थी।

दूसरे दिन बड़ी दूर रथी घाट पर बानो की साड़ी मिली थी। मृत्यु के आने से पूर्व वह अभागी स्वयं ही भागकर मृत्यु से मिलने चली गई थी।

इसमें कोई सन्देह नहीं रहा कि बानो ने डूबकर आत्महत्या कर ली थी। शोक से पागल होकर कप्तान उसकी साड़ी को छाती से चिपटाए फिरता रहा; किन्तु मर्द की जवानी जाड़े की भयंकर लम्बी रात के समान है, जो काटे नहीं कटती। एक ही साल में उसका फिर विवाह हुआ, अब के ताऊ और पिता ने ख़ूब ठोंक-पीटकर बहू छाँटी। ऊँची-अगली, गोरी और एम.ए. पास। कप्तान की नई पत्नी के पिता थे मेजर जनरल। चालीस तमग़े लगाकर उन्होंने कन्यादान किया तो कप्तान बेचारा सहमकर रह गया। प्रभा इकलौती लड़की थी, फिर दुजू की बीवी थी, जो बादशाह की घोड़ी से कम नहीं होती। उसके सौ-सौ नखरे उठाता कप्तान हँसना, खिलखिलाना और मौज-मस्तियाँ सब भूलकर रह गया।

चार साल में कप्तान को दो बेटे और एक बेटी देकर प्रभा ने धन-संचय की ओर ध्यान लगाया। सोलह सालों में कप्तान के बैंक बैलेंस में रुपयों और नोटों की मोटी तह जमाकर दोनों नैनीताल घूमने आए। कप्तान की थोड़ी-सी तोंद निकल आई थी, चेहरा अभी भी मस्ताना था, पर मूँछों में अब वह ऐंठ नहीं रह गई थी, कनपटी के आसपास बाल सफ़ेद हो चले थे। दो जवान लड़कों को कमीशन मिल गया था, बेटी मिरांडा हाउस में पढ़ रही थी।

नैनीताल आकर कप्तान के दिल में एक टीस-सी उठी। काठगोदाम से चलकर गेठिया दिखा और वह गुमसुम-सा हो गया।

नैनीताल के ग्रांड होटल में दोनों टिके। प्रभा बोली, "चलो डार्लिंग, पहाड़ का इंटीरियर घूमा जाए। भुवाली चलें।" चिकन सैंडविच, रोस्ट मुर्ग़ पैक करवाकर उसने अपनी फ़ियट गाड़ी भुवाली की ओर छोड़ी। बग़ल में

दामी चन्देरी साड़ी और बिना बाँहों के ब्लाउज़ से अपने मांसल शरीर की गोरी दमक बिखेरती प्रभा बैठी। भुवाली की एक छोटी-सी दुकान देखकर प्रभा ने गाड़ी रुकवा दी, "इसी दुकान में आज एकदम पहाड़ी स्टाइल से क़लई के गिलास में चाय पिएँगे हनी।" वह बोली।

कप्तान अब मेजर था, "मेजर की डिग्निटी कहाँ जाएगी?" वह बोला।

"भाड़ में!" कहकर प्रभा अपनी पेंसिल हील की जूतियाँ चटकाती दुकान में घुस़ गई।

काठ की एक बेंच धुएँ और कालिख से काली पड़ गई थी, उसी को झाड़कर दोनों बैठ गए। पहले कुछ देर को पहाड़ी दुकानदार भौचक्क-सा रह गया। लकड़ी के धुएँ से एकदम काली केटली में चाय उबल रही थी।

"ख़ूब गर्म दो गिलास चाय लाओ, प्रधान।" मेजर ने पहाड़ी में कहा और दुकानदार का मुँह खुला ही रह गया। ऐसी अंग्रेज़ी में बोलने वाला अनोखा जोड़ा पहाड़ी कैसे हो गया, वह सोचने लगा।

वह चाय बना ही रहा था कि अलख-अलख करते वैष्णवियों के दल ने भीतर घुसकर दुकान घेर ली, "ओ हो गुरु, भल छा भल छा।" कहकर वैष्णवियों के हेड ने बड़े प्रभुत्वपूर्ण स्वर में सोलह गिलास चाय का ऑर्डर दे दिया। हेड वैष्णवी बड़ी ही मुखर और मर्दानी थी, इसी से शायद मर्दाने स्वर में बोल भी रही थी, "सोचा, बामण ज्यू की ही दुकान की चाय छोरियों को पिलाऊँगी, आज एकादशी है।"

"क्यों नहीं! क्यों नहीं!" दुकानदार बोला, "अरे लाटी भी आई है?"

"अरे, कहाँ जाएगी अभागी?" वैष्णवी ने कहा। प्रभा और मेजर की दृष्टि एक साथ ही लाटी पर पड़ी।

कुत्सित बूढ़ी अधेड़ वैष्णवियों के बीच देवांगना-सी सुन्दरी लाटी अपनी दाड़िम-सी दन्तपंक्ति दिखाकर हँस दी। मेजर का शरीर सुन्न पड़ गया, स्वस्थ होकर जैसे साक्षात बानो ही बैठी थी। गालों पर स्वास्थ्य की लालिमा थी, कान तक फैली आँखों में वही तरल स्निग्धता थी और गूँगी जिह्वा का गूँगापन चेहरे पर फैलकर उसे और भी भोला बना रहा था।

"हाय, क्या यह गूँगी है? माई गॉड, ह्वाट ब्यूटी।" प्रभा बोली।

"हाँ सरकार, यह लाटी है।" दुकानदार ने कहा और मेजर के दिल पर आ गिरी भारी पत्थर की चट्टान उठ गई।

"क्या नाम है जी इसका?" प्रभा मुग्ध होकर लाटी को ही देख रही थी।

"नाम जो होगा, वह तो बह गया मीमशाब, अब तो लाटी ही इसका नाम है।" हेड वैष्णवी ने कहा, "हमारे गुरु महाराज को इसकी देह नदी में तैरती मिली। जीभड़ी इसकी कटकर कहीं गिर गई थी। राम जाने कौन था वह! गले में चरयो (मंगलसूत्र) था, ब्याह हो गया होगा। फिर हमारा गुरु महाराज इसको गुरुमन्तर दिया। भयंकर 'छे रोग' था। एक-एक सेर खून उगलता था, पर गुरु का शरण में आया तो सब रोग-सोग ठीक हो गया इसका। लाटी, जीभ दिखा।"

धूँ-धूँ कर लाटी ने भुवनमोहिनी हँसी हँस दी, जीभ नहीं दिखाई।

"कुछ नहीं समझती साली। बस खाती है ढाई सेर, सब भूल गया, हमारा ऑर्डर भी नहीं मानता।" असन्तुष्ट स्वर में मर्दानी वैष्णवी बोली।

"ओह माई गॉड! अपने आदमी को भी भूल गई क्या?" प्रभा बोली।

"जो था सो था, इसको कुछ याद नहीं। ख़ाली 'फिक-फिक' कर हँसती है हरामी। अब परभू इसका मालिक और परभू इसका सहारा है। हाँ, गुरु कितना पैसा हुआ?"

हेड वैष्णवी ने पैसे चुकाए और उसका दल अलख बजाता उठ खड़ा हुआ। लाटी बैठी ही रही, मेजर एकटक उसे देख रहा था। यह वही बानो थी, जिसे डॉक्टर दलाल और कक्कड़ जैसे प्रसिद्ध विशेषज्ञों की मृत्युंजय औषधियाँ भी स्वस्थ नहीं कर सकी थीं।

"उठ साली लाटी!" हेड वैष्णवी ने हल्की सी ठोकर से लाटी को उठाया। एक बार फिर अपनी मधुर हँसी से मेजर का हृदय बींधकर लाटी उठी और दल के पीछे-पीछे चल दी। काश उसके भोले चेहरे से गाल सटाकर मेजर कह सकता, "मेरी बानो, बन्नी, बन्नू!" शायद उसकी गूँगी ज़बान के नीचे दबी उसकी गूँगी पिछली ज़िन्दगी बोल उठती।

पर मेजर, ज़िन्दगी की दौड़ में बहुत आगे निकल आया था, पीछे लौटकर बिछुड़े को लाना सबसे बड़ी मूर्खता होती। दो जवान बेटे और बेटी, राष्ट्रपति के सहभोजों में चमकती उसकी शानदार दूसरी बीवी, ग़रीब, गूँगी लाटी का आना कैसे सह सकते?

"उठो डार्लिंग, लंच गर्म पानी में करेंगे।" प्रभा ने कहा और मेजर उठ खड़ा हुआ। कुछ ही पलों में वह बूढ़ा और खोखला हो गया था।

बानो मर गई थी। अब तो वह लाटी थी। परभू अब उसका मालिक और परभू ही उसका सहारा था।

जयंती जेड़जा

दिद्दी और उसकी बड़ी बहन—जयंती—एक-दूसरे के बहुत क़रीब थे। दोनों का स्वभाव मौलिक रूप से भिन्न होते हुए भी एक-सा था, और दोनों की कल्पना-शक्ति, उदारता और प्रतिभा अनोखी। हर साल, हम छुट्टियों में मुक्तेश्वर—जहाँ जयंती जेड़जा और उनके डॉक्टर पति रहते थे—जाते थे। जेड़जा का अर्थ कुमाऊँनी में बड़ी माँ होता है, और हमेशा हमारा रिश्ता इस मौसी से ऐसा ही रहा। आजकल नैनीताल से मुक्तेश्वर का रास्ता महज़ डेढ़-दो घंटे का है, लेकिन तब हमको बस में वहाँ पहुँचने में तीन-चार घंटे लग जाते थे। तब की बसें भी आज की जैसी कहाँ होती थीं और उन घुमावदार सड़कों पर डीज़ल का धुआँ खाते, उल्टी करते जब हम मुक्तेश्वर पहुँचते थे तो आधी जान रास्ते में ही निकल जाया करती थी। यही कारण था कि जेड़जा नैनीताल बस से कभी न आती। जब कभी उसे आना पड़ता था—क्योंकि उसके दोनों बेटे हमारे साथ रहकर तब पढ़ रहे थे—तो वो एक पूरा कारवाँ लिये, अपनी निजी डांडी में आती थी। उसके इस रँगीले कारवाँ का हमें बेसब्री से इन्तज़ार होता था, क्योंकि उसके पहुँचते ही लगता था हमारे घर कोई चलता-फिरता सर्कस आ गया है।

पहुँचते ही, जेड़जा अपने भीमकाय टिफ़िन कैरियरों से तरह-तरह के

पकवान और मिठाइयाँ निकालती। मुक्तेश्वर में उसकी हाइब्रिड ऑस्ट्रेलियन गायों का दूध प्रसिद्ध था। उन्हीं के दूध व छेने से बने वो मिष्टान्न मुझे अभी तक याद हैं—सन्देश, चमचम, रसगुल्ले, रबड़ी। साथ में होते नाना प्रकार के अचार व मुरब्बे जो उसके अपने बग़ीचे के फलों से बने होते। रात को हम उसके पलंग से सटकर उससे कितनी कहानी-क़िस्से सुनते। क्या कहानियाँ थीं वो! भूत-प्रेतों की, जादुई कछुओं की, ऐसे रहस्य जो कोई कनफटा जोगी जेड़जा को मुक्तेश्वर आकर सुना गया था। बीच-बीच में जेड़जा गुजराती या बंगाली में गाने गाके हमें इन रहस्यमयी, तिलिस्मी कहानियों से इतना मोह लेती थी कि हमारी आँखों से नींद ही ग़ायब हो जाती। कहानी सुनाने का उसे ऐसा वरदान था कि उसकी हर कहानी पर—चाहे वो कितनी ही अजीब हो—हमें पूर्ण विश्वास होता था। मिकी उसका सबसे प्रिय बच्चा था और जेड़जा का कहना था कि पिछले जन्म में वे दोनों एक दिव्य बगुला-बगुली का जोड़ा थे और किसी ताल में चोंच से चोंच मिलाकर रहते थे। तभी तो इस जन्म में उसने मुक्तेश्वर महादेव से प्रार्थना कर मिकी का जन्म अपनी बहन के घर में करवाया था। मिकी हमेशा उसे बगुली कह के पुकारता था और अन्त तक जेड़जा उसे बगुला कहती थी। मतलब, जेड़जा अनोखे क़िस्से-कहानियों का एक ऐसा भंडार थी जिसे कोई दिन-भर सुनकर भी न थकता।

प्रायरी लॉज में जेड़जा के रंगीन कारवाँ के आते ही पूरे घर का वातावरण ही बदल जाता था। बाबू के शासन के कई कठोर नियम अचानक उड़नछू हो जाते। हमें पलंग पर खड़ा होना, सुबह के समय उपन्यास पढ़ना, कॉमिक्स या प्रेमकथाएँ पढ़ना, ज़ोर से दरवाज़े भेड़ना, सीढ़ियों पर धड़धड़ाके चलना, फ़िल्मी गाने सुनना व गिट्टी या ताश खेलना मना थे क्योंकि बाबू को इन सबसे नफ़रत थी। जेड़जा के सामाज्य में किसी बात की मनाही न थी। उसके बच्चे मन आने पर नहाते, बिस्तरे में घुसकर ठाठ से उपन्यास पढ़ते और उन्हें कोई न टोकता! जेड़जा के आने से हम भी बाबू के नियम तोड़ने की धृष्टता करने लगते। जब जेड़जा हमें अपने साथ लिटाकर कहानियाँ सुनाती तो बच्चों के कमरे में कभी न आने वाले बाबू भी वहाँ किसी-न-किसी कारण

टपक पड़ते। खाना तब लगता जब जेड़जा की कहानियों में कमर्शियल ब्रेक होता और बाबू कुछ न कहते! जेड़जा के साथ आए नौकरों को नीचे की मंज़िल में एक रसोई दे दी जाती थी और उनकी ऊँची आवाज़ पर बाबू कुछ न कहते। हम भी ज़ोर-ज़ोर से हँसना और दरवाज़ों को 'भट्ट' से भटकाने की जुर्रत कर लेते। दोपहर को, दिद्‌दी और जेड़जा अग़ल-बग़ल पलंगों पर लेटकर अपने पैर नौकरानियों से दबवाकर बतियातीं। जब उन्हें लगता कि हम उनकी कोई गुप्त बातें न सुन लें तो वे झट से गुजराती या बांग्ला में बोलना शुरू कर देतीं। उसी को सुन-सुन के हम सब थोड़ी-बहुत गुजराती और बांग्ला समझने लगे।

जेड़जा को आप एक अर्थ मदर समझ लीजिए। शोख़ रंगों के कपड़े उसे बेहद पसन्द थे और उसके माथे पर होता बड़ा-सा रुपहला टीका, माँग में चटख़ लाल सिन्दूर। उसके छोटे-से पाँव आलता से सने होते और साथ बजते बिछिया और पायजेब। हाथों पर रंग-बिरंगी चूड़ियाँ खनकतीं और मुक्तेश्वर वाले घर में उसके कमरे में एक ख़ास चूड़ियों का केस था जिसमें तरह-तरह की चूड़ियाँ सजी थीं। रोज़ वो अपनी चूड़ियाँ बदलती थी। मुक्तेश्वर में कोई बाज़ार न था, इसलिए जेड़जा डाक से अपने लिए तरह-तरह के तेल और इत्र मँगवाती रहती। उसे स्वयं आयुर्वेद का अच्छा ज्ञान था और न जाने कितने अजीब नामों के तेल-फुलेल बनाती रहती। एक का नाम मुझे अभी भी याद है—कृष्ण मस्ताना तेल। ये उसने अपने पति—जिनका नाम था कृष्णचन्द्र—को रिझाने के लिए बनाया था और उसमें से चमेली की ख़ुशबू आती थी। जेड़जा के हाथ-पाँव बहुत नाज़ुक थे, पर शरीर गदराया-सा, और उसमें से एक अद्‌भुत ऊर्जा निकलती थी। उसे हर काम में गहरी दिलचस्पी और लोगों के जीवन में बहुत रस आता था। इतना निष्कपट स्वभाव मैंने बहुत कम लोगों में देखा है। परिवार के हर सदस्य को उसका भरपूर प्यार मिला और अपने बच्चों और पति पर तो उसका विशेष प्रेम न्योछावर था। अपने पति के प्रति अपना प्रेम व्यक्त करने में उसे किसी प्रकार की हिचक न थी और क्योंकि हमने अपने घर में ये कभी नहीं देखा था, मुझे उनका आपसी

प्रेम कभी नहीं भूलता। दिद्दी और बाबू का रिश्ता बहुत फ़रक़ था इसी से जेड़जा का अपने पति को 'डियर' या 'डार्लिंग' कह के पुकारना हमें अजीब लगता था। रात को अक्सर जेड़जा अपने पलंग से उनके पलंग में सोने चली जाती, चाहे उसके पास हमेशा कोई-न-कोई बच्चा एक गर्म पानी की थैली की तरह, सोया होता।

उसका मुक्तेश्वर वाला घर हम बच्चों के लिए एक परियों के देश-सा था। जेड़जा की लाइब्रेरी में सैकड़ों किताबें थीं और किसी को कोई भी किताब पढ़ने की मनाही न थी। इनमें से कई ऐसी थीं जिन्हें जेड़जा कसून की पुरानी लाइब्रेरी से कीड़ों से बचाने के लिए यहाँ ले आई थी। बैठक की दीवारों पर अनेक तसवीरें थीं जिनमें कसून के समस्त परिवार को फ्रेम करके मढ़ा गया था। घर के सारे दरवाज़े-खिड़की गहरे हरे रंग के थे और जेड़जा का टेस्ट बैठक की अनोखी सजावट में स्पष्ट दिखाई देता। कुछ ऐसी घड़ियाँ और पेंटिंग थीं जिन्हें हमारे मौसा जी ने उन अंग्रेज़ परिवारों से ख़रीदा था जो 1947 के बाद अपने मुल्क लौट रहे थे। उनके बग़ल में सजी होतीं जेड़जा द्वारा एकत्र करी अजब-अजब चीज़ें—पुरी से लाया शंख, भोपाल से ख़रीदी कोई गुड़िया, किसी तिब्बती लामा से कभी लिया एक सुन्दर ग़लीचा। बच्चों के कमरे में थीं बड़ी सी पीतल की स्प्रिंग लगी पलंगें जिन पर हम कूदते थे, और खिड़कियों पर लटकते झालरदार पर्दे। न जाने घर में कितनी बिल्लियाँ थीं और कितने नौकर! एक सेवक था लोहनी जी का बड़ा बेटा, ख़याली, जिसकी आँखें नीली थीं और जो अक्सर हमसे अंग्रेज़ी में बात करके हमें चित कर देता। एक बार, दिद्दी शीशे के सामने जब तैयार हो रही थी, कहीं से आके उसने चुपचाप उससे कहा था, "वैनिटी, दाय नेम इज़ वुमन!" ख़याली का मुख्य काम था पानों को तराशना—नित्य सामने के बरामदे में बैठकर वो घंटों पानों को तराशकर उन्हें गीले कपड़े में रखता जाता। हमारे मौसा जी, किशन भिनज्यू पान खाने के बहुत शौक़ीन थे और हर हफ़्ते उनके लिए बनारस से एक ढोली बढ़िया बनारसी पान आते थे। दिद्दी बताती थी कि वे कभी बहुत ठसकेदार साहबी तबीयत के इनसान थे लेकिन जेड़जा से शादी के बाद वो

भी उसके रंग में रँग गए। अपने साहबी सूट-बूट छोड़ वे खादी के भगवा कपड़े पहनने लगे लेकिन जेड़जा ने उनके लिए तरह-तरह के कपड़े बनवा दिये, जिनमें शिफ़ॉन के कुर्ते भी थे! ख़ुद जेड़जा शोख़ रंगों की साड़ियाँ और फूलदार ब्लाउज़ पहनती, कभी शकुन्तला छाप कंचुकी कभी सांथाल कट चोली! उनके कमरे में केसर और कस्तूरी की मादक ख़ुशबू आती थी जो किशन भिनज्यू के ज़र्दे और किमाम का कमाल था।

हर साल गर्मियों में, जेड़जा का घर मेहमानों से भर जाता था। उनमें से कुछ हमारी तरह परिवार के सदस्य थे, कुछ शान्तिनिकेतन के ज़माने के उसके दोस्त और कुछ होते दोस्तों के दोस्त। जेड़जा तरह-तरह के व्यंजन बनवाती, कहानियाँ गढ़ती और लोगों के आपस में रिश्ते जोड़ती। हमारे छोटे मामा राजा का कहना था कि जयंती के मुख्य इंट्रेस्ट थे—सेक्स और समोसा, रेप और राधावल्लभी। एक साल किसी ने पुष्पेश मुक्तेश को एक टेपरिकॉर्डर भेंट कर दिया। 60 के दशक में हम सबके लिए ये एक नया यंत्र था और पुष्पेश और मृणाल बच्चों के कई नाटक लिखकर उनको टेप करते। शाम के समय जब इन्हें लोगों को सुनाया जाता तो हँस-हँस के पेट में बल पड़ जाते। शायद अभी भी वो कहीं खोजने पर मिल सकें। घर के सामने एक लम्बा बरामदा था जिसकी छत से एक बड़ा-सा झूला लटका रहता, शायद जेड़जा ने उसे अपने गुजराती छुटपन की याद में बनवाया था। उस पर झूलकर धूप में किताब पढ़ने के लिए हम सब मर मिटते थे। आमा की तरह, जेड़जा घर से बाहर कहीं नहीं जाती थी लेकिन पूरे शहर की ख़बरें उसे पता रहतीं। बच्चों से, नौकरों से और घर में आते-जाते लोगों से उसे न जाने कितनी कहानियाँ व मसालेदार ख़बरें मिलती रहती थीं और हर रात, खाने की मेज़ पर बैठकर, वो उन्हें रस लेकर सबको सुनाती। कौन किसके साथ 'फँसा' है, किसके घर बच्चा होने वाला है, किसने किसकी लड़की भगा ली—ऐसे प्रसंग जो लोग आमतौर पर बच्चों के सामने कहने से कतराते हैं, जेड़जा हम सबको आराम से सुनाती। ऐसे क़िस्से-कहानियों के सामने तो अख़बार भी फीके पड़ जाते और शायद ये उसी का सिखाया सबक़ है कि हम सबकी

नज़र स्वत: ऊटपटाँग बातों की ओर आकर्षित हो जाती है।

मुक्तेश्वर का सरकारी प्राइमरी स्कूल बहुत छोटा था, गाँव के बच्चों को बेसिक शिक्षा देने लायक़। इसलिए जब तक वे विश्वविद्यालय जाने के लायक़ न हो गए, जेड़जा ने अपने बच्चों को घर पर ही पढ़ाया। जब समय आया तो पुष्पेश व मुक्तेश हमारे पास नैनीताल आ गए थे। इस अनोखी शिक्षा प्रणाली का नतीजा ये हुआ कि पुष्पेश महज़ 21 साल की उम्र में ही अपनी पी-एच.डी. हासिल कर चुका था और उसे इसके फ़ौरन बाद जवाहरलाल नेहरू विश्वविद्यालय में नौकरी मिल गई थी। जहाँ दिद्दी और बाबू हम सबकी पढ़ाई का बहुत ध्यान रखते थे, ख़ासकर इम्तेहानों पर, जेड़जा के बच्चों को इम्तेहानों से कभी डर नहीं लगा क्योंकि स्कूल में उन्होंने इस हौवे का कभी सामना किया ही नहीं था। पुष्पेश व मीनू अंग्रेज़ी और संस्कृत में पारंगत थे और हम भाई-बहन उनके इस भाषा ज्ञान से बेहद प्रभावित रहे। मैं इन दोनों की हर बात की नक़ल करती थी, ख़ासकर उनके पढ़ने की क्षमता की। नतीजा ये हुआ कि बारह साल की उम्र तक मैंने ढेर-सी किताबें पढ़ लीं, चाहे वो मुझे समझ आती थीं या नहीं। इनमें एल्डुअज़ हक्सले से लेकर पर्ल बक तक सभी लेखक शामिल थे। स्कूल में अपने दोस्तों के बीच अपनी शेखी झाड़ने में मुझे बहुत आनन्द आने लगा क्योंकि किसी ने अभी तक ऐसी किताबें न पढ़ी थीं।

मुक्तेश्वर से जेड़जा का परिवार उनके पति के अवकाश पाने के बाद भवाली में बस गया। वहाँ एक सुन्दर-सी कॉटेज में वे रहने लगे, जिसका नाम 'द हर्मिटेज' रखा गया। हर साल, जब हम अल्मोड़ा जाते मेरे बच्चे भवाली पर जेड़जा से बिना मिले आगे जाने को राज़ी न होते। मुक्तेश भवाली में अपने माँ-बाप के साथ रहता था और हमें बहुत प्यार से मिलता। मुक्तेश ने ज़िन्दगी-भर कभी कोई नौकरी न की और अक्सर भवाली पहुँचने पर वो हमें बिस्तरे में पड़ा, किताब पढ़ता हुआ मिलता। किसी ने कभी न उससे न जेड़जा से ये पूछा कि आख़िर उसकी शादी क्यों की गई थी या उसका निर्वाह कैसे होगा? जेड़जा से ऐसे सवाल पूछना निरर्थक था। हमारे बच्चों

को जेड़जा अपना घर उसी उत्साह से दिखाती जिस तरह उसने हमें बचपन में मुक्तेश्वर का घर दिखाया था और तरह-तरह के किस्से-कहानियाँ सुनाकर उन्हें उसी तरह मंत्रमुग्ध कर लेती जैसे वो हमें अपने कहानियों के मायाजाल में बाँध लेती थी। जब हमारे जाने का समय आता तो झट से अपने बग़ीचे के कद्दू—जिसे वो कुष्मांड कहती थी—तोड़कर वहाँ के विभिन्न आत्मीय स्वजनों के लिए हमारी गाड़ी में ठूँस साथ में होते वही अचार-मुरब्बे जो वो हमको बचपन में खिलाती थी।

एक साल, जब हम भवाली पहुँचे, तो वो एक विशाल ड्रम में कमर तक डूबी, ऊपर-नीचे कूदकर नाच-सा कर रही थी। हमें देखते ही उसने दूर से हाथ हिलाकर हमारा स्वागत किया, और मेरे बच्चे आगे-आगे दौड़े ये देखने के लिए कि आख़िर जेड़जा ड्रम के अन्दर कर क्या रही है। पता चला कि वो उस दिन घर की एक बड़ी-सी दरी को ड्रम में भिगोकर धो रही थी। लेकिन इतने उत्साह से कि लगता था वो किसी वाइनयार्ड में अंगूरों का रस निकाल रही है। सब बच्चों ने फ़ौरन अपने जूते-मोजे उतार दिये और एक-एक कर कूद पड़े ड्रम में।

पुश्त-दर-पुश्त, जेड़जा ने हमारे परिवार के बच्चों का मनोरंजन किया और उसका, उनका मन मोहने का जादू अन्त तक वैसा ही रहा।

नदी जो मरुस्थल में खो गई

मेरा यह मत रहा है कि किसी प्रयोजन के संस्मरण सँजोने हों तो उसके जीवनकाल में ही यह कार्य करना चाहिए, किन्तु हममें से कितनों की दुस्साहसी लेखनी, ऐसा कर पाती है? कहीं उस व्यक्ति की किसी दुर्बलता का उल्लेख उसे रुष्ट न कर दे, कहीं वह कुछ-का-कुछ अर्थ न लगा बैठे। मैं स्वयं

कई बार इस प्रयोग के गर्म दूध की आँच से झुलस चुकी हूँ। इसी से अब वास्तविकता का मठा भी फूँक-फूँककर पीती हूँ। मेरी इसी लेखनी ने न जाने कितने आत्मीय स्वजनों से, मुझे विलग किया है।

मैं "जो कुछ कहूँगी, सच कहूँगी। सच के सिवा कुछ नहीं कहूँगी," यह कहना तो बहुत सरल है किन्तु लिखना उतना ही कठिन। सत्य की कड़वी औषधि में कभी-कभी काल्पनिक शहद भी मिलाना पड़ता है, वह मैं आज तक न कर पाई, न कभी कर पाऊँगी। शायद, यही कारण है कि इष्ट-मित्रों की शाप-वृष्टि से सदा त्रस्त ही रही। मायके के लौहर्गल युक्त कपाट तक मेरे लिए सदा के लिए मुँद गए, फिर भी यह मुँहफट लेखनी, किसी अल्ट्रासाउंड की प्रखरता से एकदम अन्दर छिपी व्याधि का अविकल चित्र उतारकर रख देती है। इतना अवश्य जान गई हूँ कि अपनों ही पर, क़लम की गुलेल साधना, सहज नहीं होता। आज जब बन्धु-बान्धवी, सहपाठी, समवयसी आत्मीयों में से अधिकांश, इहलोक में बन्धन काट ऊपर जा चुके हैं, स्मृति दंश कभी-कभी दुर्वह हो उठता है।

जहाँ बैठकर लिख रही हूँ, वहाँ पिछवाड़े की सँकरी गली से, प्रायः ही महाप्रस्थान के यात्री, चार कन्धों पर हुलसते जाते हैं। पिपराघाट के श्मशान को यही सड़क जाती है। अभी-अभी एक भाग्यवान गुज़रा है, 'राम नाम सत्य है, सत्य बोलो सत्य है।' यह सत्य किसी को झकझोर दे, ऐसा हो ही नहीं सकता—मन अचानक अशान्त हो गया। सामने गुलमोहर का लाल-लाल फूलों से लदा वृक्ष, कामोन्मत्त वृषभ-सा मस्ता रहा है। आषाढ़ आधा बीत गया है, बाहर सामान्य वर्षा ने तप्त धरणी की प्यास ऐसी बढ़ा दी है कि धरित्री निर्धूम अग्निकुंड बनी, आग फूँक रही है—मुझे, इस वर्षा सिक्त धरणी की सोंधी महक, आज अनायास ही उस चेहरे की स्मृति में आकंठ डुबो रही है जिसके पास बैठकर, कभी मेघदूत पढ़ा था,

धूम्रज्योतिः सलिलमरुता सान्निपातः क्व मेघः।

हम सात बहनों में वयः ज्येष्ठा थी जयंती। इस वर्ष उसकी बीमारी

का समाचार सुन उससे मिलने गई तो वर्षों पूर्व उन्हीं से पढ़े शिवपुराण की चेतावनी स्मरण कर आँखें भर आईं। आँखों में जमकर ठहर गया पानी, कानों की पलट गई लोड़ियाँ, किंचित् तिर्यक बनी नासिका। समझ गई कि 'दिवस का अवसान समीप था।'

कहाँ गई वह भरी-भरी देह, वह पीतवर्णी आभा, तेजोदृप्त कंठस्वर? मुझे बाँहों में भर, वह रोने लगी, वह जिसे मैंने कभी किसी के सामने रोते नहीं देखा था। शायद, वह जान गई थी कि यह दोनों बहनों का अन्तिम आलिंगन है, विच्छेद की भूमिका। मेरे क्षुब्ध चित्त में, विक्षोभ का तूफ़ान उठ रहा था। अपराधी चित्त, बार-बार पानी में भीगे चाबुकी अदृश्य मार से, मुझे आहत कर रहा था। न जाने कितनी बार, मैंने उसके हृदय को दुखाया है, छात्र जीवन में अपनी अबाध्यता से उसे विचलित किया है। और आज तक, कभी क्षमा नहीं माँग पाई। आज आई हूँ, जब दीपशिखा बुझ चुकी है, केवल क्षीण अवसन्न धूम्ररेखा प्राणों का संकेत बनी रह गई है। उसने मेरे सिर पर हाथ फेरा, वह अब अपने को संयत कर चुकी थी, खिसियाए स्वर में बोली, "पता नहीं क्यों आजकल ऐसा ही गह्वर आ जाता है, कैसी है तू?" एक हाथ मेरी पीठ पर था, दूसरा शिथिल लता-सा, पलंग के नीचे झूल रहा था—हाथ का कंकण, न जाने कब बाँहों का अनंत बन गया था।

मोतियाबिन्द से लगभग दृष्टिहीन आँखें, जितनी ही बार मुझे निकट से देखने की चेष्टा कर रही थीं, उतनी ही बार यत्न से रोकी गई रुलाई मेरा कंठ अवरुद्ध कर रही थी। फिर उसने एक दीर्घ निश्वास लेकर दोनों हाथ छाती पर धर, आँखें मूँद लीं। पहले भी जब कभी वह ऐसी ध्यानस्थ हो जाती, तो उसका मुखमंडल एक दैवी तेज़ से दीप्त हो उठता था। लगता था साक्षात वाग्देवी ही आविर्भूत हो गई हैं। उसका वैदुष्य ज्ञान अगाध था। कभी बनारस विश्वविद्यालय ने उसे साहित्य मनीषिणी की उपाधि से विभूषित किया था, जीवन में तब ही उसकी प्रतिभा का उचित मूल्यांकन हुआ था। बचपन से ही, पितामह के साथ रह संस्कृत की घुट्टी पी, अनेक भाषाएँ सीखीं—गुजराती, बांग्ला, मराठी, उर्दू, हिन्दी, अंग्रेज़ी, संस्कृत-प्राकृत, पालि। शान्तिनिकेतन में चीनी भाषा सिखाने

प्रो. तान जैसे स्नेही गुरु मिले। संस्कृत तो जैसे उसकी मातृभाषा थी। हिन्दी-अंग्रेज़ी लिखती तो मोती से अक्षर, साँचे में ढले निकलते। वृद्धावस्था में वे ही मोती बिखर गए, टेढ़े-मेढ़े अक्षरों में लिखे उसके पत्र पढ़ती तो कलेजा कसमसा उठता। आँखों से ठीक से दिखता नहीं था, पढ़ने ही में उसके प्राण बसते थे, वही छूट गया। कहानी लिखना न छोड़ा होता तो आज हिन्दी की शीर्षस्थ लेखिका होती, जैसे ही भाषा वैसे ही भाव। पता नहीं क्यों स्वयं ही इस विधा से उदासीन हो गई। 'चाँद' में 'हंस' में कई कहानियाँ छपीं—'शराबी' 'ठाकर की रोमा।' एक कहानी कलकत्ता विश्वविद्यालय के पाठ्यक्रम में भी आई, किन्तु न जाने क्यों, उसने स्वेच्छा से ही लिखना छोड़ दिया। पत्रों का उसके पास अमूल्य संकलन था प्रेमचन्द, जैनेन्द्र, रवीन्द्रनाथ, नन्दलाल बोस, एलिस बोर्नर, आचार्य कृपलानी, मालवीय जी, बलराज साहनी। काश, उसकी मृत्यु से पूर्व मैंने उसकी वह अमूल्य निधि बटोर ली होती। हजारीप्रसाद जी के तो न जाने कितने पत्र थे उसके पास—गुरुदेव के बनाए चित्र, जिनके लिए पहाड़ी रंगों को, जयंती ने स्वयं अमर-कोश के वनौषधि पर्व से पढ़ जंगली फूलों को ढूँढ़-ढूँढ़कर तैयार किया था। गत वर्ष 'देश' पत्रिका में प्रकाशित रवीन्द्रनाथ के एक पत्र में उनकी अपनी प्रिय छात्रा जयंती का उल्लेख था कि कैसे उसने हरिद्रा, खदिर, पलाश, बुरुश से अभिनव रंग बनाए थे। मैंने तत्काल काटकर कटिंग जयंती को भेज दी। जब मिली तो मैंने पूछा, "कटिंग मिली?"

"हाँ, मिली तो थी, मैंने सिरहाने रख दी थी कि फ़ुर्सत में पढ़ूँगी—पता नहीं कहाँ चली गई—क्या लिखा था?"

उसका सिरहाना भानुमती का पिटारा था। दाड़िम, अख़रोट के दाने, खाँड के खिलौने, पुड़ियों में रखे पहाड़ी मसालों—जम्बू 'गंध्रैणी' कस्तूरी के बीड़े। हमारे बचपन की तसवीरें, दिवंगत जीजाजी का रूमाल। उस बहुरंगी भीड़ में भला रवीन्द्रनाथ के पत्र की क्या बिसात?

अपनी प्रतिभा का मूल्य जयंती स्वयं कभी नहीं आँक पाई। उसे तो आँका था गुरुदेव ने, आश्रम के गुरुजनों ने, हजारीप्रसाद जी ने, जो कहते

थे, "कभी मेरी क़लम की उत्तराधिकारी जयंती ही होगी।" गुरुदेव ने उसका नाम रखा था, 'भारत माता'। आश्रम में उसकी खिल्ली उड़ाई जाती। ख़द्दर की मोटी-मोटी साड़ियाँ बाँधती है, वह भी कितनी ऊँची। सिर ढाँपती है, नीची आँखें किये चलती है, किसी से अनावश्यक बात नहीं करती—गुरुदेव के अनन्य स्नेह ने ही उन्हें अहंकारी बना दिया है आदि-आदि, किन्तु बात ऐसी नहीं थी। अहंकार से तो वह कोसों दूर थी—यद्यपि अहंकार करने को उसके पास बहुत कुछ था। रंग हम सबसे दबा होने पर भी यौवनावस्था में उसका आकर्षक व्यक्तित्व कैसा था यह वही बता सकते हैं जिन्होंने उसे तब देखा था।

इंटर किया ही था कि दनादन रिश्ते आने लगे, किन्तु वह बहुत पहले ही आजन्म कुँआरी रहने की घोषणा कर चुकी थी। उसकी ज़िद को सब जानते थे, फिर भी माँ ने लाख समझाया, "देख, ऐसे रिश्ते बार-बार नहीं आते, इतना अच्छा घर-वर फिर कहाँ मिलेगा—तू अठारह की हो गई है, तेरी बड़ी बहन तो चौदह वर्ष में ही माँ बन गई थी—लड़का आई.सी.एस. की परीक्षा देने विलायत गया है...।" पर जयंती के मुँह से छूटा 'नहीं' ब्रह्म वाक्य था।

उधर उसके एक प्रशंसक जिन्हें तब लॉर्ड कहा जाता था, हमारे गृह की निरन्तर परिक्रमा किये जा रहे थे। एक दिन हम गर्मी की छुट्टियों में घर आए तो देखा, बढ़िया ट्वीड का ओवरकोट पहने, मुँह में सिगार लगाए, लॉर्ड सीटी में कोई अंग्रेज़ी धुन गुनगुना रहा था। उसके, दुस्साहस से जयंती के तन-बदन में आग लग गई। कहने लगी, "देख, तू मेरा एक काम करेगी, तो पाँच रुपए दूँगी," इन दिनों उत्कोच की वह राशि पर्याप्त थी, "कहो।"

"देख, कल जब यह पट्ठा खड़े होकर सीटी बजाए, तो दीवार पर चढ़ तू इस बुलबुलिया के, इन ब्रिलैंटीन की ज़ुल्फ़ों पर पिच्च से थूककर कह, 'जा भाग, मेरी बहन ने कहा है, वह तुझसे कभी शादी नहीं करेगी...'"

दूसरे दिन संध्या प्रगाढ़ होते ही कृष्ण की बंकिम मुद्रा में खड़ा हो लॉर्ड सीटी बजाने लगा। मैं दीवार पर बैठी बड़ी देर से, थूक का गोला बना रही थी। मुझे देख, भावी साली के रूप में उसने बड़े मोहक स्मित से मेरा स्वागत किया। बड़ी देर से मुख में संचित थूक प्रक्षेपण में, मैंने फिर विलम्ब नहीं किया। मेरा अचूक निशाना पल-भर में, उन यंत्र से सँवरी ज़ुल्फ़ों का सन्तुलन विकृत कर बैठा, "जा भाग, मेरी बहन ने कहा है वह तुझसे शादी नहीं करेगी।"

एक पल को कुमाऊँ का वह तत्कालीन सर्वाधिक चर्चित गबरू जवान, हतप्रभ रह गया, फिर हवा में वेग से बगटुट भागा। इसके बाद वह फिर कभी हमारी दहलीज़ पर नहीं दिखा बहुत दिनों, सुमित्रानन्दन पंत ने अपने कहानी-संग्रह 'पाँच फूल' में लॉर्ड के उस व्यर्थ प्रणय-निवेदन पर एक कहानी भी लिख डाली। मुझे पुरस्कार तो तत्काल मिल गया, किन्तु अपनी उस अशिष्टता के लिए मैं आज तक अपने को क्षमा नहीं कर पाई।

जयंती अपने निश्चय पर अडिग थी। इस बीच वह एफ़. ए. कर, आश्रम में पढ़ाने लगी थी, वॉर्डन भी बन गई थी। उसका अधिकांश समय, उत्तरायण में ही गुरुदेव के पास बीतता, वे स्वास्थ्य लाभ को मसूरी जाते या अल्मोड़ा, जयंती अवश्य उनके साथ जाती। गांधी जी आए तो जयंती को ही उनकी अगवानी के लिए चुना गया। प्रसिद्ध छायाकार शम्भु साहा की ली गई वह तसवीर, दर्शनीय थी। जयंती का सहारा लेकर कार से उतर रहे बापू, बा और काली टोपी पहने किंचित झुके खड़े गुरुदेव।

मैंने गत वर्ष पूछा, "वह तसवीर है क्या? या वह खो दी?"

"पता नहीं कौन एलबम से निकाल ले गया।"

"और दार्जिलिंग से तुझे लिखी गुरुदेव की वह कविता?"

"वह भी न जाने कहाँ गई?"

मुझे कभी-कभी उस पर बड़ा ग़ुस्सा आता, कैसी-कैसी अमूल्य वस्तुएँ खो दी थीं उसने। और कोई होता तो जीवन-भर उन्हें भुनाता रहता। केवल गुरुदेव का बनाया एक चित्र, जो उसी के बनाए रंगों से बना था, अन्त तक उसके सिरहाने टँगा था।

बांग्ला में, "जयंती के—रवीन्द्रनाथ।" (जयंती को, रवीन्द्रनाथ)।

देखा जाए तो वह सच्चे अर्थ में एक सच्ची समर्पिता समाजसेविका थी। न जाने कितनों को पढ़ाया। कितने कन्यादान किये। पति डॉक्टर थे। मुक्तेश्वर में दर्शनीय बँगला था, फूलों से भरा उद्यान, सिखे-पढ़े बीसियों नौकर, जयकिशन, बिशनदत्त, दौलत, सलीम। दो-दो ऑस्ट्रेलियन गायें हथिनी-सी खड़ी रहतीं—दूध-दही इतना, कि पूरे मुक्तेश्वर में बाँटा जाता। कोई भी गर्भवती महिला, वहाँ आकर जी भरकर धारोष्ण दुग्ध पान कर सकती थी। रसगुल्ले और सन्देश स्वयं अपने हाथों बनातीं, वह भी ऐसे कि कलकत्ता के भीमनाग, बाम्बाजारी हलवाई लोहा मान जाएँ। उस पर मुफ़्त का इलाज और मुफ़्त की दवा।

एक बार किसी घसियारे की नाक भालू ने चबा दी। साहसी घसियारे की पत्नी, पति और जेब में उसकी कटी नाक लेकर, रात दो बजे हमारे द्वार पर खड़ी हो गई—मैं भी उन दिनों बहन के पास छुट्टियाँ बिताने आई थी। माघ का महीना और दनादन बर्फ़ के ग़लीचे बिछते जा रहे थे। ऋतु कलेवरी देवद्रुम दियासलाई की तीलियों से, तड़ाक-तड़ाक कर गिरे जा रहे थे। उस पर बिजली भी चली गई थी। बाहर निकलना ख़तरे से ख़ाली नहीं था।

उस नासिकाविहीन, अर्धमूर्च्छित घसियारे की पत्नी ने, जयंती के पाँव पकड़ लिये, "डॉक्टरनी ज्यू हो, किसी तरह मेरे घरवाले को बचा लो।" रक्तरंजित, नासिकाविहीन उस बड़े-बड़े हबड़े दाँतवाले वराहदंती अतिथि को देख, मैं डर से काँपती भीतर भाग गई। देखते-ही-देखते बरामदा ख़ून से भर गया। लग रहा था अभागे के शरीर का पूरा ख़ून नासिका गह्वर से बहता चला जा रहा था।

जयंती भीतर गई, जीजाजी से कहा तो वे भड़क गए, "इतनी रात को अस्पताल और फिर मैं क्या छुट्टी पर नहीं हूँ? कह दो डॉ. सेन के पास जाए, आजकल वे ही मेरा काम देख रहे हैं।"

"कैसी बात करते हो। तुम छुट्टी पर हो या न हो, तुम्हें उसे ले जाना ही होगा।" जयंती भी अड़ गई।

"अरे, सुबह ले चलेंगे, बर्फ़ देख रही हो? अभी दौलत के कमरे में सुला दो..."

"मैं तुम्हारे साथ रहूँगी—फिर, दौलत अपने कमरे में क्या परिंदे को भी घुसने देता है?"

ठीक ही तो कह रही थी। दौलत हमारे मायके का नकचढ़ा नौकर था। पच्चीस वर्ष तक हमारे घर की दीवारें कँपाता रहा। जब माँ का गलग्रह बन गया तो उसे जयंती के पास भेज दिया गया। अपने जनाना लटकों-झटकों के कारण, वह पूरे शहर में चर्चित था। अपनी धोती का ही पल्ला वह सिर पर डाल लेता और कमर को झटककर ऐसे चलता कि लोग मुँह छिपाकर हँसने लगते। मेरे बड़े भाई ने उसका नाम रख दिया था, 'दमयंती, किन्तु दमयंती का क्रोध भयंकर था। दमयंती से साक्षात दुर्वासा बना दौलत जयंती की रसोई का एकच्छत्र सम्राट था। व्यंग्य-बाण छोड़ने में ऐसा निपुण कि चोट सीधे मर्मस्थल पर होती। एक दिन जयंती की पार्कर क़लम खो गई। किसी बच्चे को भेजा गया कि जा दौलत से पूछ आ, कहीं मेरी क़लम तो नहीं देखी! वह रसोई में रोटी सेंक रहा था—पूछा तो बोला, "हाँ, कह दो दौलत रोटियों पर दस्तख़्त कर रहा है!"

वही दौलत क्या उस अनजान नकटे को अपने कमरे में सुला सकता था। बहरहाल रात को ढाई बजे उसी माघी विभावरी में, मैं, जयंती, जीजाजी, घसियारिन, किसी तरह राम-राम जपते अस्पताल पहुँचे। न कोई वार्ड बॉय था न कम्पाउंडर, मोमबत्ती जलाकर उजाला किया गया और डेढ़ गज़ शिकार टॉर्च के प्रकाश में शल्य क्रिया आरम्भ हुई।

"नाक लाया है रे?" जीजाजी ने पूछा।

"हाँ सरकार, खलत्यून छू" (जेब में है) पत्नी ने रक्त से सनी, तिमिल के पत्ते में लिपटी नाक, तत्काल जेब से निकालकर पेश कर दी। दो-तीन घंटे शल्य क्रिया चली और नाक जोड़ दी गई। शल्य चिकित्सक के रूप में, जीजाजी की ख्याति दूर-दूर तक थी, न उस छोटे से शहर में आधुनिक सुविधाएँ थीं न मृत्युंजयी औषधियाँ, किन्तु कुछ प्रकृति का औदार्य और कुछ

नियति नटी की कृपा। मरीज़ ठीक होने लगा—होता भी कैसे नहीं? प्रकृति ने बर्फ़ की चादर-तह-चादर बिछा, पूरा परिवेश ही इम्यून कर दिया था, फिर ज़हर भी कैसे फैलता?

दो वर्ष बाद, गई तो देखा वही कृतज्ञ मरीज़, अपनी जुड़ी नाक के नीचे दगदगाती हँसी बिखेरता, बहन के द्वार पर खड़ा। हाथ में, कार्तिकी श्वेत मधु का लबलबाता पात्र और गोघृत।

ऐसे ही एक बार उनका एक्स-रे लेने वाला कर्मचारी जुए में अपनी परम सुन्दरी पत्नी को हार गया। रोती-कलपती पत्नी जयंती के द्वार पर आ खड़ी हुई, "मुझे बचा लो डॉक्टरनी ज्यू, हरामी मुझे जुए में हार आया है, कुल तीन हज़ार में। निर्लज्ज पिटा जुआरी खड़ा-खड़ा टसुए बहा रहा था। जयंती ने उसे छुड़ा तो लिया पर फिर वह द्रौपदी स्वयं ही पतिगृह नहीं गई। नर्स की ट्रेनिंग दिला, जयंती ने ही उसे नौकरी दिला दी और शायद आज भी अपने पैरों पर खड़ी होगी। उसी पर मैंने कभी कहानी लिखी थी, 'पिटी हुई गोट'। फिर आई सुजाता—बड़ी-बड़ी आँखें, छरहरी देह, सलोनी चितवन और वन्यहरिणी-सी विस्फारित दृष्टि। अधेड़, दुहेजू, शराबी पति दिन-रात ढोल-दमामे-सा पीट-पीटकर दिन-रात ताने देता, 'बाँझिन राँड़, चार साल में चूहे का बच्चा भी नहीं जन पाई' वह ससुराल से भागकर भवाली, जयंती के पास आ गई। एकदम पहाड़ी वेशभूषा, काला इटैलीन का मक्खी बेल लगा सात पाट का लहँगा, क्रेप की नीली कुर्ती और कसी-मसी वास्कट। मेरी माँ ने अपनी अनुभवी दृष्टि से, उसे पल-भर में तौल दिया—'जयंती, विदा कर दे इसे, बहुत पछताएगी, इसके लक्षण मुझे ठीक नहीं लगते, लहँगे का नाड़ा लटकाकर चलती है—नाड़ा लटकाकर तो वेश्याएँ चलती हैं।"

पर जयंती ने जो ठान ली, ठान ली। एक वर्ष में ही उसका काया-कल्प

हो गया। चेहरे का लावण्य अब सौन्दर्य की देहरी पर खड़ा था—काजल से चिरी आँखें, जूड़े में दाड़िम का फूल, उलटे पल्ले की साड़ी और सधे कटाक्ष।

मैंने ही उसका नाम धरा था सुजाता। उन्हीं दिनों सुजाता फ़िल्म देखी थी और नैन-नक़्श नूतन का सा ही लगता था।

माँ की भविष्यवाणी शत-प्रतिशत सही निकली। सुजाता के काँटे में पहली मछली फँसी मेरे ही मायके में। बड़े भाई का नौकर गोरा-उजला गबरू जवान था। सुजाता पर ऐसा रीझा कि नित्य सब्ज़ी जलकर कोयला बनने लगी। फलत: जयंती को अपना प्रवास, समय से पूर्व ही समाप्त करना पड़ा। सुजाता तो आग लगा, दामन बचाकर बेदाग निकल गई थी पर प्रणयी नहीं बचा। एक दिन सुना उसने आत्महत्या कर ली। जयंती को आत्मीय स्वजनों, पति और बच्चों की प्रताड़ना ने धैर्यच्युत कर दिया—फिर भी उसने सुजाता को असहाय नहीं रहने दिया। किसी सुदूर ग्राम में, ग्राम सेविका बनाकर भेज दिया। फिर एक दूसरी आई, उसके प्रणय प्रसंग भी एकाध नहीं रहे। हारकर जयंती ने क़सम खा ली—अब किसी लड़की को आश्रय नहीं दूँगी। फिर उसकी क़सम तोड़ने विधाता ने एक पगली को भेज दिया। लाख खदेड़ा गया पर वह नहीं गई—कभी गाना गाती, कभी नाचती, बरामदे में पड़ी रहती। देखने में गोरी-उजली थी, किन्तु पति किसी और के चक्कर में था—अपने पति की इस प्रवंचना से वह पागल हो गई। एक दिन उसने एकान्त में जयंती से कहा, "सारा गहना चुरा, लँगोट बाँधकर चलती हूँ—हा-हा-हा!"

अभागिनियों का ऐसा विचित्र लॉकर शायद ही संसार में अन्यत्र हो। फिर एक दिन वह पगली बिना किसी से कुछ कहे, भाग गई—तीसरे दिन किसी ने काट-कूटकर, लाश सड़क पर फेंक दी थी। फिर शरण ग्रहण करने एक बीभत्स कुष्ठ रोगी आ गया—सेब के पेड़ के नीचे उसे भी शरण मिली। जयंती को मैंने समझाया—डॉ. मोज़ेज़ को तो मैं जानती हूँ, कहो तो मैं अल्मोड़ा कुष्ठाश्रम में भिजवाने का प्रबन्ध करूँ—तेरे छोटे-छोटे बच्चे हैं, जीजाजी भी बड़बड़ा रहे हैं।

"नहीं।"

उसकी समाज-सेवा आरम्भ हुई, जब वह स्कूल में पढ़ती थी। हमारी माँ ने बाढ़ में बह रही एक अनाथ कोली कन्या को पाल-पोसकर बड़ा किया था, नाम था—पाँची बाई। ग्राम के सरपंच ने ही उसका नाम, जाति बताकर उसे माँ के पैरों में डाल दिया था।

पाँची बाई, चौदह वर्ष की हुई तो रवीन्द्रनाथ की कविता की पंक्ति साकार हो उठी, 'कंटाक्षेर बे मम पंचम शर।' वह मेरी माँ को 'बा' अर्थात माँ कहती थी, "बा" उसने कहा, "मुझे दूल्हा चाहिए।" घर-भर उसके निर्लज्ज प्रस्ताव से स्तब्ध था। जयंती उसके लिए उसी का सा एक अनाथ, अनाम कुलगोत्र का सुपात्र ढूँढ़ लाई। 'जीवाराम'। केसरिया साफ़ा पहने, वह अम्मा के सामने हाथ जोड़कर खड़ा हो गया।

जीवाराम का न घर-द्वार था न नौकरी। "इसे पालेगा कैसे?" अम्मा ने पूछा तो उसने शरमाकर कहा, "अन्नदाता, तमे छो ने!" (अन्नदाता, आप तो हैं ना!)

बस फिर क्या था, पाँची बाई को दान-दहेज, गहना-गुरिया देकर स्वयं अम्मा ने उसके पैर पूजे—बरात हमारे घर से विदा हुई और पिछवाड़े—हमारे सागर पेशे में समा गई। मथुरा की बेटी, गोकुल ब्याही। जीवाराम को ड्राइवरी सिखा, ड्राइवर बनाकर ही जयंती ने साँस ली। फिर टीकमगढ़ गए तो एक गड़रिया-दुहिता, पति-परित्यक्ता ललिता पधारी। एक आँख की कानी थी इसी से पति ने छोड़ दिया था। पर हमारे साथ चार वर्ष तक रही तो रंग-रूप ही बदल गया। पति ने एक दिन मेले में देखा और मुग्ध हो गया। ललिता भी विदा हुई।

हम राजकोट में थे, जीवाराम पाँची की युगल जोड़ी ने, कुछ ही वर्षों में परिवार नियोजन की ऐसी धज्जियाँ उड़ाई कि प्रत्येक वर्ष, एक पाँची बाई की गोद में तो दूसरा पेट में। राधा बाई, पोपट भाई आदि-आदि। एक दिन जब भरे-पूरे परिवार को छोड़ जीवाराम टीबी की चपेट में आ स्वर्ग सिधारे, तो उसके बाद पूरा परिवार हमारे साथ रहा। कभी पहाड़, कभी बेंगलूर पूरे तीस वर्ष रहकर पाँची बाई को भी सौराष्ट्र के मोह ने खींच लिया।

हमारे पिता की मृत्यु हुई तो जयंती ने पूरे गृह की बागडोर थाम ली। हमारी शिक्षा, बेंगलूर से पहाड़ की सुदीर्घ यात्रा। अब सोचती हूँ, उसने कैसे यह सब किया होगा? मैं जानती थी कि एक-न-एक दिन वह गृहस्थी के बन्धन में अवश्य बँधेगी। बहुत पहले हमारे घर आई एक विलक्षण सिद्ध भैरवी ने चावल की मूठ फेंक, लाल-लाल आँखें कपाल पर चढ़ा, मेरे प्रश्न का उत्तर दिया था, "हाँ-हाँ, तेरी बहन शादी करेगी, अवश्य करेगी।"

वही हुआ, विवाह अचानक ही हुआ वह भी घर-भर के विरोध के बावजूद। उसने स्वयं अपना वर चुना। जीजाजी सुदर्शन थे, उच्चपदस्थ चिकित्सक थे। रुचि में, पहनावे में सौ फ़ीसदी अंग्रेज़, किन्तु यक्ष्मा की विकट व्याधि भोग चुके थे। उन दिनों क्षय रोग का अर्थ ही था आसन्न मृत्यु, किन्तु जयंती ने साक्षात सावित्री बन अपने सत्यवान को बचा लिया—गृहस्थ सुख भी भोगा, सन्तान सुख भी। किन्तु वृद्धावस्था में जीजाजी की मृत्यु के बाद वह स्वयं जीने की इच्छा खो बैठी। फिर भी अन्त तक उसकी प्राणशक्ति अदम्य थी—दिन-भर रसोई में नाना पकवान बनाती, खाती-खिलाती, अचार-मुरब्बे न जाने क्या-क्या! अतिथियों से घर भरा रहता, अतिथि भी ऐसे कि "चित भी मेरी पट भी मेरी, अंटा मेरे बाप का।"

मेरे पास वह एक-दो बार ही आ पाई। हिन्दी संस्थान का पुरस्कार ग्रहण करने आई, तो एक बार फिर वही पुराने दिन लौट आए, "याद है तुझे, याद है?"

उसके दो पूर्व परिचित बौद्ध भिक्षु गोरखपुर से, उससे खरोष्ठी लिपि के लिखे भोज-पत्र पढ़वाने चले आए और पल-भर में उसने उनका संस्कृत अनुवाद कर थमा दिया। काठमांडू गई तो पशुपतिनाथ के दर्शन कर, तत्काल सुन्दर श्लोक लहरी, रचकर चढ़ा आई। फिर पचहत्तर वर्ष की उम्र में जरा-जीर्ण देह सैकड़ों सीढ़ियाँ पार कर पहुँची, 'तुंगनाथ'—वहाँ भी उनकी महिमा में धारा प्रवाह श्लोक, पहाड़ी झरने से उसके पोपले मुँह से झरते रहे। पुजारी अवाक् खड़ा देखता रहा, "धन्य हो माँ सरस्वती।"

"सरस्वती नहीं हूँ पुजारी जी, सरस्वती की सेविका" ऐसी विदुषी और ऐसी प्रतिभा, किन्तु रवीन्द्रनाथ के ही शब्दों में—जयंती रही—'जे नदी मरुस्थले हारालौधारा' (वह नदी जो मरुप्रान्त में खो गई।)

मृत्यु के कुछ दिन पूर्व उसने असह्य पीड़ा सही। बीच-बीच में कोमा से डूबती-उतराती लौटती तो असहाय अनचीन्ही दृष्टि से इधर-उधर देखती। पैर सूजकर कुप्पा हो गए थे। मैं कुछ दिनों तक रुकी, फिर जब उससे अन्तिम विदा लेकर चलने लगी, तो आँखें भर आईं। वह मुझे पहचान रही थी पर उसकी आँखों में अब आँसू नहीं रहे। अन्तरवर्ती शोकाग्नि ने आँख के आँसुओं को शायद सुखा दिया था। आख़िरी बार देखा तो वह शान्त, निस्पन्द प्रतिमा-सी एकटक छत को निहार रही थी और मेरा कलेजा फटा जा रहा था।

मुझे कभी-कभी लगता है, समय के साथ-साथ अब रिश्ते भी बदल गए हैं। जो प्रेम, हमारी पीढ़ी के भाई-बहनों में था, वैसा प्रेम इस पीढ़ी में नहीं रहा। हम लड़ते भी थे, झगड़ते भी थे, एक-दूसरे को जली-कटी भी सुनाते थे पर हममें से एक भी हमसे बिछुड़ता तो लगता था, स्वयं हमारा एक अंग विलग हो गया। आज कई परिवार मैंने ऐसे देखे हैं जो समृद्ध हैं और समृद्ध होने पर भी, पैतृक सम्पत्ति के बँटबारे के लिए, साँप नेवले से एक-दूसरे के ख़ून के प्यासे बन उठते हैं।

"जयंती, मैं जा रही हूँ" मैंने रुँधे गले से कहा—मैं जान गई थी कि यह हमारी अन्तिम भेंट है। उसकी स्थिर दृष्टि, शून्य ही में निबद्ध रही—तब क्या वह निर्मोह वैराग्य का सूत्र पकड़ चुकी थी?

सुना मृत्यु से तीन-चार दिन पहले, वह फिर अपनी स्वाभाविक अवस्था में लौट आई थी। मैं दिन-भर उसके पास बैठी रही—एकान्त का सुअवसर पा, वह मुझे अपने हृदय में गोपनीय कक्ष में खींच ले गई थी। मेरी छोटी बहन मंजुला, अपने पति के साथ रात-दिन उसकी सेवा में खड़ी रहती। पर उस दिन हम दोनों ही अकेली थीं। जयंती के छोटे पुत्र पुष्पेश ने उसकी अन्त तक ममतामयी सेवा की। पर उसकी नौकरी भी थी। वह काम पर जाता तो वह प्रायः अकेली पड़ी रहती—असहाय-विवश। जननी के हृदय में यत्न से छिपाए गए नासूरों पर सन्तान की दृष्टि पड़ती भी कम है। तिस पर रोग ने उसे चिड़चिड़ी बना दिया था, नवीन पीढ़ी की उदासीनता, अबाध्यता, अशिष्टता झेलती वह अवश हो गई थी।

"तूने अपनी किसी कहानी में एक बड़ी अच्छी बात लिखी है कि पुत्र की नाल दो बार कटती है, एक बार जब वह माँ के गर्भ से विलग होता है, दूसरी बार तब, जब उसका विवाह होता है।" फिर, हँसकर उसने मेरा हाथ धीरे से दबा दिया।

एक वयस के बाद, वाणी लाख समर्थ होने पर भी जो नहीं कह पाती। स्पर्श अपने सामान्य दबाव से ही बहुत कुछ कह जाता है।

उस दिन उसका वह स्पर्श मुझसे बहुत कुछ कह गया था। दिन-भर अकेली पड़ी-पड़ी, पुरानी बातें याद करती रहती हूँ। कॉलेज की, शिलांग की, बेंगलूर की, ओरछा की, राजकोट की, याद है तुझे, अम्मा कितनी मीठी आवाज़ में गरबा गाती थी,

आज तो सपना मा मने
डोलता डुंगर दीव्याजो

अरी, आज सपने में मुझे डोलते पहाड़ दिखे।

शायद, उसके सिरहाने खड़ी मौत उसे कुमाऊँ की वे ही विस्मृत गिरि श्रेणियाँ दिखा रही थीं, जो कभी हम अपने आँगन की ऊँची दीवार पर बैठकर देखती थीं—कामेत, नन्दा देवी, त्रिशूल, बानड़ी...

मुझे उसके हृदय में गड़े एक-एक गोखरू कंटक की अभिज्ञता थी किन्तु फाँस को, आज तक कौन निकालकर दूर फेंक सका है? वह तो जितना निकालने की चेष्टा करो, उतनी ही गहराई में धँसती जाती है। शायद यही कसक, उसे विपरीत दिशा में खींच ले गई थी।

परनिन्दा में उसे परम आनन्द आने लगा था। सगे-सम्बन्धियों ने उसकी इस दुर्बलता को जमकर भुनाया। पहले उसे ख़ूब बकाते, फिर उसकी अविवेकी बतकही में नमक-मिर्च लगा, इधर-उधर फैलाते,

"वह ऐसा कह रही थी..."

"तुम्हारी निन्दा करते नहीं अघा रही थी।"

"सठिया गई है, हर वक़्त खाऊँ-खाऊँ..."

"अरे, हमेशा से ही लोगों को असील मुर्ग़ों-सा लड़ाती थी, आज कौन नई बात है!" आदि-आदि।

किन्तु कैसा है उसका वैदुष्य। उसका अकपट हृदय कैसा दर्पण-सा स्वच्छ है। वह कितनी परम करुणामयी भी तो हैं, सर्वस्व त्यागकर अपना ख़ज़ाना लुटानेवाली औघड़दानी। यह सब किसी ने नहीं देखा—अन्त में उसका ख़ज़ाना एकदम ख़ाली हो चुका था। घरवाले जान-बूझकर हाथ में रुपया नहीं देते थे कि लाख रुपया भी देंगे तो लुटा देगी। पूरी पेंशन तक वह पहले ही दान कर चुकी थी। एक चमत्कारी कछुआ अवश्य इसके साथ अन्तिम साँस तक रहा। सत्तर वर्ष पूर्व, महासिद्ध नारद बाबा का उसे दिया गया किसी धातु का बना कछुआ।

"एक ताँबे का पैसा भी इसे छुआएगी तो चाँदी का रुपया बनकर, तेरे बटुए में स्वयं आ जाएगा।" उन्होंने कहा था—हम भाई-बहन भले ही उस चमत्कारी कछुए की, पीठ पीछे हँसी उड़ाते हों, लुक-छिपकर, अपना-अपना बटुआ उसके कलेवर से हम एक-न-एक बार छुआ ही आते थे। स्वयं, मैंने कई बार ऐसा किया और फिर मेरा बटुआ कभी ख़ाली नहीं हुआ। प्रात: छुआया तो संध्या होते-होते या रॉयल्टी या कोई साहित्यिक पुरस्कार या किसी कहानी का अप्रत्याशित पारिश्रमिक मिला अवश्य।

उसकी मृत्यु से सात-आठ दिन पहले उससे कहा, "जयंती भवाली में तेरा अपना बँगला है, चली क्यों नहीं जाती, थोड़ा बदलाव हो जाएगा, यहाँ दिन-भर पड़ी-पड़ी सोचती रहती है। तुझसे बहुत छोटी हूँ पर इतना बता दूँ, आदमी को बीमारी नहीं मारती, मारती हैं यादें।"

वह हँसी, सूखे पपड़ी पड़े होंठों पर क्षण-भर को तिरती वह करुण हँसी, मैं कभी नहीं भूल पाऊँगी—मेरा हाथ पकड़ उसने अपने ज्वरतप्त हाथों में दबाकर, क्षीण स्वर में कहा,

सर सूखे पच्छी उड़ै औरे सरन समाय।
दीन मीन बिन पच्छ के कहु रहीम कहँ जाय॥

हामिद भाई

जैसे-जैसे मैं दिद्दी की लिखी कहानियों और लेखों का अनुवाद करती गई, मुझे लगा कि मैं एक अनजान दुनिया में प्रवेश कर रही हूँ, चाहे इस दुनिया के पात्रों से मैं अच्छी तरह परिचित थी। दिद्दी के जीवन से हमारा जीवन भी ऐसे जुड़ा था कि उसके बारे में लिखते हुए मुझे अपने परिवार के बारे में भी लिखना ही पड़ा। एक बात और थी : दिद्दी का व्यक्तित्व कुछ ऐसा था कि जब वो हमारे इर्द-गिर्द होती तो लगता था कि पूरे कमरे का ऑक्सीजन उसने सोख लिया है। इस पुस्तक को लिखते समय भी मुझे कुछ ऐसा ही लगा। मुझे लगने लगा कि उसके व्यक्तित्व को पाठक तक पहुँचाने की क्षमता मुझमें शायद नहीं है—कहीं उसकी एक झलक मिलती, तो कहीं वही झलक एक परछाईं प्रतीत होती। ऐसा लगने लगा कि मेरे सम्मुख एक विशाल जिगसौ पज़ल है—कहीं एक नाक दिखती, कहीं एक टाँग—इसे जोड़ के मैं दिद्दी की छवि कैसे बना सकती हूँ?

लेकिन इस परेशानी से भी विकट था दिद्दी की शैली का अंग्रेज़ी में अनुवाद करना। हम भाई-बहनों ने बहुत पहले उसका नाम वर्जीनिया वुल्फ़ रख दिया था क्योंकि उन्हीं की भाँति, दिद्दी भी अपनी ही अनोखी मानसिक रफ़्तार से समय को चलाती थी। मसलन, जब हम सब बैठकर बातें कर रहे

होते, दिद्दी अचानक कोई ऐसा विषय उठा देती जिसका मौजूदा संवाद से कोई ताल्लुक़ न होता। फ़ोन पर दिद्दी से बात करना एक मुसीबत थी—वो तभी बात करती जब उसे कोई ख़ास ख़बर कहनी या सुननी होती थी। ऊल-जलूल की गप्पबाज़ी से उसे कोई वास्ता न था। लिहाज़ा, जैसे ही वो अपनी बात कह लेती वो फ़ोन को फट से रख देती चाहे दूसरी तरफ़ आपका वाक्य पूरा हुआ हो कि नहीं। इसीलिए, जब मैंने उसके काम का अनुवाद शुरू किया, मेरे पसीने छूट गए। किसी भी लेख या कहानी का चलन सीधी रेखा में नहीं था—जैसे ही मुझे एक सूत्र मिलता, दिद्दी किसी और दिशा में चल देती, क्योंकि उसे किसी और पात्र या कहानी की याद आ जाती। ऐसे दिमाग़ को किसी एक धारा में बाँधकर चलाना असम्भव था।

लेकिन इन सबसे अधिक विकट था दिद्दी और शिवानी को अलग करना। शुरू में मुझे लगा कि शिवानी का उपनाम दिद्दी ने अपने को पाठक से छिपाने के लिए चुना होगा, लेकिन बात इतनी सरल नहीं थी। शिवानी और दिद्दी में वही रिश्ता था जो आइडेंटिकल जुड़वाओं में होता है, और जिस तरह ऐसे जुड़वाँ आपस में जगह बदलकर देखने वाले को हैरान कर देते हैं, उसी तरह दिद्दी भी शिवानी और दिद्दी को अदल-बदलकर कभी दिद्दी बनके मेरे सामने खड़ी हो जाती, कभी शिवानी बनके। सच शायद यह था कि हम सब दिद्दी को अलग-अलग रूप में देखते थे : जैसी वो हमें दीखती थी, जैसी वो दिखना चाहती थी, और जो वो असल में थी—उसके एक नहीं, अनेक रूप थे। किसी के लिए वो दिद्दी थी, किसी के लिए बहूजी, नानी, दादी या गौरा। पर इससे भी भिन्न था दिद्दी का वह अस्तित्व जिसे वो सबसे छिपाती रही, उसके अन्दर एक ऐसा विषाद था जिसे वो कभी कह या दिखा न पाई। शायद अपने-आपको भी नहीं। अपने दुख को छिपाने में दिद्दी माहिर इसलिए बन गई थी क्योंकि वह किसी की सहानुभूति या तरस से बहुत दूर भागती थी। शायद इसी दुख को अपने लेखन में दबाकर छोड़ गई कि शायद एक दिन उसे कोई देखकर, असली दिद्दी को हम समझ लें।

बाबू के निधन के बाद, दिद्दी को राज्य सरकार ने पत्रकार की हैसियत

से लखनऊ की गुलिस्ताँ कॉलोनी में 66 नम्बर का फ़्लैट आजन्म देने का निर्णय करा। इसे रख पाने के लिए दिद्दी ने अखबारों में लिखना शुरू कर दिया ताकि कोई ये न कह पाए कि वह वास्तव में पत्रकार नहीं है। 'स्वतंत्र भारत' में उसका एक स्तम्भ 'जालक' के नाम से हर हफ़्ते छपता था। विषय होता किसी सांस्कृतिक कार्यक्रम की समीक्षा, लखनऊ की कोई ख़ास घटना या किसी नामी लेखक या विभूति को श्रद्धांजलि। धीरे-धीरे ये इतना लोकप्रिय हो गया कि पड़ोस के दूधवाले से लेकर विश्वविद्यालय के शिक्षकों तक, दिद्दी के पाठक लखनऊ के हर कोने में मिल सकते थे। चाहे कोई दुकानदार हो या बैंक मैनेजर, जैसे ही दिद्दी कहीं जाती, लोग उठकर हाथ जोड़कर उसका अभिनन्दन करते थे। दिद्दी की ही मुझे सुनाई एक कहानी इस बात का प्रत्यक्ष उदाहरण लगती है : एक बार वो लखनऊ मेल से दिल्ली आ रही थी। ट्रेन में बैठी तो याद आया कि वो अपना ज़र्दे का डिब्बा घर पर ही भूल आई है। उतने में, ट्रेन का टीटी हाथ जोड़े सामने खड़ा हो गया। बोला, "शिवानी जी, अहोभाग्य कि आप हमारी ट्रेन में सफ़र करने पधारी हैं। कोई मेरे लायक़ सेवा हो तो मुझे बताइए। "दिद्दी ने फ़ौरन अपने ज़र्दे का हाल सुनाकर उससे कहा कि अगर कोई स्टेशन से उसके लिए एक-दो पैकेट गुटका ही ला दे तो उसकी रात कट जाएगी। "मैं अभी पेश करता हूँ," कह के वो बाहर लपका और ट्रेन का प्रस्थान दो मिनट के लिए स्थगित कर वह थोड़ी ही देर में दिद्दी को गुटके के दो पैकेट थमा गया। "जानती हो," दिद्दी ने दिल्ली पहुँचकर बड़े गर्व से मुझे बताया, "इतिहास में लखनऊ मेल केवल दो बार रोकी गई है, एक बार तब जब बेगम अख़्तर का सिगरेट केस घर छूट गया था, और एक बार जब मेरा ज़र्दे का डिब्बा घर पर रह गया!"

दिद्दी ने अब पूरे ज़ोर से लिखना शुरू कर दिया था—कहानियाँ, उपन्यास, सफ़रनामे, स्तम्भ—वो दिन-रात लिखती रहती थी। बाबू के चले जाने के बाद अपना निर्वाह करने का उसके पास यही एक तरीक़ा था। जिस तरह आमा ने घर के ज़ेवर व चाँदी बेचकर अपना परिवार पाला, दिद्दी ने अपनी कल्पना शक्ति को बेचकर अपना घर चलाया। न आमा ने किसी से

मदद माँगी न दिद्दी ने। अपने सेवकों का परिवार उसने अपना बना लिया, वे उसके साथ रहते, वहीं खाते और उसका जीवन सार्थक बनाते। धीरे-धीरे, दिद्दी के लिए वे सेवक नहीं एक तरह का दत्तक परिवार बन गए।

तो इस प्रकार, तीस साल तक दिद्दी गुलिस्ताँ कॉलोनी का एक अभिन्न हिस्सा बन गई। कॉलोनी का बच्चा-बच्चा उसे पहचानता था। आमा की ही तरह वो कभी पड़ोस न जाती लेकिन पूरा पड़ोस उसके पास बारी-बारी से आता था, और उसे ये पूरा भरोसा था कि ज़रूरत पड़ने पर, वे उसकी मदद अवश्य करेंगे। कभी पड़ोस की कोई बहू आकर अपना दुखड़ा रो जाती, थोड़ी देर के बाद सास आकर अपनी राम कहानी दिद्दी को बता जाती। दिद्दी समभाव से दोनों की बातें सुनकर दोनों को सांत्वना देती। होली पर, दिद्दी की बनाई गुझिया खाने पूरी कॉलोनी आती। दिद्दी का दरबार सबके लिए खुला था : किसी फेरीवाले को पैसा उधार चाहिए, कोई सुस्ताने आता तो कोई उसकी बातें सुनने। राजा और रंक में दिद्दी की आँखों में कोई अन्तर न था। उनके जीवन की गुत्थियाँ सुलझाने से दिद्दी को जो आनन्द मिलता उसका हम अन्दाज़ा नहीं लगा सकते। जब उसके अपने बच्चों को उसके सहारे की ज़रूरत न रही, तो दिद्दी ने अपने लिए ऐसे परिवार की सृष्टि कर ली जिसको उसकी बहुत ज़रूरत थी। उसका स्वाभिमान उससे ये कभी न कहलवा पाया कि हम उसके पास जाएँ और रहें। हमने भी ये मान लिया कि दिद्दी को गुलिस्ताँ इतना पसन्द था कि वो हमारे साथ नहीं, वहीं रहना चाहती थी। या शायद ऐसा मानना हमारे लिए सबसे आसान विकल्प था। मुझसे उसने एक बार हँसकर कहा था कि एक नए पड़ोसी ने उससे पूछा, "शिवानी जी, क्या आपकी औलाद नहीं है?" पर वो हमेशा हमारे पास बारी-बारी से आती रहती। स्वाभिमान की भी शायद एक हद होती है।

एक कारण और था जिसकी वजह से दिद्दी हमारे साथ रहने से कतराती थी। उसमें अपने किसी बच्चे के दुख को सहने की क्षमता नहीं थी। दिद्दी को बच्चे बच्चों के ही रूप में पसन्द थे। जब तब वो उनसे हँसी-मज़ाक़ कर लेती या उसका रिश्ता लाड़-प्यार का होता, दिद्दी ख़ुश थी। बड़े होकर यदि

हम कभी उसे अपनी किसी निजी मुसीबत या दुख सुनाने की कोशिश करते तो वो उठकर चली जाती थी। "मुझे मत बताओ" वो कहती, "मैं तुम्हारे दुख नहीं सह सकती हूँ।" यही कारण था कि अगर कोई स्वजन बीमार हो जाए या उस पर कोई विपत्ति आन पड़े, तो हमें दिद्दी को वहाँ एक प्रकार से घसीटकर ले जाना पड़ता था। किसी प्रकार की अप्रिय घटना या प्रसंग को देखने के पहले दिद्दी भाग जाती थी।

लेकिन एक गुण दिद्दी में ऐसा था जो मैंने बहुत कम लोगों में देखा है। वह था उसका अपनी दुर्बलता पर हँस लेने की क्षमता। यही नहीं, उसे किसी प्रकार के ढोंग या आडम्बर से सख़्त नफरत थी। इस गुण को शायद आमा ने दिद्दी को विरासत में दिया था और इसे वो हम सबको—यहाँ तक कि हमारे बच्चों तक को—दे गई है। जब भी दिद्दी हमारे घर आती, सारे वातावरण को इतना गुलज़ार कर देती थी कि हमारे नौकर तक उसके जाने से उदास हो जाते थे। हमेशा एक छोटा-सा बैग लेकर आती क्योंकि व्यर्थ का सामान ढोने की उसे आदत न थी। वो शौक़ से हमारी साड़ियाँ पहनती थी और अगर उसकी किसी चीज़ या साड़ी की हम कभी तारीफ़ करते, वो उसी समय उसे उतारकर हमें थमा देती थी। इस सबके पीछे शायद एक सन्देश था : कि उसे किसी सांसारिक बन्धन से हम नहीं बाँध सकते थे और अपने निजी जीवन को वो किसी को नियंत्रित नहीं करने देगी।

दिन की शुरुआत होती दिद्दी की पूजा से। वो ज़ोर-ज़ोर से पाठ करती, अपने ठाकुर जी को नहलाती और सारे घर में उसकी पूजा की आवाज़ गूँज जाती। पूजा समाप्त कर, वो सीधे रसोई में जाकर पता करती कि आज क्या बन रहा है, फिर एक कप कॉफ़ी लेकर अख़बार पढ़ने बैठ जाती। जितने दिन वो हमारे घर रहती थी तरह-तरह के व्यंजन और पकवान बनते। बच्चे स्कूल से आते तो सीधे नानी के पास कहानी सुनने बैठ जाते और हमें कुछ कहने की इजाज़त न होती। बच्चों को बिगाड़ना उसे बेहद पसन्द था, उन्हें गालियाँ सिखाना उसका पसन्दीदा काम। शाम होते वो टी.वी. के सामने बैठकर नौकरों की टोली का मनोरंजन करती। एक नेता—जिनके दाँत बाहर को निकले

हैं—को देखकर वो कहती, "इसका माँ या बाप ज़रूर ख़रगोश था।" और जनता में हँसी के ठहाके लग जाते। किसी और को देखकर कहती, "ये तो बिलकुल जिमीकन्द है!" और सब लोट-पोट हो जाते। खोए हुए व्यक्तियों का कार्यक्रम आता तो किसी की अजब शक्ल देखकर उसने कहा था, "ये तो खोया ही अच्छा है!" मतलब, हमारे घर में उसका दर्जा एक जोकर का था, जो सब पर हँसती और हँसाती। ऐसा करने से हम उससे कभी कोई गम्भीर सवालों पर बात नहीं कर सकते। और सबसे गम्भीर सवाल था कि जब वो अकेले रहने लायक न रह जाएगी तो उसका क्या होगा? किस बच्चे के पास रहकर उसे चैन मिलेगा?

ऐसे सवालों का उत्तर दिद्दी अपने लेखों में हमें देती थी। 'मेरा भाई' नाम का एक लेख मुझे आज तक दहला देता है। उसमें झलकता अकेलापन डरा देने वाला है। दिद्दी ने इसे लिखा था अपने प्रिय मित्र हामिद भाई पर, लेकिन उसमें कितनी बार हमें उसकी अपनी छवि भी स्पष्ट दिखाई देती है। दिद्दी को डायबिटीज़ थी, एक बार उसका अपेंडिक्स फट गया था, मरते-मरते बची थी। फिर उसे ग्लैंड का टीबी भी हुआ। उससे भी बच गई थी। लेकिन कब तक? मान लो, कभी उसे डायबिटिक कोमा हो जाए, और कोई बच्चा पास न हो, तब? एक बार, सिर्फ़ एक बार, उसने मुझसे इस गम्भीर विषय पर बात की थी। जब मैं उसे लखनऊ जाने से रोक रही थी, तो बोली, "मैं इस सबसे घबराती हूँ। मुझे अकेले रहने की ऐसी आदत पड़ गई है कि अब किसी के पास ज़्यादा दिन रहकर मैं लखनऊ भाग जाना चाहती हूँ। मैं ऐसे प्यार की आदत नहीं डालना चाहती न आराम से रहने की। जब लखनऊ में होती हूँ तो मुझे ये सब नहीं दिखाई देता, लगता है तुम सब ख़ुश हो। पर जैसे ही अपने घर का दरवाज़ा खोलकर अकेले अन्दर घुसती हूँ तो एक मिनट को लगता है वापस भाग जाऊँ। रात को आँखें बन्द करती हूँ तो तुम सबकी शक्लें आँखों के सामने नाचने लगती हैं। बुरे-बुरे ख़याल आते हैं, डर लगता है कि किसी को मेरे पहले कुछ न हो जाए। जब मैं तुम्हें नहीं देख सकती हूँ तो तुम सब हर समय मेरे साथ रहते हो। निरन्तर।"

ऐसा ही कभी आमा ने दिद्दी से कहा था, लगता था कि धीरे-धीरे, दिद्दी आमा बनती चली जा रही थी।

मेरा भाई

आज जब समस्त पृथ्वी हिंसा से उन्मत्त है; जातिवाद रक्तबीज दैत्य के रक्त की बूँदों की भाँति नित्य शत-सहस्त्र दानवों की सृष्टि कर रहा है; जब राम जन्मभूमि और बाबरी मस्जिद जैसे व्यर्थ के प्रसंगों ने विभिन्न धर्मावलम्बियों के हृदय, सन्देह के आरे से चीर दिये हैं, तब कभी-कभी लगता है कि यदि किसी ऐसे व्यक्ति की चर्चा की जाए, जो मुसलमान होकर भी हिन्दू था, तो शायद लोगों को विश्वास नहीं होगा।

इस बार लखनऊ लौटने के दूसरे दिन ही ईद पड़ी। मैं बड़ी देर तक उनकी राह देखती रही। ऐसा क्या कभी हुआ था कि वे मुझे ईदी देने न आएँ? साथ में रहता रूमाल में बँधा सेवइयों से भरा कटोरा। उनके यहाँ क्या कभी चूल्हा जलता था? होटल में रहते थे, पर इष्ट-मित्र सेवइयाँ भेजते तो मेरे हिस्से को सहेजकर कटोरे में रख लेते। घर-घर की विभिन्न स्वाद, रंग, रस की सेवइयों की वैसी दुर्लभ सौगात शायद ही किसी को जुटती होगी। इस बार वे नहीं आए, न उन्होंने बम्बई से लिखे गए मेरे पत्र का ही उत्तर दिया था। मेरा माथा ठनका और मैंने एक परिचित मित्र को फ़ोन किया। "अरे, क्या आपने नहीं सुना? उनका तो मई में ही इन्तक़ाल हो गया। सोए थे, बस सोते ही रहे।"

गहन अपराध भावना ने मुझे दिन-भर क्षुब्ध कर दिया। एक ही पत्र लिखकर मैंने भी तो चुप्पी साध ली थी। किसी और को लिख उनकी कुशल तो पूछ सकती थी! वह व्यक्ति जो सहोदर नहीं था, पर जिसकी मृत्यु की

सूचना आज मानस की पंक्ति बन कानों में बज रही थी, *'मिलहि न जगत सहोदर भ्राता।'*

मेरा भाई चला गया, ऐसा भाई जो कट्टर मुसलमान होकर भी प्रत्येक होली पर मेरे यहाँ होली की गुझिया खाने आता था, जबकि उन्हें हिन्दुओं के इस त्योहार से बेहद चिढ़ थी, "लाहौल-वला-कुव्वत, क्या वाहियात त्योहार है यह तुम हिन्दुओं का! देख रहे हैं कि हम सफ़ेद चिट्ट शेरवानी और धुली तमनिगा पहने हैं, फिर भी रंग डाल दिया कमबख़्तों ने! ख़ुदा इनका बेड़ा ग़र्क़ करे!" मेरे पति की बीमारी में वे नित्य आकर उनके सिरहाने बैठ जाते, "जा, तुझे जो काम करना है निबटा ले, हम बैठे हैं।" मैं कई बार उन्हें घंटों बिठाए रखती। कभी दवा लानी है, और दवाएँ भी कैसी दुर्लभ—आयुर्वेद के कष्टसाध्य उपचार के लिए कभी नीमचढ़ी गिलोय, कभी पुर्नवा और कभी अश्वगन्धा। कभी-कभी मुझे भटकते घंटों लग जाते। प्राय: ही ये जड़ी-बूटियाँ जुटाने रकाबगंज जाना पड़ता। खिसियाकर लौटती तो देखती हामिद भाई ऋषि-मुनियों के से अडिग धैर्य से मेरे रुग्ण पति के सिरहाने बैठे हैं। किन्तु, जब ये संजीवनी बूटियाँ भी यम को पराजित नहीं कर पाईं तो अन्धकारपूर्ण भविष्य मुझे आतंकित कर मेरा मेरुदंड झनझना गया। सगे-सम्बन्धी उस तत्परता से चलते बने थे जैसे सड़क के चौराहे पर मदारी का तमाशा देख रही भीड़ पैसा देने के क्षण से मुक्ति पाने त्वरित फुर्ती से सटक जाती है। एक हामिद भाई ही विपत्ति के उस कठिन क्षण में मेरे साथ खड़े रहे। "देख बच्ची," मेरे कन्धे पर उन्होंने हाथ धरकर कहा था, "हिम्मत हारेगी तो काम नहीं चलेगा। कमर कस और आगे बढ़। इंशा अल्लाह, अल्लाह मियाँ खुद हाथ बढ़ा देगा।"

कभी-कभी सोचती हूँ, विपत्ति से जूझने का जिरहबख़्तर मुझे मिला था हामिद भाई से, हथियार नागर जी से, जिन्होंने कहा था, "बहन, हम तुम्हें तपकर जीते देखना चाहते हैं, घुलकर नहीं।" और धैर्य की मंजूषा थमाई थी गुरुवर हजारी प्रसाद जी ने, "विपदि धैर्य मथाभ्युदये क्षमा।" यद्यपि स्वयं उनकी आँखों से झरझर आँसू बह रहे थे, किन्तु उनके गुरु-गम्भीर कंठस्वर से निकली वह पंक्ति उसी क्षण मेरा पाथेय बन गई थी।

हामिद भाई की पहली याद रामपुर की ही आती है। रामपुर जहाँ आज भी मेरे बचपन की स्मृतियों की सुवर्ण मुद्रा खचित गगरी धरा में धँसी रह गई है। ख़ास बाग़, मुस्तफ़ा लॉज, रोज़ विला, मीना बाज़ार, डॉन और वलीअहद से मिले उपहार; नौकर-अर्दली चमन खाँ, मुन्ने खाँ, सिकन्दर मियाँ, जुम्मन और मुहम्मद अली पेशकार, पिता के स्टेनो अलवी साहब—हिना और शमातुलम्बर की ख़ुशबू, बुर्क़े की रेशमी जालियों से स्नेह बरसाती वे सुरमाभरी आँखें जिनमें न रहता विद्वेष, न घृणा, रहता केवल अनन्त लाड़-दुलार! हमारी कोठी मुस्तफ़ा लॉज—एक आलमगीर बुलन्द इमारत थी और मेरे पिता रियासत के पहले हिन्दू गृहमंत्री थे। हामिद भाई के चचा सर अब्दुल समद ख़ाँ की कोठी रोज़ विला हमारी कोठी से गज़-भर के फ़ासले पर थी। उन्हीं के भाई अब्दुल वाहिद ख़ान के मझले बेटे थे हामिद। उनकी अपनी कोई बहन नहीं थी। इसी से हम बहनों पर उनका अनन्य स्नेह था। मैं तब आठ या दस वर्ष की रही हूँगी। जब कभी छुट्टियों में आते, मेरे लिए एक-न-एक उपहार अवश्य लाते—कभी फ्रॉक और कभी बड़ी-सी गुड़िया और कभी आर्मी नेवी स्टॉर के वे बड़े-बड़े रंगीन क्रैकर, जो दोनों ओर से खींचे जाने पर खंडित शिवधनु की सी गर्जना से हमारे नन्हे हृदय दहला देते। कभी उनके गर्भ से निकलती अँगूठी और कभी चमचमाता लॉकेट। ईद के तो कहने ही क्या। हामिद भाई दुनिया के किसी कोने में क्यों न हों, उनका भेजा दस रुपए का मनीऑर्डर मुझे बड़ी तत्परता से ढूँढ़ ही लेता। उन दिनों उनका जैसा ओहदा था, वैसा ही रोब भी था। "साहज़ादा साहब तशरीफ़ ला रहे हैं!" सूचना मिलते ही हमारे पूरे घर में हड़कम्प मच जाता। "देखो भई, चाय ज़रा क़ायदे से भिजवाना," मेरे पिता अम्मा से कहते, "हामिद अभी-अभी विलायत से लौटा है, साहब आदमी है।"

देखने में हामिद भाई अपने सुदर्शन पिता के विपरीत थे—साँवला रंग, बेहद लम्बी नाक, भरे-भरे कल्ले, निरन्तर अधमुँदी रहने वाली बहुत बड़ी आँखें, बेहद मोटे कुछ लटके से होंठ और बित्ते-भर का क़द, उस पर मेदबहुल

शरीर। बैठते तो सोफ़ा धँस जाता, हँसते तो लगता किसी ने कोरे लट्ठे का थान फाड़ दिया हो। उनकी चमचमाती मॉरिस गाड़ी सदा दर्पण-सी चमकती। स्वामी की ही भाँति चालक की भी वर्दी ठसकेदार रहती। एक बार अपनी उसी गाड़ी में बिठा वे हमें विलासपुर तहसील घुमाने ले गए। साथ में था कई मीनारों वाला नाश्तादान, बगुले के पंख से नैपकिन, ऐसी चमचमाती कटलरी कि मुँह देख लो। खाने बैठते तो हम सहमते रहते, कहीं काँटा ग़लत पकड़ बैठे तो ख़ैर नहीं। हम कनखियों से देख-देखकर उनका अनुकरण करते कि किस व्यंजन को हामिद भाई किस काँटे से कैसे खा रहे हैं।

और फिर, इन्हीं आँखों ने एक दिन उस प्रखर सूर्य का अवसान भी देख लिया। लखनऊ के बर्लिंग्टन होटल के उस दो नम्बर के कमरे में बन्द उसी शाहजहाँ को जब-जब देखती मन विचलित हो उठता। दीवारों का उखड़ा पलस्तर, रोशनदान में लटकी मकड़ी के जालों की झालरें, झूला सा बन गया पलंग, उस पर बेतरतीबी से बिछा ढाई गज़ी बेडकवर, और पूरे कमरे में एक मनहूस सीलन भरी घुटन। एक बार गई तो वे खाना खा रहे थे। रंग उड़ी तामचीनी की प्लेट पर धरी चमड़े-सी चपातियाँ, नन्ही चिलमचीनुमा कटोरियों में दाल, सालन-दाल अलग और पानी अलग!

मैं उनकी डायरी के वे अंश कुछ ही दिन पहले पढ़ चुकी थी : चाँदी के पायों के पलंग पर स्वयं नवाब साहब बैठे रहते। प्रत्येक निमंत्रित सदस्य का स्थान निर्धारित रहता। मेरे मामू जनरल को प्रथम स्थान मिलता। खाना चाँदी के ख़्वानों में (गोल थालों में) सजकर आता। पहले आते दो तरह के सालन, सीक कबाब, पुलाव, फिर मीठे चावल और फिरनी। कई आबदार एक क़तार में लाल कपड़े से मुँहबँधी चाँदी की सुराहियों को हाथ में लिये खड़े रहते। जितनी बार नवाब साहब पानी माँगते, उतनी ही बार मंत्री खड़े होकर एक नई सुराही की सील-मोहर तुड़वाते। हर बार नया घूँट नवाब के होंठों से लगता, उतनी ही बार हेड आबदार की आवाज़ गूँजती—बिस्मिल्ला हिर्रहमानिर्रहीम।

ऐसे शाही भोजों की स्मृति क्या सहज में भुला पाए थे हामिद भाई!

"खाओगी?" उन्होंने पूछा, फिर स्वयं ही एक लम्बी साँस लेकर बोले, "अल्लाह रहम कर, किस मुँह से कहें तुमसे बच्ची, कि ये चरी-भूसा खा लो!"

हर इतवार को वे मेरे यहाँ दोपहर का खाना खाने आते। पहाड़ में रहे थे, इसी से पहाड़ी खाना उन्हें बहुत पसन्द था। प्रायः ही फ़रमाइश करते, गर्म पानी वाला खाना बनाना—गर्म पूड़ी, पीले आलू और पीला रायता। धीरे-धीरे शरीर की शक्ति घटती गई, हृदय जीर्ण हो चला, घुटनों में पानी भर गया। पहले तो गिरते-पड़ते मेरे घर की सीढ़ियाँ चढ़ लेते थे, फिर रिक्शा से उतरना भी दूभर हो गया। इधर अनेक आघातों ने उन्हें तोड़कर रख दिया था। जिन भतीजों को नैनीताल के दामी स्कूलों में पढ़ाया था, उन सबके पंख उग आए और वे फुर्र उड़ गए। पिता की एक दुर्घटना में मृत्यु हो गई; वर्षों से उन्मादगृह में बन्दी छोटे भाई की मृत्यु हो गई। अचानक उन्हें लगने लगा, वे इतने बड़े संसार में एकदम अकेले रह गए हैं। सबने उन्हें भुनाया मात्र था; काम निकलते ही एक-एक ने अँगूठा दिखा दिया। मन की इसी कुंठा ने उन्हें अन्तिम दिनों में मनुष्यद्रोही बना दिया था। जितनी देर बैठे रहते, उतनी देर एक-एक को चुन-चुनकर गालियाँ देते रहते, "अलाँ हमें वलीमे में साथ नहीं ले गया—उसने हमारे ख़त का जवाब नहीं दिया—फ़लाँ चची लखनऊ आईं और हमसे मिले बिना चली गईं—हमारे भतीजे लिखते थे कि चचाजान, अब आप हमारे साथ रहिए, हम टिकट भेज रहे हैं। ये मुल्क बहिश्त है, आकर तो देखिए, सो तीन साल हो गए। टिकट आने ही में है। अमाँ क्या खाकर टिकट भेजेंगे? गुर्दा हो तब तो टिकट भेजें। बीवी फ़िरंगिन है। अजी ऐसे बीसियों टिकट तो हम अभी ख़रीदकर फाड़कर फेंक दें!"

रस्सी जल गई थी पर ऐंठ तो वैसी ही धरी थी। हो भी क्यों नहीं—उन्हीं की डायरी के पृष्ठ फिर खोलती हूँ :

जलालुद्दीन ख़ान और सादुल्ला ख़ान को 1857 के ग़दर के स्वतंत्र होने के अपराध में गोली से उड़ा दिया था। यही सादुल्ला ख़ान मेरे दादा थे। दादा को मृत्युदंड मिलने पर कुदसिया बेगम हमें लेकर रामपुर आ गईं।

रामपुर नवाब के यहाँ उनका मायका था। पर रामपुर के तत्कालीन नवाब यूसुफ़ ख़ान को 'फ़रज़न्दे दिल पजीर दौलते इंगलीशिया' की पदवी मिली थी। ब्रिटिश सरकार की उन पर बड़ी कृपा थी। फिर भला वे हमारे बाग़ी, खूँख़ार, रोहिल्ला पठान परिवार को शरण कैसे देते? कुदसिया बेगम बड़ी नीतिकुशल महिला थीं। मायके की बेरुख़ी उन्होंने भाँप ली और हमें लेकर मुरादाबाद आ गईं...

हामिद भाई की रगों में भी बाग़ी सादुल्ला ख़ान का रक्त अन्त तक दौड़ता रहा। मैं जानती थी कि हामिद भाई ने आजन्म कुँवारे रहने का व्रत क्यों धारण किया था। जिससे वे विवाह करना चाहते थे, उसने उन्हीं के शब्दों में उन्हें 'डिच' किया था। बराबर उन्हें यही उम्मीद दिलाती रही कि उन्हीं से विवाह करेगी। फिर सहसा किसी और की बेगम बन पाकिस्तान चली गई। हामिद भाई के अन्तिम दिनों में उस व्यर्थ प्रेम की स्मृति फाँस बनकर चुभने लगी थी। एक दिन, वर्षों बाद, बिना किसी सूचना के वह उनसे मिलने आ गई। उसे विदा कर वे सबसे पहले सीधे मेरे यहाँ ही आए थे, "बच्ची, आज वो आई थी!" उनके झुर्रियों भरे, धँसे गालों पर पल-भर को अबीरी लाली उभर आई।

"कौन?" मैंने पूछा।

"और कौन?" फिर हँसकर बोले,

जवानी जा चुकी लेकिन
ख़लिश दर्दे मोहब्बत की
जहाँ महसूस होती थी
वहीं महसूस होती है।

"वही—अब समझी!" पाकिस्तान से आई थी। मैं भला कैसे न समझती?

"आपने रोक क्यों नहीं लिया हामिद भाई? अब तो सुना उनके शौहर भी नहीं रहे।"

"बच्ची, जब हमारी आवाज़ में कड़क और दिल में धड़क थी, तब ही नहीं रोक पाए तो अब क्या ख़ाक रोक पाते! आवाज़ की कड़क तो देख रही हो। अब अपनी ही आवाज़ हम नहीं सुन पाते (इधर वे कुछ ऊँचा सुनने लगे थे) और दिल की धड़क हमने मंसूर के नाम कर दी है। (उन दिनों लखनऊ के प्रख्यात हृदय विशेषज्ञ डॉ. मंसूर उनका इलाज कर रहे थे, जिन्होंने उनके गरिष्ठ खानपान पर कड़ी पाबन्दी लगा दी थी।) तीन ही तो शौक़ थे हमारे, अच्छा खाना, अच्छा पीना और अच्छा पहनना।"

मैं उनके उन तीनों शौक़ों की साक्षिणी रह चुकी थी। पीना बहुत पहले छूट गया था, खाना मियाँ मंसूर ने छुड़वा दिया और पहनना हाथ की तंगी ने। कौन कह सकता था कि कभी दूल्हे से सज-सँवरकर निकलने वाले हामिद भाई यह वही हामिद भाई थे जिनके सूट फ़ेल्प्स से सिलकर आते थे, घंटे-भर को कहीं जाते तो चमड़े के बैग में पॉलिश की डिबिया और ब्रुश लिये सरकारी चोबेदार पीछे-पीछे भागता, दस क़दम भी चले और फटाफट जूता फिर दर्पण-सा चमका दिया जाता। बड़ी दूर से ही उनके आफ़्टर शेव की तीव्र सुगन्ध उनकी आगमनी की सूचना दे जाती। और अब? उधड़े-फटे मोज़े, न जाने किस ज़माने के जीर्ण दस्ताने जिनमें से पाँच में से तीन उँगलियों का अर्धांग बाहर निकला रहता। मैंने नए दस्ताने बुनकर दिये तो न जाने कहाँ डाल आए। विराट शरीर रिक्शे में ऐसे ठुँसा-फँसा रहता जैसे छोटे से होल्डॉल में पाँच-पाँच सेर रुई के गद्दे-लिहाफ़ अटे हों—न जाने कब पेटी टूट जाए! चिंदियों में लटका गुलूबन्द। अर्धशायी मुद्रा में सड़क से ही हाँक लगाते, "क्यों बच्ची, हो घर में?"

इधर एक वर्ष से वे रिक्शे से भी नहीं उतर पाते थे। मैं वहीं थाली परसकर ले जाती। कौर मुँह में ले जाने की भी शक्ति उनमें नहीं रही थी। मुझे बार-बार यही भय होता था कि कहीं मेरे दरवाज़े इन्हें कुछ हो गया तो मैं क्या करूँगी? उस पर कुछ विक्षिप्त से भी हो गए थे। जो वर्षों पहले जा चुके थे, उन्हें याद करते। मुझसे कहते, "जा, बुला ला उन्हें। त्रिभी कहाँ हैं? शुकदेव कहाँ हैं? हम इत्ती दूर से आए हैं और वे ज़नानी बने पर्दे में दुबके हैं!"

जब मैं कहती कि मेरे बड़े भाई और पति जिन्हें वे बुलाने को कह रहे हैं, वे तो कब के जा चुके हैं तो वे कहते, "कहाँ जा चुके हैं? तुम क्यों नहीं जा सकतीं उन्हें बुलाने?"

"काश, मैं जा सकती!"

"हम हुकुम दे रहे हैं!" उनका पठानी रक्त फिर रगों में दौड़ने लगता।

"वहाँ किसी का हुकुम नहीं चलता, हामिद भाई। 'फरज़न्दे दिल पजीर दौलते इंगलीशिया' का भी नहीं।" मुझे हँसी आ गई और वे बौखला गए।

"हँसती है! दाँत भीतर कर दूँगा। मैं कहता हूँ, बुला ला उन्हें!" वे गरजते और आसपास की खिड़कियों से प्रतिवेशियों के कौतूहली चेहरे झाँकने लगते। फिर आरम्भ होता उनकी गालियों का दौर। मेरे जी में आता, धरती फट जाए और मैं धँस जाऊँ—सब मुझे जानते हैं। इस उम्र में बीच चौराहे में बेबस खड़ी मैं साक्षात दुर्वासा बने हामिद भाई की नंगी गालियाँ झेलती रहती। यद्यपि स्वयं मेरे लिए वे गालियाँ उस पहुँचे पीर की गालियाँ थीं जो हमेशा दुआ बनकर दौलत बरसाती हैं, पर लोग तो नहीं जानते थे। कभी-कभी तो रिक्शा वाला भी खिन्न होकर कहता, "का कही बहू जी, सनक गए हैं साहबजादे। अब तो अल्ला मियाँ इन्हें बुला ले!"

वह उनका बड़ा पुराना रिक्शा वाला था। उन्हीं के शब्दों में—उनका फ्रेंड, फ़िलॉसफ़र, गाइड।

"अजी, हमारे साथ बहुत नेकी किये हैं। पच्चीस बार हमका 'पकीजा' दिखाइन, बहू अपने लग बाक्स में बिठाइत रहे। 'नखलऊ' की एक पिक्चर का कबहूँ छुट्टी इनसे!'

एक दिन के तीनों शो देखते थे हामिद भाई। फिर पिक्चर का मोह छूटा तो सैलानी फ़क़ीर बन गए। दिन-भर लखनऊ की अली-गलियों में इसी रिक्शा में

घूमते रहते—कभी महानगर, कभी निशातगंज, कभी नक्खास, कभी अमीनाबाद। लखनऊ के हर गली-कूचे में तो उनके परिचित थे। फिर धीरे-धीरे वहाँ से भी दुरदुराए जाने लगे। एक दिन मेरे पास आए तो मैं पूजा कर रही थी। उतरने में विलम्ब हुआ। मैं डर रही थी कि देखते ही बरस पड़ेंगे। पर उस दिन आग का दरिया जैसे बर्फ़ का हिमाला बन गया था। उनका उतरा चेहरा और डबडबाई आँखें देख स्वयं मेरा अपराधी अन्तःकरण मुझे धिक्कार उठा। एक दिन क्या पूजा संक्षिप्त नहीं कर सकती थी? कभी जिनकी कार का शब्द सुनते ही सीढ़ियाँ धड़धड़ाती, उनसे लिपटकर पूछती थी, "क्या लाए हैं, हामिद भाई? क्या लाए हैं हमारे लिए?" आज उसी बुज़ुर्ग को सड़क पर इतनी देर खड़ा रखा! "माफ़ कीजिएगा हामिद भाई, पूजा कर रही थी।" वे कुछ नहीं बोले।

मैं पास गई तो मेरा हाथ थामते ही बड़ी देर से रोका गया कंठ का गह्वर आँखों से फूट चला। मैंने उन्हें ऐसे बच्चों-सा सुबकते ततःपूर्व कभी नहीं देखा था। लगता था, कहीं गहरी चोट खाई है। "ख़ैरियत तो है, क्या हुआ हामिद भाई?" "क्या कहें बच्ची, एक तुम्हारा और एक चची का घर ही तो बचा था हमारे लिए। आज वहाँ से भी दुरदुरा दिये गए, चची ने साफ़ कह दिया—हामिद, अब ऐसी हालत में तुम हमारे यहाँ मत आया करो।"

उनकी एक प्रिय चचेरी बहन कुछ दिन पहले ही लिख चुकी थी, "अब तुम अलीगढ़ मत आना हामिद। कहीं ट्रेन में ही कुछ हो गया तो? यहाँ आ भी गए तो अब हम तुम्हारी देखभाल नहीं कर पाएँगी। तुम जानते ही हो, हमें अपने मरीज़ों से ही फ़ुर्सत नहीं मिलती। एक और मरीज़ की देखभाल करना अब हमारे लिए नामुमकिन है।"

"लीजिए, यानी कि अपनी बहन के लिए हम एक और मरीज़ बन गए!" पर आहत होने पर भी वे अपनी विनोदप्रिय छौंक लगाना नहीं भूले :

दीवार क्या गिरी मेरे कच्चे मकान की,
लोगों ने मेरे सहन में रस्ते बना लिये!

पाकिस्तान के विदेशमंत्री साहबज़ादा याक़ूब ख़ान उनके सगे चचेरे भाई

थे। एक दिन मैंने कहा, "कितनी शक्ल मिलती है आपसे, कल टेलीविज़न पर देखा था?"

"शक्ल ही तो मिलती है बच्ची, क़िस्मत तो नहीं मिलती।"

मैं जब भी लखनऊ से बाहर जाती, वे उदास हो जाते, "तुम जाती हो तो हमें लगता है हम एकदम अकेले हो गए हैं, कहीं कुछ हो गया तो कौन पहुँचाएगा हमें क़ब्र तक?"

"हामिद भाई," मैंने हँसकर उन्हें छेड़ दिया था, "मैं तो वैसे भी चिता तक ही पहुँचा सकती हूँ। आप भूल जाते हैं कि मैं हिन्दू, आप मुसलमान।"

उन्होंने लाहौल पढ़कर मुझे फटकार दिया था, "फिर वही बेहूदी बात! न तुम हिन्दू न हम मुसलमान, न तुम्हारे मन्दिर न हमारी मस्जिद। बस यह याद रखना बच्ची, तुम हमारी बहन हो, हम तुम्हारे भाई। यही एक रिश्ता है हमारा और हमेशा रहेगा।"

उस रिश्ते को तो उन्होंने मरते दम तक निभाया। मेरी हर बेटी की शादी पर आए। मेरे हर दामाद ने उनके पैर छुए। मेरे बेटे ने सगे भानजे का रिश्ता निभाया। बहू तो बहू, बहू की माँ भी जब उनके लिए लैब ऊन का दामी स्वेटर भेजना नहीं भूलीं, तो उनकी आँखें अकपट अश्रुजल से छलक उठीं।

फिर इसी मार्च में जब मुझसे मिलने आए तो देखा कि उनके दोनों पैर बुरी तरह सूजे थे। बहकी-बहकी बातों में कहीं कोई तुक नहीं था। फिर भी बीच-बीच में अतीत की स्मृतियाँ जैसे चाबुक लगाकर उन्हें सचेत कर रही थीं, "बच्ची, अब हमारी यह आख़िरी मुलाक़ात है। अब हम तुम्हें कभी नहीं देखेंगे।"

फिर मेरा हाथ अपनी सूजी उँगलियों में थाम उन्होंने माथे से लगाया। शब्द मेरे कंठ में सटे जा रहे थे। फिर भी स्वर को संयत कर कहा, "कैसी बातें करते हैं आप! देख लीजिएगा, ईदी लेने ठीक वक़्त पर ही पहुँच जाऊँगी।"

पर कहाँ पहुँच पाई मैं!

कभी उन्होंने कहा था, "कभी मौत से मत डरना। हमें देख, दोनों पैर कब से क़ब्र में लटकाए बैठे हैं। अल्लाह मियाँ ने पुकारा और हम उतर पड़े क़ब्र में। याद रख, बुज़दिलों को ही मौत तड़पा-तड़पाकर मारती है—चूहा बिल्ली से डरता है, तभी तो बिल्ली उसे पटक-पटककर मारती है। जो मौत से नहीं डरते, मौत उन्हें कन्धे पर बिठाकर ले जाती है।"

सच, मौत उन्हें कन्धे पर बिठाकर ही ले गई। लखनऊ के न जाने किस कूचे की दो गज़ी ज़मीन में मेरा वह भाई चैन की नींद सो रहा है। किसी-न-किसी दिन तो वह जगह ढूँढ़ ही लूँगी और यह भी जानती हूँ कि उस फ़रिश्ते की क़ब्र से सदा यही आवाज़ गूँजेगी—न तुम हिन्दू न हम मुसलमान, न तुम्हारे मन्दिर न हमारी मस्जिद। बस, यह याद रखना बच्ची, कि तुम हमारी बहन और हम तुम्हारे भाई—एक यही रिश्ता है हमारा और हमेशा रहेगा!

रामरती

यदि एक बात से दिद्दी को सख़्त नफ़रत थी तो वह थी किसी से मदद लेना या किसी के सामने हाथ फैलाना। चाहे वो अपनी ही सन्तान हो या कोई और, किसी के एहसान से दब जाना उसे क़तई नामंजूर था। यही कारण था कि जैसे-जैसे उसकी उम्र होती चली गई और वो अशक्त बनती गई, दिद्दी का अकेलापन भी बढ़ता चला गया। इस लिहाज़ में वो आमा की असली उत्तराधिकारी निकली, क्योंकि उन्हीं की तरह, वो अपने घर से हिलने को तैयार न होती थी। इसकी वजह यह न थी कि उसे हमारे साथ अपने बचे दिन बिताने से कोई घृणा थी पर ये कि वो अपनी बीमारी और बुढ़ापे का बोझ किसी पर नहीं थोपना चाहती थी। उसके जीवन ने यदि उसे एक सबक़ अच्छी तरह रटा दिया था तो वो था कि कभी किसी की मदद पर आश्रित न रहो। जब तक हाथ-पैर चलते रहें, अकेले रहो। टैगोर का 'ऐकला चौलो रे' का पाठ लगता था उसने अपने जीवन का मंत्र मान लिया था। उसे हमारे जीवन के कई तरीक़े मान्य नहीं थे और उसे ये भी पता था कि हम उसके कहने पर अपनी ज़िन्दगी को नहीं बदलेंगे, इसलिए उसने ये निश्चय कर लिया कि बाद में अफ़सोस करने से इस बात को मान लो कि एक हद के बाद अपनी सन्तान भी अपनी नहीं रह जाती। इस तरह अपने अन्तिम दिनों में

दिद्दी, आमा की तरह, अपने ही घर में स्वत: क़ैद हो गई। आमा की सेवा तारा दीदी ने की थी, दिद्दी की सेवा उसकी प्रिय नौकरानी रामरती ने की।

नौकरों की भूमिका दिद्दी के जीवन में बहुत अहम रही। आमा के घर की ही तरह, दिद्दी का घर भी नौकरों के हाथों चलता था और उन्हें गृहस्थी का कोई पाठ कभी न सिखाया गया। उन्हें नियुक्त करते समय, आमा की ही तरह, ये देखा जाता था कि उनका मानसिक स्तर कैसा है। आमा और दिद्दी के नौकरों में ये नहीं देखा जाता था कि क्या उन्हें खाना बनाना या चाय पेश करना आता है कि नहीं, बल्कि ये कि क्या वे हाज़िरजवाब हैं कि नहीं? खाना और चाय तो कोई भी बना लेता है, नहले पर दहला डालना कितनों को आता है? बचपन में हमारे घर के लगभग सभी नौकर आमा के घर से आते थे और क्योंकि उनसे हमारा पुश्तों का सम्बन्ध था, हम उनकी उतनी ही इज़्ज़त करते थे जितनी घर के किसी बुज़ुर्ग की। जब वे रिटायर हो जाते या मर जाते, तो उनके बच्चे उनकी जगह सँभाल लेते थे। लोहनी जी का एक बेटा ख़याली, जयंती जेड़जा के साथ सालों तक रहा और उसका बेटा, भुवन, त्रिभी मामा के घर में पला और उसने उनकी बेटी व मेरे साथ-साथ बी. ए. पास किया था। आज वो पुलिस में नौकरी करता है और त्रिभी मामा के परिवार से निरन्तर सम्पर्क रखता है।

दिद्दी का रामरती से कैसा सम्बन्ध था इसका अन्दाज़ा आगामी लेख से आपको स्वयं पता चल जाएगा, लेकिन उसके बच्चे तक दिद्दी को कितना प्यार करते थे इसका पता हम सबको अच्छी तरह मालूम है। अपनी माँ के निधन के बाद रामरती की बेटी किरण, जिसकी शादी दिद्दी ने की थी, वापस गुलिस्ताँ लौट आई और उसका परिवार दिद्दी के साथ रहने लगा। वे उसके साथ खाते-सोते, किरण के बच्चे दिद्दी को नानी बुलाते थे और हमको मौसी। दिद्दी के मरने के पहले किरण अपने बच्चों को अकेला छोड़कर दिल्ली आकर अस्पताल में पहरा देने पहुँच गई थी। जब दिद्दी के पार्थिव शरीर को लिटाया गया, वो उसका सिर अपनी गोद में रखकर घंटों बैठी रही। अगले दिन सब अख़बारों में उसकी ही तसवीर छपी थी। उस दिन बहुत सारे

पत्रकार आते रहे, और एक फ़ोटोग्राफ़र उलटा-सीधा होकर दिद्दी के शरीर की तसवीर खींचने में इतना नाटक कर रहा था कि हम सबको बहुत ग़ुस्सा आया। लेकिन कुछ कहना अभद्र लगेगा सोचकर हम सब चुप थे। तब किरण मुझसे बोली, "जब नागर जी मरे थे, हम दिद्दी के साथ उहाँ गए थे। एक ससुर ऐसा ही आदमी तसवीर लेने कुर्सी पे चढ़ा और नागर जी की मिट्टी पे गिर पड़ा। तो दिद्दी ने उससे ज़ोर से कहा था, "क्यों भाई, नागर जी के साथ ऊपर जाने का इरादा है क्या? तुम ठहरो, हम इस ससुर को ठीक करते हैं।" ये कहकर वो उठी, उसके पास जाकर बोली, "अब आप जाइए।" बेचारा खिसियाकर चला गया।

दिद्दी और रामरती ने गुलिस्ताँ कॉलोनी में एक अनोखा संसार बसाया। वहाँ न किसी दरवाज़े पर ताला लगता था न किसी नौकर के आने-जाने पर किसी तरह की रोक-टोक थी। नौकर और मालकिन में कोई भेद न था। पहले आई रामरती और उसके पीछे आया उसका पूरा परिवार। शादी होने के बाद भी रामरती की बेटियाँ दिद्दी का घर अपना मायका मानती थीं और हर तीज-त्योहार पर अपने बच्चों समेत मिलने आतीं। उनके घरों की ख़बर सुनने में दिद्दी को गहरी दिलचस्पी थी और उनको सलाह-सांत्वना देना दिद्दी को बेहद पसन्द। मसलन, रामरती की एक बेटी, प्रेमा का पति पीकर उसे पीटता था। रोज़ उसकी हालत देखकर दिद्दी ने प्रेमा से कहा, "तू क्यों नहीं जड़ देती उसे एक-दो?" दिद्दी के ही प्रोत्साहन से प्रेमा ने दाई का कोर्स किया और जब वो अपनी आमदनी से अपने को पालने लगी, दिद्दी ने उसे ख़ूब शाबाशी दी। प्रेमा से दिद्दी कहती थी, "यहाँ तो शेर-सी गरजती है, वहाँ जाकर चुहिया कैसे बन गई?" दिद्दी का एक और वफ़ादार सेवक था उसका पुराना धोबी, मिसरीलाल। दुबला-पतला मिसरीलाल ख़ाकी रंग की हाफ पैंट पहने कोसों दूर से साइकिल चलाकर हर हफ़्ते दिद्दी की जुगान देने आता था। यही नहीं, वो स्वयं कपड़े निकालता, उनको पुराने हिसाब से मिलाता और नई जुगान लिखकर जाता। बिस्तरों की चादरें और तकियों के लिहाफ़ भी बदलता, साफ़ पलंगपोश बिछाना उसी का काम बन गया। मेरे

बेटे का कहना है कि वो असल में कपड़े धोने नहीं नानी के साथ दिन बिताने आता था। आकर वो सीधे चौके पहुँचता जहाँ रामरती उसे चाय-पानी-नाश्ता देती, फिर वो एकाध घंटे पिछले बरामदे में सुस्ता के दिद्दी के पास पहुँचता। मिसरीलाल का इकलौता बेटा कई साल पहले बम्बई भाग गया था और उसकी बहू मिसरीलाल को बहुत दुख पहुँचाती थी। मिसरीलाल के परिवार का हाल सुनने में दिद्दी को गहरी दिलचस्पी थी और एक टीवी सीरियल की तरह हर हफ़्ते उसके एक नए एपीसोड के खुलासे से दिद्दी को बहुत कुछ मिलता था। अपनी दुखभरी कहानी दिद्दी को सुना, अपना दिल हल्का कर, कुछ पैसे लेकर मिसरीलाल वापस चला जाता था।

फिर अचानक, मिसरीलाल ग़ायब हो गया और बहुत पता लगाने पर भी उसकी कोई ख़बर दिद्दी नहीं लगा पाई। दिद्दी के घर में धोबी का अभाव साफ़ दिखाई देता था और एक बार जब मैं लखनऊ गई तो घर की चादरों का हाल देखकर मैंने दिद्दी से कहा कि वो कोई और धोबी क्यों नहीं रख लेती?

"लखनऊ में अब धोबी कहाँ रहे?" दिद्दी ने एक लम्बी साँस भर के कहा।

"कैसी बात करती हो?" मैंने उत्तर दिया, "यहाँ कॉलोनी में ही पाँच-छह होंगे।"

"जी नहीं," दिद्दी ने मुस्करा के जवाब दिया, "अब वे सब मंत्री बन गए हैं!"

ये बात उस समय की है जब बहन मायावती ने लखनऊ में अपने पहले मंत्रिमंडल का गठन किया था। दिद्दी को ऐसी टिप्पणी कसने से कोई डर न था जिसे अन्य लोग इस डर से न करते थे कि इससे कोई राजनैतिक विवाद न खड़ा हो जाए। ऐसे ही एक बार कोई सज्जन दिद्दी से डॉ. आंबेडकर की मूर्ति का अनावरण करने का अनुरोध लेकर आए। आप सबको याद होगा कि आंबेडकर की हर मूर्ति में उनकी पैंट को न जाने उनके टखनों तक ही क्यों पहनाया जाता है। "देखिए," दिद्दी ने बहुत विनम्रता से अपने को इस स्थिति से निकालते समय कहा, "मैं अब बहुत बीमार रहती हूँ, डॉक्टरों ने मुझे ज़्यादा बाहर जाने से मना किया है। पर मुझसे आप कुछ पैसे लेकर

आंबेडकर जी की मूर्ति को ढंग की पैंट अवश्य पहना दीजिएगा!"

लेकिन अपने निजी जीवन में दिद्दी के बराबर धर्मनिरपेक्ष कम ही लोग होते होंगे। उसमें जात-पाँत का भेदभाव बिलकुल न था। उसकी पुरानी मेहतरानी, बहुरिया और उसका पति मोहन, दिद्दी को बहुत प्रिय थे। जब भी वो कहीं से लौटती, सबसे चटख़ साड़ी और चूड़ियाँ वो बहुरिया को देती। सालों पहले दिद्दी ने बहुरिया को रेलवे में नौकरी दिलवा दी थी लेकिन रोज़ सुबह बहुरिया दिद्दी से मिले बिना अपनी 'डूटी' पर न जाती। दिद्दी उसे अपने साथ बैठा कर चाय पिलवाती और अख़बार की सनसनीखेज़ ख़बरें सुनाती। फिर थी बूढ़ो, जो दिद्दी की मालिश करने आया करती थी। हम लोग दिद्दी को चिढ़ाते थे कि दिद्दी को उस बेचारी बुढ़िया की मालिश करनी चाहिए। बूढ़ो विधवा थी और उसके कोई बच्चे न थे, कहीं से वो दिद्दी के दरबार में पहुँच गई और दिन-भर वहीं रहती थी। रात सिर्फ़ सोने अपनी झुग्गी में जाती। दिद्दी ने उससे वादा किया था कि उसे मान-सम्मान से घाट तक पहुँचाएगी इसलिए जब बूढ़ो मरी तो उसके अन्तिम संस्कार का सारा ख़र्चा दिद्दी ने ही दिया। यही नहीं, जब उसका जनाज़ा उसकी इच्छानुसार दिद्दी के घर के सामने से गुज़रा, तो दिद्दी ने ऊपर से उस पर गुलाब की पंखुड़ियाँ बरसाई। ये दृश्य कुछ वैसा ही था जब राजकुमारी डायना के जनाज़े को देखकर महारानी एलिज़ाबेथ ने अपना सिर झुकाकर बकिंघम पैलेस के सामने अपनी श्रद्धांजलि अर्पित की थी। हम सब मज़ाक़ में कहते थे कि भारत सरकार की तरह, दिद्दी अपने सेवकों की अन्तिम साँस तक देखरेख करती है। बाद-बाद में, जब भी उसे कोई पुरस्कार मिलता वो फ़ौरन उसे मदर टेरेसा को दान कर देती थी।

अपने सब सेवकों में रामरती दिद्दी को सबसे प्रिय थी। उसके निधन के बाद, दिद्दी ने उसकी बेटी किरण को अपनी दत्तक पुत्री बना लिया और किरण ने भी उसकी सेवा किसी सगी बेटी की तरह ही की। आज तक, मजाल है कि हममें से किसी का जन्मदिन या शादी की सालगिरह किरण भूल जाए या मिकी को रक्षाबन्धन और भाई दूज का टीका न भेजे। रामरती

को सबसे ज़्यादा कोई याद करता था तो वो था उसका 'फलाने'—फेंकू। रामरती के बाद, उसी की ही तरह वो दिद्दी की परछाईं बनकर दिद्दी के पीछे-पीछे घूमता था। रोज़ शाम को वो हाँफता हुआ सीढ़ियाँ चढ़, दिद्दी के कमरे में एक गठरी की तरह बैठा रहता। दमा ने उसका शरीर खोखला बना दिया था लेकिन हम जैसे ही गुलिस्ताँ पहुँचते फेंकू हमारे लिए ग़ज़ब की बिरयानी-कोरमा बनाता। कुछ साल पहले दिद्दी ने उसका पीना छुड़वा दिया था और अब उसका व्यक्तित्व कुछ और ही बन गया था। हमेशा खोया हुआ सा लगता और किसी अन्य दुनिया में रहता। एक साल, जुलाई के महीने में, जब दिद्दी मेरे पास दिल्ली अपनी आँख में मोतियाबिन्द का ऑपरेशन कराने आई थी, किरण का अचानक फ़ोन आया कि फेंकू की हालत बहुत ख़राब हो गई थी और उसे अस्पताल में भर्ती कर दिया गया है। उसने एक ही रट लगाई थी कि दिद्दी को यहाँ बुला दो। दिद्दी ने आव देखा न ताव, फ़ौरन अपना बोरिया-बिस्तर बाँधकर लखनऊ जाने को तैयार हो गई। मृणाल और मैंने कितना समझाने की कोशिश की कि उसे अभी सफ़र नहीं करना चाहिए, आँख में कुछ हो सकता है, लेकिन उसने किसी की एक न मानी। लखनऊ पहुँचते ही वो सीधे अस्पताल गई चाहे भीषण बारिश हो रही थी और उसे अस्पताल रिक्शे में जाना था।

वहाँ पहुँचकर फेंकू से दिद्दी ने कहा, "फ़िकर न करो, फेंकू, मैं आ गई हूँ तुम्हें अब कुछ न होगा।" फेंकू का मुँह ऑक्सीजन मास्क से बँधा था, बोल नहीं पाया लेकिन उसने हाथ उठाकर दिद्दी का अभिनन्दन कर अपने बच्चों की ओर इशारा किया मानो कह रहा हो कि मैं इन्हें आपके हवाले छोड़े जा रहा हूँ। दिद्दी घर लौटी ही थी कि अस्पताल से फ़ोन आया कि फेंकू ने दम तोड़ दिया। "लगता था जैसे वो मेरे लिए ही रुका था," दिद्दी ने मुझसे बहुत उदास आवाज़ में कहा, "अब मेरे लिए लखनऊ में कोई नहीं रह गया है।"

एक थी रामरती

'एक था राजा' कहें या 'घनदर्प-कन्दर्प-सौन्दर्य हृद्यनिरवद्य भूपो वभूव,' अर्थ एक ही होगा, किन्तु जो सहजता 'एक था राजा' में है, वह दूसरी छन्दोमयी भाषा के शब्दजाल में नहीं, इसी से लिख रही हूँ, 'एक थी रामरती'—यद्यपि उस नाम के साथ भूतकाल का प्रयोग करने में मुझे वैसा ही कष्ट हो रहा है जैसा किसी प्रियजन को तिलांजलि देने में, उसके नाम के आगे 'प्रेत' शब्द जोड़ने में होता है।

गुरुवर द्विवेदी जी ने अपने एक भाषण में कभी बड़ी महत्त्वपूर्ण बात कही थी, "आपके इर्द-गिर्द जो जनता है, वह बहुत बड़ी चीज़ है। उसकी परम्परा महान है, उसी को आप अपने अध्ययन का प्रधान विषय बनाएँ। आपको इसी जनता के निकट सम्पर्क में रहकर कार्य करना है। आसपास की जनता की भाषा, विचार, जाति-पाँति, रहन-सहन, धर्म-कर्म सब कुछ के विषय में ज्ञान-संग्रह करने का प्रयत्न कीजिए, पुस्तकालय और संग्रहालय को अपने कार्य का अत्यन्त आवश्यक अंग तो समझिए ही, किन्तु जनता को प्रबुद्ध बनाना आपका काम है। उसे इस योग्य बनाएँ कि वह अपने अतीत को समझ सके, वर्तमान को देख सके और भविष्य को बना सके। अर्थात जनता से ही सीखें, उसी को सिखाएँ।"

इसमें कोई सन्देह नहीं कि असंख्य वाचनालय हमें मानवता का वह पाठ पढ़ाने में सक्षम नहीं हो सकते, जो पाठ हमें हमारे पास ही जनता अनायास ही पढ़ा जाती है। अपने दीर्घ जीवन के अनेकानेक रहस्यमय कोष्ठ-प्रकोष्ठों की परिक्रमाएँ मुझे कभी ऐसी ही अनूठी अभिज्ञताएँ थमा गई हैं। जीवन में अनेक उदार कृति गुरुजनों की शिक्षा प्राप्त करने का सौभाग्य प्राप्त हुआ, किन्तु कभी-कभी लगता है, जीवन के जो अनुभूत मृत्युंजयी टोटके अपढ़ या सामान्य शिक्षित जनता ने थमाए, जीवन की दुरूह पगडंडियों को पराजित करने की क्षमता उन्हीं से प्राप्त की। आज, जब एक ऐसी ही अपढ़, सरल, विलक्षण सद्य:दिवंगता सेविका को, कृतज्ञ करपुट श्रद्धा-सुमन अर्पित करने तत्पर होते

हैं तो एक पल को वह आनन्दी हँसमुख चेहरा, कंठ वाष्प स्तम्भित कर देता है। दुबली-पतली देह, वज़न कुल 29 किलो, जिसे यत्न से सींचने पर भी कभी वज़न तौलने की मशीन की सूई मैं रंचमात्र भी आगे नहीं खिसका पाई किन्तु प्राणशक्ति उतनी ही वज़नदार। कभी-कभी आश्चर्य होता था कि उस मुट्ठी-भर देह में इतनी शक्ति आती कहाँ से है! उसके प्रेममय सहज हृदय की सरलता देखकर सहसा विश्वास नहीं होता था कि इस कुटिल युग में भी किसी का हृदय इतना निष्कपट, ऐसा निष्कलुष और नि:स्वार्थ हो सकता है।

समझ में नहीं आता कहाँ से आरम्भ करूँ, पर इतना अवश्य समझ रही हूँ कि एकदम सतर, सीधी, सरल रेखा खींचना कितना कठिन होता है! न वह उच्च कुल में जन्मी, न शिक्षा ही प्राप्त की, न आभिजात्य, न अहंकार, इस स्मृति-चित्र को आँकने में न कल्पना का ही सहारा ले सकती हूँ, न छन्दोमयी भाषा का। बाईस वर्ष पूर्व मैंने उसकी नियुक्ति की तो मेरे पति ने घोर आपत्ति की थी, "इतने काम करने वाले तो हैं! फिर यह कई घरों में काम करती है, दस घरों की जूठन यहाँ फैलाएगी, हमारे यहाँ अपनी कोई प्राइवेसी नहीं रह जाएगी।"

"वह ऐसी नहीं लगती," मैंने दृढ़ स्वर में कहा। और उसी दिन से उसने हमारे गृह की सेविका का भार सँभाल लिया। वर्षों पश्चात, जब मेरे पति मृत्युशय्या पर पड़े थे, तो उन्होंने कहा था, "तुमने इसे ठीक ही पहचाना था। यह हमेशा तुम्हारा सहारा बनेगी।" यद्यपि उस दिन पति का वह समर्थन मुझे मन-ही-मन विषण्ण कर गया था। उनके नैराश्यपूर्ण स्वर में अब मेरा सहारा न बने रहने का स्पष्ट संकेत था। उनकी मृत्यु के पश्चात सचमुच ही उसने मेरी लड़खड़ाती गृहस्थी का सम्पूर्ण भार अपने दुर्बल कन्धों पर साध लिया। विछोह के प्रारम्भिक क्षणों में शायद विवेकशीलता एवं धैर्य के आयुध विधाता बड़ी हृदयहीनता से छीन लेता है। यह जानकर भी कि उस आघात को मुझे अकेले ही झेलना होगा, वह भी अडिग साहस से, मैं प्रतिपल हताश होकर धैर्यच्युत हुई जा रही थी। पति की ईमानदारी ने लक्ष्मी को बहुत पहले ही स्पष्ट कर दिया था, न कोई संचित धनराशि थी, न किसी जीवन बीमे

के तिनके का सहारा। लिखने की चेष्टा करती तो लेखनी अड़ियल-अबाध्य अश्व बनी हिनहिनाकर दोनों पैरों पर खड़ी हो जाती। "नहिं विद्या नहिं बाहुबल नहिं खर्चन को दाम" वाली स्थिति मुझे किंकर्तव्यविमूढ़ बना रही थी। इसी से मैंने उससे कहा, "रामरती, अब तुम्हें नहीं रख पाऊँगी। तुम कोई और घर देख लो।" तब तक उसका पूरा परिवार मुझ पर ही निर्भर था। अचानक उसके पति की नौकरी चली गई थी। तीन-तीन बेटियाँ थीं, उसे तो अपना पेट पालना ही होगा। "ल्यो, अउर सुनो!" वह सींकिया देह को सतरकर खड़ी हो गई थी, "कहती हैं अउर घर देख लो! हम का तोहका अइसन घड़ी में छोड़ देई? हम का नमकहराम बिलार हैं दीदी, जो मालिक घरै दूध न मिली, तो अंतै चली जाई?"

और वह नहीं गई, पर मेरे लाख कहने पर भी उसने तब तक वेतन नहीं लिया जब तक मुझे अपने पति का फ़ंड, पेंशन राशि नहीं मिली। मेरी मझली पुत्री विदेश में थी, छोटी ससुराल में, छोटा पुत्र पढ़ रहा था। बड़ी पुत्री तीन महीने मेरे साथ रही, फिर उसे विदेश जाना पड़ा। जिस दिन वह गई, उसी रात को रामरती अपनी गुदड़ी-कथरी सर पर धरे, रात को सहसा मेरे कमरे में हँसती खड़ी हो गई, "महतारी, ल्यो, हम आइ गईन!" फिर मजाल थी जो अर्धरात्रि के किसी दुर्वह क्षण में उससे छिपाकर मैं एक सिसकी तो कंठ में घुटक लूँ! मेरा निःशब्द रुदन भी उसके चौकन्ने कानों तक पहुँच जाता। वह तत्काल उठकर कठोर प्रहरी-सी मेरे सिरहाने खड़ी हो जाती, "आँखिन का फोर डरियो का? देखो दीदी, तोहार रोये-धोये से अब साहेब लौटिहैं का?"

मुझे खिलाने-पिलाने में वह फिर स्नेहशील जननी बनी। मेरे एक-एक गस्से का हिसाब रखती—रोटी क्यों छोड़ दी...? दूध क्यों नहीं पिया?

उस आघात के पश्चात, उसी ने मुझे काग़ज़-क़लम थमा एक दिन ज़बरदस्ती

लिखने बिठा दिया था, "थामो, लिख डारो तनी, जान्यो दीदी, जब हमार कड़ियल जवान मामा गवा रहा, हमार नानी रात-भर चकिया पीसत रही। हम उठिन कि तनी नानी का हाथ बँटा दें, मार घुड़क दिहिन हमका, कहिन, 'जा भाग जा, सो जा रतिया, हम का चकिया पीसत हैं?' हम तो अपना दुख भुलाय रहिन!"

जीवन में पहली बार, अपने उस लेख को बिना दूसरी बार देखे मैंने ज्यों-का-त्यों 'नवनीत' में भेज दिया था—'बांधीश ने आर मायार डोरे,' और जब सैकड़ों प्रशंसकों-पाठकों ने मुझे उस लेख के लिए बधाई के पत्र लिखे तो लगा, कैसी सवा लाख की सीख दी थी उस अनपढ़ नारी ने! लेखनी की चकिया पीस न केवल मेरे दुख की गठरी हल्की हुई, मुझ जैसे अनेक विधुर आहत हृदयों का भी दुख हल्का हुआ था।

कभी-कभी उसकी दार्शनिकता देख अवाक् रह जाती। एक दिन मैंने कहा, "रामरती, इस जीवन में तो मैंने किसी का बुरा नहीं किया, फिर भगवान ने मुझे यह दंड क्यों दिया?"

वह एक क्षण को निर्वाक् मूर्तिवत बैठी रही, फिर बोली, "हम का इसी जिनगी का किया भोगत हैं दीदी? अरे, पिछले जनम का हिसाब भी तो चुकता किये का परीं! अब तुम जो दिन-रात तम्बाकू खात हो, तोहार बिटिया-बिटवा कहत हैं—रामरती, दीदी का तम्बाकू छुड़ाय दे, डिबिया छिपा दिया कर, कैंसर होत है—हम का छिपा सकिन हैं आज तलक? आपहु हमें दिन-रात डाँटत हैं कि बीड़ी मत पी, कलेजा मत फूँक, सो हम का छोड़ सकिन हैं? अरे, ई सब उई जनम केर अमल हैं, सब हमार करनी का अमल। रोग, जर-जमीन केस-मुकद्दमा, फाँसी, जेल, अमल सब सूद हैं सूद—उह जनम में लिये रहे, इहु जनम में चुकाय रहिन हैं। बड़ा जालिम सूदखोर महाजन है भगवान, जान्यो दीदी! जब तक एक-एक धेला न वसूली, छोड़िहै नांही।"

मैं आश्चर्यचकित हो उसकी बातें सुन-सोच रही थी—न इसने कभी कोई धर्मग्रंथ पढ़े, न मनीषियों की पंक्तियाँ ही सुनीं, किन्तु फिर भी उनके मनन-चिन्तन से उसकी सरल विचारधारा का यह कैसा अद्भुत साम्य था!

रोगं शोकं परितापं
बंधनं व्यसनानि च
आत्मापराध वृक्षस्य
फलानेतानि देहिनाम्।

रोग, शोक, परिताप, बन्धन, व्यसन सब हमारे ही अपराध वृक्ष के फल हैं—चाहे इस जन्म के हों या उस जन्म के।

घाघ, भड्डरी सदा उसके जिह्वाग्र पर रहते। मैं कहीं जाने को होती और घटाटोप मेघान्धकार देख छतरी लेने लगती तो वह कहती, "का करिहो छतरी, जाओ, बेहिचक जाओ, बरसिहै नांही, कारी बदरी है—कारी बदरी जिया डरावै...भूरी बदरी जल बरसावै।" उसके मौसम विभाग की सूचना कभी ग़लत नहीं निकलती। मैं नित्य करेला खाती थी, पर मजाल है कुआर में यह धृष्ट फ़रमाइश कर सकूँ, "नाहीं, हम न देव। जानती हो—'कुआर करेला, कातिक दही...मरिहैं ना तो परिहैं सही'।"

कुआर में करेला खा लिया तो मरूँ भले ही नहीं, बीमार अवश्य पड़ जाऊँगी!

आज मुझे असंख्य सीखों के कवच से सेंतनेवाला कोई नहीं है। मैं चिलचिलाती धूप में लौटती तो वह मेरे प्रत्यावर्तन का समय सूँघ, अपने दक्ष हाथों से मँजा, दर्पण-सा शीतल जल पूरित काँसे का लोटा लिये खड़ी रहती, "लेउ, पहिले ठंडाय लो।" प्राय: ही गर्मी में लखनऊ की बिजली किसी दग़ाबाज़ मित्र-सी चली जाती। किन्तु सिर के ऊपर फरफराता बिजली का पंखा अचल होने पर आँखें खुलतीं तो देखती, विजना डुलाती सींक-सी दुबली कलाइयाँ निरन्तर सचल हैं। मेरे लाख मना करने पर भी वह मेरे सिरहाने बैठी तब तक पंखा झलती रहती जब तक बिजली न आ जाए!

जब मैं दिल्ली से पद्मश्री लेकर लौटी तो वह द्वार पर बेले-गुलाब का हार लिये स्वागत के लिए खड़ी थी। अपनी संचित सीमित धनराशि से उसने हार ही नहीं मँगवाया था, लड्डू भरी प्लेट से एक लड्डू मेरे मुँह में धरा तो मेरी आँखें भर आई थीं। जहाँ मेरी साहित्यिक बिरादरी से इक्के-दुक्के ही

ने मुझे बधाई दी थी, वहीं उस अनपढ़ सरला सेविका का उल्लास सँभाले नहीं सँभल रहा था। फिर कुछ ही दिनों बाद अचानक मेरे दाहिने हाथ में असह्य दर्द उपजा। क़लम भी नहीं पकड़ पा रही थी। उधर 'धर्मयुग' से दो तार आ चुके थे कि मैं दीवाली अंक के लिए अविलम्ब ताज़ा कहानी भेजूँ। "रामरती, लगता है अब कभी नहीं लिख पाऊँगी।" मैंने कहा तो वह तुनककर बोली, "न लिखें तोहार दुश्मन! अरे, हम जानित हैं का हुआ, नजरिया गया है हाथ, ई जौन पदमसिरी पाए हो, सब जल-भुन गए हैं, अतवार को हम नजर उतारीं।"

उस इतवार को जब मेरे कमरे में कुछ शालीन अतिथि बैठे थे, "ए दीदी, सुनो तनीं," कह उसने मुझे इशारे से बुलाया। देखती क्या हूँ कि एक हाथ में लोहे के कलछुल में दहकते अंगारे लिये, दूसरी मुट्ठी में मिर्च, चून, भूसी बाँधे रामरती खड़ी है, "बोल्यो नांही, हम नजर उतारब।" उसने सात बार मेरे घायल हाथ की परिक्रमा कर मुट्ठी में बँधी मिर्चें अंगारों में झोंक दी। भयानक खखार उठी कि मेरे अतिथि खाँसते-खाँसते बेदम हो गए, "लगता है, आग में मिर्चें चली गईं" एक ने कहा।

मैं किस मुँह से कहती कि मेरे नजरिया गए हाथ की नज़र का ही उन्हें यह मूल्य चुकाना पड़ रहा है। आज जब एक बार फिर वही दाहिना हाथ अस्थिभंग के कारण अचल पड़ा है तो उसकी नज़र उतारने वाली बहुत दूर चली गई है।

उसे इधर-उधर घूमने का बेहद शौक़ था। दस वर्ष की थी तो विवाह हो गया। सौतेली सास थी। पति को शराब ने बर्बाद कर दिया था। उधर कच्ची वयस में ही धारावाहिक प्रसवों ने उसे प्रौढ़ा बना दिया था। कई घरों में काम किया, तसलों में गारा-चूना ढोया, छतें पीटीं, घास बेची, किन्तु भरी जवानी

में भी कभी किसी प्रलोभन की अबरकी चट्टान पर पैर नहीं फिसलने दिया। दिन-रात ढोल-दमामे-सी पीटी जाती, ननिहाल में सब कुछ था, स्वयं उसी के शब्दों में, "जब नानी सुनिन कि 'फलाने' (वह कभी अपने पति का नाम नहीं लेती थी) हमार गत बनाई डारिन तो या नोटन की मोटी गड्डी थमाकर कहिन, 'रतिया, छोड़ दे इस मनई को, ननिहाल चली आ, हम तोहार अंतै घर बसाय देब!' हम कहिन—'खबरदार, जो कबहु इहु बात दोहरायो। मगर मनसेधू हैं, हमार अँगूठा पकड़िन हैं, हम का अइसन छोड़ देईं? छोड़ें तो ऊ छोड़ें, हम काहे छोड़ीं'?"

इस युग में कितने अँगूठे ऐसे स्वामिभक्त रह गए हैं!

मैं देखती, उसका पति कभी-कभी पूरी तनख़्वाह ही मधुशाला में लुटा, लड़खड़ाते क़दमों से घर लौटता। कभी ख़बर आती, वह बेहोश किसी नाले में पड़ा है। वह फ़ौरन भागती, उसे रिक्शा में लादकर घर लाती, सिर पर ठंडा पानी डालती, वमन पोंछती। और थाली परसकर चुपचाप उसके सामने रख देती। वह मदालस जिह्वा के प्रहार से धरती-सी सहिष्णु पत्नी को ही धराशायी नहीं करता, एक लात मार थाली भी दूर पटक देता, और वह रोती-रोती मेरे पास लौट आती, "फलाने आज फिर नशे में 'डौन' हैं दीदी, पूरी तनख्वाह कोई निकाल लिहिस है जेब से—अइसन-अइसन महतारी-बहिनियाँ न्यौत रहें कि बस!"

"और तू रोज़ उसका चरणामृत पीती है, जा, फिर पी आ!" मैं उसे कई बार सोए पति के पैर धोकर आचमन करते देख चुकी थी। किन्तु उस अटूट पतिभक्ति का उसे पुरस्कार भी मिला। शायद उसी की असंख्य मनौतियों से पति की शराब की लत हमेशा के लिए छूट गई। जिस पत्नी के यौवन अंकुर को उसने अपने रूखे आतप से असमय ही सुखा दिया था, उसे वह अब उसकी प्रौढ़ावस्था में यत्न से सींचने लगा था। वह भी अपना क़र्ज़ा ब्याज सहित वसूलने लगी थी। मेरा काम निबटाकर वह घर जाती, तो बड़े दबंग स्वर में बीसियों आदेश देने लगती, "फलाने, हमार बिस्तर लगाय देव, अउर तनी ठंडा पानी पिलाओ तो हम लेटी!" फिर एक दिन अचानक वह

सब काम स्वयं करने लगी। मैंने पूछा, "क्यों री, अब तू हुकुम नहीं चलाती अपने फलाने पर?"

"का बताई दीदी, एक दिन अम्माजी (मेरी माँ) बरामदे में खड़ी देख रही थीं। फलाने हमार पेटीकोट धोकर फैलाय रहे थे, बस्स, अम्माजी उन्हीं से गरजीं, 'काय री रामरती? ख़सम निठल्ला कूटे धान...बीबी नरंगी चाबै पान! शरम नहीं आती तुझे?' उई दिन से हम कान पकड़िन दीदी—इनसे काम न कराउब!" फिर भी वह रौब जमा ही देती। कभी-कभी वह भुनभुनाकर कहता, "हम जानत हैं, रतिया, तू खूँटे के बल पर नाचत है!" स्पष्ट चोट मेरे ही खूँटे पर है, मैं यह समझ जाती।

"अउर का, तू हमका अब छूकर तो देख, दीदी चट्ट से अखबार में छपवा देहीं।" पर पति-पत्नी दोनों ही मुझे भवानी-सा पूजते थे। दिन-रात रामरती मेरी छाया बनी रहती, फिर भी उसके पति ने कभी मुझे उलाहना नहीं दिया। मैंने बालि की हृदयहीनता से उसकी पत्नी को छीन लिया था फिर भी न कोई शिकवा, न गिला। मैं ही उसे कहती, "तू दिन-रात यहीं रहती है, बेचारा थका-माँदा दफ़्तर से आया है। जा ज़रा उसके पास बैठकर हँस-बोल आ!"

"अब का हँसी दीदी?" वह एक दीर्घ श्वास लेकर कहती, "जब हँसी के दिन थे तब तो हँसिन नांही। हम जाब तो मार भुन्न-भुन्न करे लगिहैं।" सचमुच ही दोनों बिना जूझे एक पल भी नहीं रह सकते थे—कभी वह ताना मारता, कभी यह। वह सेर था तो रामरती सवा सेर! पर एक-दूसरे के बिना रह भी नहीं सकते थे।

मैंने एक दिन कहा, "मुझे और नहीं तुझे ठौर नहीं वाला हिसाब है तुम्हारा। पर तू भी तो कम नहीं है। छौंक तो तू भी ख़ूब लगाती है। चुप क्यों नहीं रहती?"

"बिना छौंक के का दाल नीक लगत है दीदी? मनई से तनी खट्ट-पट्ट रहे तब ही जिनगी में खन्नक रहता है।"

कितना सत्य कथन था उसका! उसकी दृष्टि में 'तनी खट्ट-पट्ट' वैवाहिक जीवन के अजीर्ण अपच का रामबाण पाचक था। "ई का कि दिन-रात मनसेधू

के गले में गलबहियाँ डारे पड़े रहो। हम इत्ती मार खाइन हैं, तब ही तो अब हमका पान के पत्ते-सा फेरत हैं फलाने।"

अपनी दुबली कलाई में उसने वर्षों पूर्व एक दर्शनीय गोदना गुदाया था—गमले में गुलाब का पौधा, राधाकृष्ण की युगल जोड़ी और ऊपर लिखा पति का नाम फिक्कूलाल! समय के साथ-साथ बैंजनी स्याही प्रगाढ़ होती जा रही थी और वैसे ही प्रगाढ़ होते जा रहे दोनों के प्रेम को देख मैं कभी-कभी शंकित हो उठती। क्या दोनों ही मन-ही-मन मान गए हैं कि अब उस सुदीर्घ साहचर्य का अन्त समीप है?

एक दिन उसने मुझसे पूछा, "ऐ दीदी, हवाई जहाज में बैठे पै कइसन लगत है?"

"तू कभी नागर दोले में बैठी है? जब जहाज उतरता है तो ठीक वैसा ही लगता है।"

"अरे बईठन काहे नांही, उँही तो हम पहली बार फलाने को देखे रहिन।" और फिर उसने मुझे अपनी कोर्टशिप की रोचक कहानी सुनाई थी। अपनी बात प्रभावशाली ढंग से कहने की जो विलक्षण क्षमता विधाता ने उसे दी थी, वह इतने वर्षों तक क़लम घिसने पर भी मैं शायद आज तक प्राप्त नहीं कर सकी हूँ।

"गुढ़ियन का मेला लगा रहा। हम रहे होंगे यही कोई दस बरस केर। मेला गए तो जिदियाय गए। अम्मा, हम चरखी पर बैठब!"

फिर उसी के शब्दों में उसकी सज्जा का वर्णन सुनिए, "हाथ भर चूड़ियाँ पहनाइन थीं अम्मा, फूलदार कन्नी की नई साड़ी पहने रहे; माथे पर टिकुली, आँखिन माँ काजर, मिस्सी, पायल, लच्छा। खूब पान गुलगुलाए रहे, हमका का पता कि ऊपर के कोठे में फलाने बइठे हैं—हम का कौनौ देखे रहे इनका?

"झूला चला और बस्स, फलाने टपकाई दिहिन खुशबूदार रूमाल! हमार

तन-बदन में आग लग गई। हम खूब गरियाव लाग, 'ऐ दाढ़ीजार, मुसकिया के रूमाल काहे डालिस हमारी गोद में? तेरी खटिया उठै! न जाने कहाँ से आय गवा गुंडवा!' हमार अम्मा हमें आँखी दिखाइन, 'अरी चुप कर, इन्हीं से तो तोहार बात लगी है,' फिर तीसरे दिन हम अकेली कुएँ से पानी खींचत रहीं तो देखिन फिर ही रेशमी रूमाल जेब से लटकाय खड़े हैं। कहिन—ए लड़की पानी पिला! हम कहिन—तोहार बाप केर नौकर हैं का? बोले—अउर का! एक-न-एक दिन हमार नौकरी करवाई परी। अउर फिन अइसन नौकरी करवाइन बाप-बिटवा कि का कही!"

फ़िल्म देखने का उसे बेहद शौक़ था। उसके प्रिय अभिनेता थे धर्मेन्द्र और अमिताभ बच्चन, जिनके लिए उसके अपने नाम थे—धरमेन्दुआ अउर अमितभुआ। मैं कुछ वर्ष पूर्व मुम्बई आने लगी तो वह बीमार अमिताभ की रोगमुक्ति के लिए इधर-उधर मन्नतें माँग डोरे बाँधती फिर रही थी। कभी खम्मन पीर, कभी सैयद बाबा की मज़ार! मुझसे बड़ी उत्कंठा से उसने पूछा, "काहै दीदी, अमितभुवा से मिलिहो?"

"क्यों?" मैंने पूछा।

"मेरी दीदी, कहियो बचुआ, रामरती बहुत याद करत रही।"

मुझे उसके सरल सन्देश पर तब हँसी आ गई थी। जिसे उसने कभी सशरीर देखा भी नहीं था, उसके लिए वह ममत्वपूर्ण सन्देश! पर मैंने भी उसका सन्देश अमिताभ तक पहुँचा ही दिया था। दूरदर्शन चालू होता तो वह कृषि दर्शन से लेकर अन्त तक प्रत्येक कार्यक्रम देखती। रामायण में तो उसके प्राण अटके रहते। आठ ही बजे से हाथ में फूल लेकर बैठ जाती और आरम्भ होते ही ज़मीन पर दंडवत की मुद्रा में लेट फूल चढ़ाकर ज़ोर से कहती, "सियावर रामचन्द जी जै!" राम की मुस्कान पर वह मुग्ध थी। कहती, "जान्यो दीदी, तीन ही जनी गजब की मुसकी छाँटत हैं, रामायण केर राम, राजीव भैया और हमार राधिका बिटिया (मेरी दौहित्री)!"

राजीव गांधी लखनऊ आते, तो हो न हो, उन्हें हमारे ही गृह के पास की सड़क से गुज़रना पड़ता, हवाई अड्डे का वही एकमात्र मार्ग था। रामरती

उस दिन मुझे सुबह ही नोटिस दे देती, "आज हम राजीव भैया को देखे जाब, काम ना होई हमसे।" और फिर, "दीदी, कउन सी साड़ी पहनें?" वह ऐसे पूछती जैसे उसके राजीव भैया उसी से मिलने आ रहे हों। रवीन्द्रनाथ की 'राजार दुलाल' कविता क्षण-भर को जैसे साकार हो उठती,

ओगो मा
राजार दुलाल जाव आजी
मोर घरेर समुख पथे—
आजिए प्रभाते गृहकाज लये
रहिबो बलो कीमते?
बले दे आमाय की करीबो साज
की छाँदे कबरी बेंधेलब आज
परीबो अंगे कैमन भंगे
कोन बरने बास?

अरी माँ, राजा का दुलाल आज मेरे घर के सामने वाले पथ से गुज़रेगा, आज सुबह, तुम्हीं बताओ मैं घर का काम-काज कैसे कर सकती हूँ? बता दे न माँ, मैं कैसा शृंगार करूँ, कैसे चोटी गूँथूँ, कौन सी, किस रंग की साड़ी पहनूँ?

मा गो की होलो तोमार?
अवाक नयने मुखपाने कैन चास
आमी दांड़ाब जेथाय
वातायन कोने
से चाबेना सेथा
ताहा जानी मने
फेलिबे निमेष दैखा हबे शेष
जाबे से सुदूर पूरे
शुधू सगरे बांशी कोन माठ हते

बाजिबे-व्याकुल सुरे
तबू राजार दुलाल जाबे आज
मोर घरेर समुख पथे
शुधू शे निमेष लागी
ना करिया वेश रहिबो
बलो कीमते!

अरी माँ, क्या हो गया तुझे? ऐसे क्यों देख रही है? मैं उस कोने में खड़ी रहूँगी, जहाँ वह देखेगा भी नहीं, वह उधर ताकेगा भी नहीं, यह मैं जानती हूँ। एक पल में वह झाँकी समाप्त हो जाएगी। वह सुदूर नगर में चला जाएगा। केवल दूर कहीं व्याकुल स्वर में वंशी बजती रहेगी। तब भी राजा का दुलारा कुँअर आज जब मेरे घर के सामने के रास्ते से जाएगा तो मैं उसी क्षण के लिए बिना श्रृंगार किये कैसे रह सकती हूँ, तुम्हीं बताओ!

हाथ में गुलाब का फूल लिये बेचारी रामरती घंटों राजा के दुलाल की प्रतीक्षा में खड़ी रहती और दर्शन कर तृप्त होकर लौटती।

मेरे साथ वह बहुत घूमी थी। मुम्बई, बनारस, कानपुर, रीवा। जो विश्वविद्यालय मुझे बुलाता, वह पहले ही अपनी गठरी बाँध तैयार हो जाती, मैं यदि ए.सी. में जाती तो वह मेरे ही डिब्बे में बैठती, "देखो, रामरती, तुम वहाँ बीड़ी नहीं पियोगी—समझी?" मैं कहती। यह उसके लिए बहुत बड़ी सज़ा थी। फिर ट्रेन चलते ही पुराना अमल उसे बेचैन कर देता।

वह मेरे कानों में फुसफुसाकर कहती, "ए महतारी, मार जमुहाय लगे हैं, गुसलखाने में सुट्टा खींच आईं?" "जा मर!" मैं झुँझलाकर कहती तो वह तीर-सी भागती।

न जाने कितनी बार मैंने उसकी बीड़ी के बंडल छिपाए हैं। न जाने कितनी बार डाँटा-फटकारा है। पर उसने कभी पलटकर जवाब नहीं दिया। उसके तीव्र विरोध के बावजूद मैंने उसकी दो पुत्रियों को पढ़ने भेज दिया था। उसकी बिरादरी में उसकी पुत्री ही सम्भवतः प्रथम ग्रेजुएट थी। इसका उसे गर्व था, किन्तु चिन्ता भी थी, "अब इत्ता ही पढ़ा-लिखा लड़का भी तो चाही। कहाँ पाई आपन बिरादरी में!"

मैंने ही उसकी उस पुत्री को 7 वर्ष वयस से पाला था। उसने कहा था, "अब तुम्हीं इसकी अम्मा हो, कन्यादान करे का परी।"

ईश्वर ने उस कर्तव्य को निभाने की शक्ति दी। अपने जीवन का वह चौथा कन्यादान भी सम्पन्न किया। विवाह मेरे ही घर से हुआ। ऐसी पुष्ट बरात स्वयं मेरी तीन पुत्रियों के विवाह में भी नहीं जुटी। हलवाई भी बैठे, शामियाना भी लगा, बिजली के लट्टू भी जगमगाए। यहाँ तक कि बरात में सजे-सँवरे मत्त गयंद भी पधारे, जिनकी आरती उतारने में बेचारी रामरती थरथर काँपने लगी। उसने शायद कभी सपने में भी नहीं सोचा था कि कभी उसके द्वार पर हाथी खड़ा होगा। पुत्री विदा हुई तो वह मेरे पैरों में गिर पड़ी। कृतज्ञता के वे आँसू एकदम अन्तस्तल से निकले विशुद्ध आँसू थे। "आज हम गंगा नहाय लिहिन, महतारी!"

पर पुत्री के विवाह के बाद उसका स्वास्थ्य गिरता ही जा रहा था। मैंने कहा, "रामरती, यह क्या हो गया है तुझे? रोज़ बीमार—कभी तू और कभी मैं!"

उसका म्लान चेहरा एक बार फिर पुरानी चुहल की रेखाओं से उद्भासित हो उठा, "जान्यो दीदी, अब हम दूना केर ओवर-हॉलिंग कराए का है, टूब-टायर दूनों बदलवैया हैं।"

पर अचानक, वह अकेली ही मुझसे मिले बिना ट्यूब-टायर बदलवाने चली जाएगी, यह मैंने नहीं सोचा था। यद्यपि मुझे उसके चिर प्रस्थान की शंका होने लगी थी। लम्बे प्रवास के बाद लौटी तो वह खाट पकड़ चुकी थी—कंकाल-सी देह, जैसे कोई दस-बारह साल की बच्ची पड़ी हो। फिर भी चेहरे पर वही स्निग्ध हँसी, "दीदी आई गईन। अब हमका कछु ना होई।"

उसका यह विचित्र विश्वास था कि मेरे रहने पर उसे कुछ नहीं हो सकता। जाएगी तो मेरे न रहने पर। दो बार मैं उसे सचमुच ही मौत के मुँह से खींच लाई थी। एक बार जब वह रक्त-वमन कर अचेत हो गई तो मैं तत्काल एंबुलेंस में अस्पताल ले गई थी। दूसरी बार जब सम्भवतः उसे पहला दिल का दौरा पड़ा था। "ऐ दीदी, बचाय लो हमें, बड़ा जीव घबड़ा रहा है।" उस दिन भी उसे ईश्वर ने छोड़ ही दिया था। संध्या होते ही वह फिर चैतन्य हो गई, "हम जानत हैं महतारी, जमऊ ससुर आपसे डरात हैं..."

उसकी दृढ़ धारणा थी कि मृत्यु की उत्क्रान्ति या शक्ति मेरी मुट्ठी में बन्द रहती है—जब चाहूँ यमराज को समझा-बुझाकर वापस भेज सकती हूँ। इसी से जब इस बार लखनऊ छोड़ा तो वह रोने लगी, "ऐ मोर महतारी, हमका छोड़ के न जाओ।"

मैं उसकी निरन्तर गिरती अवस्था को देखकर भी रुक नहीं सकती थी। जिन-जिन लक्षणों के विषय में पढ़ा था, वे स्पष्ट उभर रहे थे। बाईं आँख से निरन्तर पानी गिर रहा था, कानों की लोरियाँ पलट गई थीं, नाक टेढ़ी लगने लगी थी, सिर के बाल साही के काँटे-से खड़े हो गए थे। मैं जान गई कि लौटकर इस स्वामिभक्त सेविका को कभी नहीं देख पाऊँगी। मैं नित्य उसके पास बैठती, उसके सींक से पैर सहलाती जो वह अर्धचैतन्यावस्था में भी चट से ऊपर खींच लेती। "अब नरक में काहे ढकेलत हो दीदी, हमार गोड़ जिन छुओ..."

मैं जिस दिन उससे अन्तिम विदा लेकर लौटी तो उसने बड़े कष्ट से अपने दोनों हाथ माथे से लगा लिये। एक बार मुड़ी तो देखा, वह करुण, विवश, असहाय अश्रुपूरित दृष्टि मुझे एकटक देख रही है।

जिसने न जाने कितनों की छोटी-मोटी व्याधियाँ दूर कीं, वह पल-पल मृत्यु से पराजित हो रही थी। उसके जड़ी-बूटियों के ज्ञान की ख्याति दूर-दूर तक थी। आए दिन भीड़ जुटी रहती—कभी बच्चे के दाँत बिठाने, कभी उखड़ी हँसुली, कभी खिसकी नाभि। और कमर की हूक दूर करने में तो उसे विधाता का वरदान प्राप्त था। "हम उलटे जनमे हैं।" वह बड़े गर्व से

कहती, "एक लात धर मरीज को दौड़ाय देईं तो कइसनऊ हूक हो, साफ।" वह उपचार वह अपनी भाषा में केवल 'अतवार मंगल' को ही करती। वह दृश्य भी देखने लायक़ होता। जब कमर थामे, काँखते-कराहते मरीज़ आते। वह ठाठ से कमर पर लात जमाकर कहती, "जाओ, तेजी से भागो।" रोता रोगी हँसता हुआ ही जाता। एक दिन इतवार को बड़ी देर से आई। मरीज़ों की भीड़ उस दिन कुछ अधिक थी। मैंने फटकारा, "यह क्या ढोंग है? या तो डॉक्टरी ही कर ले या मेरी नौकरी!"

"का करी दीदी, आज कमर थामे एक अकड़बाज थानेदरुआ आबा रहा। पूछत है, 'सुना तुम कमर की हूक ठीक करती हो। हमारी हूक ठीक कर पाओगी?' हम कहिन, 'ल्यो, बड़े-बड़े डूबी गए, गदहा पूछै कित्ता पानी! कइसन-कइसन ब्रिगेडियरन की, पुलिस कप्तानन की हूक ठीक किये हैं।' हम कहिन, चलो खड़े हो जाओ और अइसन लात धरिन महतारी, कि ओकर सब थानेदारी भुलाए दिहिन!"

अब इस सरस कैफ़ियत के बाद किस मुँह से डाँट सकती थी उसे? किन्तु जब एक बार मेरी कमर में हूक पड़ी तो लाख चिरौरी करने पर भी उसने मेरी कमर पर प्रहार नहीं किया, कान पकड़कर जीभ काटकर बोली, "राम-राम! हमका मत कहो दीदी। हम मर जाई पर ई काम नांहि कर सकत!"

ख़ूनी पेचिश, कान-दाढ़ का दर्द, सब टोटके उसके आँचल की गाँठ में बँधे रहते। मेरी सन्तान उसे अपनी सन्तान से भी प्रिय थी। मेरी बेटियों को बड़ी होते देखा था। उनके विवाह देखे, फिर उनके बच्चे देखे। बनठन छोचक की परात सर पर धरे उनकी ससुराल गई। नेग-निछावर लिया। मेरी सबसे छोटी लड़की के दो जुड़वाँ बेटों में तो उसके प्राण बसे थे। फ़ैज़ाबाद जाकर उनके साथ महीना-भर रह आई। "अरे हम दूनो को बेबी गाड़ी में घुमाबे ले जाएँ तो भीड़ लग जाए, लोग पूछें, 'अरी केकर बिटवा हैं री?' हम कहती, 'राज रामचन्द केर जुड़िया हैं। लव-कुस!"

अंग्रेज़ी शब्दों का उसका अपना मौलिक कोश था। वाइस चांसलर को 'वाइस टांटलर', 'ब्लिट्ज' को 'बिलडप्रेशर', फैंटा को 'एलिफैंटा' और

गोर्बाचोव को 'करवाचौथ'! एक बार टेलीफ़ोन पर कोई सिरफिरा मुझे बेहद परेशान करने लगा। वह भी रात-आधी रात को। कभी रामरती की लड़कियों के नाम लेता, कभी मुझसे कहता, "लिखना बन्द करो, हम उग्रवादी हैं, तुम्हें ख़त्म कर देंगे।"

एक दिन रामरती बोली, "महतारी, अब फून आए तो तुम मत उठाना। हम उग्रवादी की खटिया खड़ी करब।"

आधी रात को फ़ोन बजा, उसी ने उठाया :

"हैलू, कौन है रे?"

उधर उद्धत स्वर ने पूछा, "शिवानी जी हैं?"

"हाँ हैं।"

"क्या कर रही हैं?"

"तोहार अरथी सजाय रही हैं।"

उसने फिर कुछ कहा, तो वह ज़ोर से गरजी, 'यू ब्लाडी बास्टर्ड!' और फ़ोन रख मेरी ओर बड़े गर्व से मुस्कराकर बोली, "अपने ससुर से सीखी रहिन ये गाली। अंग्रेजन के खानसामा रहे हमार ससुर। अंग्रेजी समझत होई, तो अब चुप्पे रहब सरऊ!" उसके ससुर से सीखी वह गाली बड़ी अचूक निकली। फिर उस सिरफिरे ने कभी परेशान नहीं किया।

उसकी मासूम सरलता की एक मार्मिक घटना मुझे कभी नहीं भूलती। मैं अपने पति की क्रिया कर हरिद्वार से लौटी तो अपना ही घर मुझे बियाबान लग रहा था। नींद नहीं आ रही थी। मैं बरामदे में कुर्सी डालकर बैठी थी। सहसा पालतू बिल्ली सी वह मेरे घुटनों से कपोल सटाकर बैठ गई, "जान्यो दीदी, आप नहीं रहीं तो साहेब रोज आवते रहें..."

मैं चौंकी, "क्या बक रही है, रामरती?"

"यकीन मानो दीदी, रोज संझा को आएँ और आपके कमरे के दरवज्जे पर उचककर बैठ जाएँ।"

फिर बताने लगी कि नित्य संध्या को एक चिड्डा लगातार दस दिनों तक चुपचाप दरवाज़े पर बैठ जाता और टुकुर-टुकुर देखता रहता। न संग

में गोरैया न कोई चिड्डा। "रात होती तो हम दीया जलाकर देहरी पर रख आती, फिर हाथ जोड़कर कहती, 'साहेब, अब बड़ी अबेर हुई गई, अब लौटा जाई।' बस, फर्र से चिड्डा उड़ जाता।"

मैं उस दृश्य की कल्पना कर सकती थी। द्वार पर बैठा चिड्डा और नन्हा-सा घूँघट निकाले, दोनों हाथ जोड़े खड़ी रामरती—साहेब, अब बड़ी अबेर हुई गई है, लौट जाई।

न मैं उस दिन हँस पाई थी, न फिर कभी। पूछा उससे एक दिन अवश्य था, "क्यों री, फिर तेरे साहेब नहीं आए?"

"अब काहे आएँ महतारी, पीपल पानी पाए गए हैं।"

पुत्री के विवाह के पश्चात उसके सामने कर्तव्य निर्वाह के वे कठिन क्षण एक-एक कर आने लगे जो हर माँ के जीवन में आते हैं। आज खिचड़ी भेजे का है, करवा भेजे परी, दामाद का जोड़ा, आज गुढ़ियाँ हैं। वह नित्य नवीन फ़रमाइश लेकर मुझे घेर लेती। मैं कभी-कभी बुरी तरह झुँझला उठती, "खा लिया है तूने, मुझे? मेरे पास क्या रुपयों की खान धरी है! और कहीं क्यों नहीं जाती?"

वह निःशब्द सिर झुकाए खड़ी रहती फिर विवश स्वर में कहती, "अउर कहाँ जाएँ महतारी?" आज गुरुदेव की वे पंक्तियाँ मुझे पश्चात्ताप से विगलित कर देती हैं,

कैनो रे तोर दू हाथ पाता
दान तो चाई ना, चाई जे दाता।

अरे मेरे मन, तूने माँगने दो हाथ क्यों फैलाए हैं, मुझे दान नहीं चाहिए, दाता चाहिए।

शायद मुझमें वह दाता ही पाना चाहती थी, उसने कभी मुझसे दो वचन लिये थे—एक उसकी पुत्री का कन्यादान करूँ, दूसरा हम जब घाट जाएँ दीदी, तो आप ही के पहुँचाएँ परी। "फलाने के पास तो वा दिन भी पैसा रहे ना रहे! अउर बिटिया-दामाद के करज का कफन हम ना ओढ़ब।"

वह मेरी सच्ची सेविका थी। इसी से शायद मैं अपने दोनों वचन निभा पाई। उसकी देह शायद ठंडी भी नहीं पड़ी होगी कि मुझे बहन का फ़ोन मिल गया। तत्काल मैं उसके महाप्रस्थान के आरक्षण का प्रबन्ध कर पाई थी। इस ज्येष्ठ शुक्ला पंचमी को पति का श्राद्ध हुआ, तो उसका अभाव खटका। तड़के ही नहा-धोकर, मेरे गृह की देहरी गोबर से लीप, वह गोग्रास खिलाने आ खड़ी होती। एक बार मेरा पुत्र अपने पिता का श्राद्ध कर रहा था तो मैंने देखा, आँखें पोंछती रामरती उसे एकटक देख रही है। बाद में मैंने पूछा, "रो क्यों रही थी री? क्या फिर साहेब को देखा?"

"नांही दीदी, भैया कइसन पिरेम से नंगे बदन सराध करत रहें। हमार बिटवा जिया होता, तो इत्ता ही बड़ा होता, बअ हम मरि जाईं, तो को देई हमें पानी?"

"क्यों, तेरी बेटियाँ हैं, बेटियों के बेटे हैं..."

"दीदी की बातें...आपन बिटवा आपन होत! बिटियन केर बिटवा का हमार होई? सुन्यो नहीं—धी का पूत, गधी का मूत!"

मुझे हँसी आ गई थी।

पर आज नहीं हँस पा रही हूँ, जब मेरा पुत्र श्राद्ध सम्पन्न कर एक-एक कर पितामह-मातामह, पितामही-मातामही सबका स्मरण कर तिलांजलि दे रहा था और पंडित जी कह रहे थे, "आपके जो भी प्रिय दिवंगत बन्धु-बान्धव हों उन्हें भी स्मरण कर जल दीजिए।" जी में आ रहा था कहूँ, एक तिलांजलि उसे भी दे दे, जो इष्ट-मित्र न होकर भी मुझे पुत्री-सी ही प्रिय थी। पर कैसे कह सकती थी, हिन्दू धर्म का व्याकरण बड़ा जटिल है। उसमें सामान्य-सी फेर-बदल सम्भव नहीं है। मैं स्वयं नारी हूँ, किसी का श्राद्ध सम्पन्न करने के अधिकार से वंचिता। क्या दक्षिणाभिमुख हो, यज्ञोपवीत दाहिने कन्धे पर

रख प्राचीनावीती करना सम्भव है मेरे लिए? तिल-जल-भृंगराज एवं तुलसी दल रख उसे वह पूरक पिंड दे सकती हूँ जो उसे प्रेत योनि से मुक्त करे? पर इतना तो कह ही सकती हूँ,

अनादिनिधनो देवः शंख चक्र गदाधरः।
अक्षय्य पुण्डरीकाक्ष प्रेतमोक्षप्रदो भव॥

अन्तिम अध्याय

अपने लखनऊ के जीवन से दिद्दी को कितना लगाव था इसका आभास मुझे तब हुआ जब मैंने उसकी यादों को इस पुस्तक में सँजोना शुरू किया। लखनऊ में उसे अपने ढंग से अपना जीवन बिताने की आज़ादी थी। ऐसी आज़ादी उसे हमारे सुव्यवस्थित लेकिन शुष्क घरों में नहीं मिल पाती थी। नियम, क़ानून, व्यवस्था उसे सुस्त और उदास बना देते थे। उसे पसन्द था हल्ला-गुल्ला, नौकरों का कोलाहल और जहाँ यह सब नहीं होता वहाँ से उसका मन कुछ ही दिनों के बाद उचट जाता था। जब से मैंने होश सँभाले, दिद्दी के इर्द-गिर्द हमेशा एक ऐसी ऊर्जा पाई कि उससे अनछुआ रह पाना असम्भव था। मसलन, जब दिद्दी रसोई में जाती, उसकी सेवा में दो बन्दे हाज़िर रहते। करछी न मिले, किसी बोतल का ढक्कन न खुले, तो दिद्दी का पारा चढ़ जाता था। हो-हल्ला मचता, सारा घर काँप उठता, रसोई में यहाँ से वहाँ तक बर्तन और मसाले फैले रहते, लेकिन खाना ऐसा बनाती थी दिद्दी कि आप उँगलियाँ चाटते रह जाते। मीनू का कहना था कि यदि दिद्दी को कभी ठोकर लग जाती तो ग़ुस्से में सामने जो बच्चा उसे मिलता था, उसे वो एक थप्पड़ जड़ देती थी। धैर्य तो दिद्दी में था ही नहीं।

यही वह कारण था कि उसे लखनऊ बेहद पसन्द था। वहाँ उसे टोकने

वाला कोई न था। अपने मुसाहिबों के बीच उसे उनका पूरा समर्थन ही नहीं, उनकी पूरी सेवा का आनन्द मिलता था। उनके लिए दिद्दी एक मसीहा थी, अपने दरबार में सिर्फ़ उसी की ही चलती थी। लेकिन जहाँ वह इस दरबार से हटी तो उसे लगता था कि उसका अस्तित्व ही बदल जाता था। किसी अन्य घर में मेहमान बनकर रहना या किसी के चाल-चलन में अपने को ढालकर रहना उसे नामंज़ूर था। यदि हम उससे मिलने लखनऊ जाते रहते तो उसे बहुत सन्तोष होता लेकिन धीरे-धीरे जैसे हम अपने काम-काज व घर-गृहस्थी में उलझते गए हमारा वहाँ जाना कम होता चला गया। दिद्दी ने इस कटु सत्य को स्वीकार लिया और यही कारण था कि अपने जीवन के अन्तिम दशक में उसने लखनऊ में अकेले रहना ही पसन्द किया। आमा की ही तरह उसने भी अपने जीवन के इस सत्य को अपना लिया कि एकाकी जीवन में एक ऐसी शक्ति है कि वह कठिन-से-कठिन दिनों को काटने का हौसला बढ़ा देती है।

अचानक अप्रैल, 1997 में देर रात उसे ख़ून की कै हुई। रात किसी तरह काट उसने सुबह किरण को जब बताया तो किरण का मुझे तड़के फ़ोन आया। सुबकते हुए उसने कहा बस तुम सब किसी तरह यहाँ आ जाओ। हम सब पागलों की तरह प्लेन, ट्रेन, टैक्सी पकड़कर फ़ौरन रवाना हो गए। जब तक हम लखनऊ पहुँचे उसे उसके पड़ोसियों ने अस्पताल पहुँचाकर भर्ती कर दिया था। उसकी बीमारी का नाम सुनकर हम सब स्तब्ध रह गए। दिद्दी को सिरोसिस की तकलीफ़ निकली और पेट में एक नस के फटने के कारण उसे ख़ून की कै हुई थी।

अगले कुछ दिन किसी भयानक स्वप्न से बीते। न जाने कितनी बार उसे डॉक्टरों ने मौत के मुँह से खींचकर बचा लिया। दिद्दी कुछ ही दिनों में कितनी कमज़ोर हो गई थी देखा न जाता था। सबका कहना था कि जितनी जल्दी हो हमें उसे दिल्ली ले जाना चाहिए लेकिन जितनी बार हमने इसकी कोशिश करी, किसी नई आपत्ति के कारण यात्रा स्थगित करनी पड़ती थी।

अब तक दिद्दी की बीमारी की ख़बर पूरे शहर में फैल गई थी। उत्तर

प्रदेश के तत्कालीन राज्यपाल, श्री मोतीलाल वोहरा ने अपने सचिव के हाथ एक सन्देश भेजा कि यदि शिवानी जी को दिल्ली ले जाने के लिए हमें सरकारी विमान की ज़रूरत पड़े तो हम उन्हें सूचित करें। इस तरह हम दिद्दी को दिल्ली लेकर आए। यहाँ पहुँचते ही हम उसे सीधे एम्स ले गए जहाँ उसका इलाज फ़ौरन शुरू हो गया। डॉक्टरों के अथक परिश्रम से दिद्दी की हालत में धीरे-धीरे सुधार होने लगा और हम सबने चैन की साँस ली। अस्पताल में कई डॉक्टर और नर्स उसके प्रशंसक थे इसलिए रोज़ कोई-न-कोई उसकी किताबों पर उसके हस्ताक्षर लेने आता रहता। उनके इलाज से दिद्दी को मानिए पुनर्जीवन मिल गया। अस्पताल से छुट्टी मिलने पर डॉक्टरों ने दिद्दी को चेतावनी दी कि वो अब हमेशा किसी बड़े अस्पताल के पास रहे। कभी भी उसे ख़ून की कमी हो तो हमें उसे लेकर तुरन्त अस्पताल पहुँचा देना होगा।

ज़िन्दगी में पहली बार दिद्दी ने किसी की बात मानने से इनकार नहीं किया। अगले छह महीने वो चुपचाप दिल्ली में हमारे साथ रहने को राज़ी हो गई। लेकिन एक दिन ऐसा भी आया जब उसे फिर लखनऊ की याद सताने लगी। "बहुत हो गया," वह बोली, "अब मैं बिलकुल स्वस्थ हूँ, मुझे अब तुम लोग वापस जाने दो।" अपने डॉक्टरों को भी उसने न जाने कैसे फुसलाकर मना लिया और अपना बोरिया-बिस्तरा बाँधकर बेताल की तरह, दिद्दी फिर अपने 'पेड़' पर लटक गई।

अगले सात सालों में दिद्दी को कभी कोई ख़ास तकलीफ़ नहीं हुई और धीरे-धीरे हम सब भी उस भयावह घटना को भूलने लगे। वह अब बहुत झटक तो गई थी लेकिन उसने अपना लिखना-पढ़ना बदस्तूर जारी रखा। इस बीच वो बॉस्टन भी हो आई, जहाँ अब हमारा भाई मिकी रहने लगा था और विश्व हिन्दी सम्मेलन में भाग लेने लन्दन भी गई। इतनी दूर अकेले सफ़र करने की हिम्मत अभी उसमें थी। हमारी मौसी इन्दिरा वॉशिंगटन में रहती थीं जहाँ उनके बेटा और बहू नामी डॉक्टर थे। उन्होंने प्रसिद्ध जॉन हॉप्किन्स अस्पताल में दिद्दी का पूरा चेकअप भी करवा दिया।

"जानती हो," उसने लौटने पर मुझे बहुत गर्व से बताया। "जिस डॉक्टर ने मेरा चेकअप किया उसने अपने विद्यार्थियों को बुलाया जिससे कि वे एक ऐसा मरीज़ देखें जिसका ब्लड प्रेशर इस उम्र तक भी बिना दवाई के सन्तुलित है और जिसके दाँत अभी तक सलामत हैं। मैंने तुमसे कितनी बार कहा है कि अस्सी साल तक मुझे कुछ न होगा।"

और दिद्दी लगभग अस्सी तक पहुँच ही गई थी कि अचानक फिर उसे यमराज ने दबोच लिया। अप्रैल, 2001 में वह एक बार फिर बहुत बीमार पड़ी। इस बार उसके पेट में इतना पानी भर चुका था कि साँस लेना मुश्किल हो गया था। डॉक्टरों का कहना था कि उसका जिगर बुरी तरह आहत हो चुका है और उस पानी को शरीर से निकालना बहुत ज़रूरी हो गया था। हर हफ़्ते हम उसे अस्पताल ले जाते जहाँ डॉक्टर एक लम्बी सूई उसके पेट में डालकर उसके शरीर से दूषित पानी निकालते थे। दृश्य कितना भयानक होता था कि मृणाल व मैं कमरे से बाहर भाग जाते थे लेकिन दिद्दी बिना उफ़ किये, घंटों लेटकर एक किताब के सहारे, इसको सह लेती। उसके आसपास उससे भी दयनीय हालत में कराहते मरीज़ होते थे जिनके बारे में वह हमें बाद में कहानियाँ सुनाकर हमें हँसाने की कोशिश करती। एक-दो के बारे में तो उसने लेख भी लिख डाले। पर अब उसकी आँखों में हमें एक गहरा विषाद दिखाई देने लगा। दिद्दी को पता था कि बस अब अन्त निकट आता जा रहा है।

उस साल अगस्त में, दिद्दी अन्तिम बार विदेश गई। बॉस्टन में मिकी के घर पर उसने अपने सारे नाती-पोतों को बुलवाया और मृणाल की नवासी, अरनाज़ का अक्षरारम्भ करवा आई। मृणाल की बड़ी बेटी राधिका हमारे घर की सबसे लाडली नवासी थी और दिद्दी अपनी परनवासी को देखकर बेहद ख़ुश हो गई।

अक्टूबर में, दिद्दी के जन्मदिन पर मिकी ने उसके लिए एक शानदार पार्टी का आयोजन किया जिस पर हमारे सभी मित्रगण व रिश्तेदार भी आए। इसके फ़ौरन बाद, जब वह दिल्ली लौटी तो हमारे लाख रोकने पर भी चन्द

दिनों के अन्दर फिर लखनऊ चली गई। जब भी मैं फ़ोन पर उससे बात करती उसकी आवाज़ मुझे बहुत थकी सुनाई देती थी लेकिन वो अपने स्वास्थ्य के बारे में कोई चर्चा नहीं करने देती। "मैं ठीक हूँ," कहकर बात टाल देती।

इस बार दिद्दी को लखनऊ गए महज़ तीन हफ़्ते हुए थे कि एक दिन तड़के किरण का मुझे फ़ोन आया। वह फुसफुसाकर बोल रही थी जैसे कि दिद्दी उसकी आवाज़ सुन न ले, "अब दिद्दी की हालत देखी नहीं जाती। हमें बहुत डर लग रहा है। क्या करें समझ में नहीं आता। कल हम दिद्दी के साथ अस्पताल गए रहे अउर डॉक्टर बोले, 'शिवानी जी, अब या तो आप दिल्ली चली जाइए या हम आपको यहीं भर्ती कर देते हैं।' तो हमने भइया के दफ़्तर से हवाई जहाज़ का टिकट मँगवा दिया है, कल आपके पास पहुँच जाएँगी।"

मैं बुरी तरह सहम गई। दिद्दी कल यहाँ पहुँच जाएगी लेकिन मुझे उसी दिन कलकत्ते पुस्तक मेले में भाग लेने जाना था। दो ही हफ़्ते पहले, मैंने एक नया काम सँभाला था और मुझे लगा कि मैं किस मुँह से अपने प्रकाशक से ये कह सकती हूँ कि मैं अब नौकरी नहीं कर पाऊँगी। दूसरे दिन, जब मेरे पति व मृणाल दिद्दी को लेकर घर आ रहे थे तो रास्ते में ट्रैफ़िक जाम के कारण उनकी गाड़ी को घंटों लग गए। दिद्दी से सीधे बैठा भी न जा रहा था, राम-राम कर किसी तरह घर पहुँच पाए।

मैं अगले दिन जब लौटी तो दिद्दी की हालत देखकर दंग रह गई। एक महीने के अन्दर लगता था कि वह कंकाल मात्र रह गई है। उसका रंग स्याह पड़ गया था और शरीर में इतना पानी भर चुका था कि उससे खड़ा तक न हुआ जा रहा था।

"मैं तुम्हारे घर मरने के लिए आई हूँ," उसने ऐलान किया। ठीक ऐसा ही कुछ आमा ने कभी उससे भी कहा था जब वे दिद्दी के घर अन्तिम बार आई थीं। दिद्दी कहती थी कि आमा ने अपनी मृत्यु के दिन की घोषणा भी कर दी थी। कैसा संयोग था कि आमा 18 मार्च को गई थीं, और दिद्दी गई 23 मार्च को।

अब समझ में आया कि अमेरिका से लौटने के बाद दिद्दी को लखनऊ

जाने की इतनी जल्दी क्यों थी। उसे अपने दरबार को सूचना देनी थी कि अब उसके साम्राज्य का अन्त आ गया है, और अपने सारे काग़ज़ात इत्यादि को व्यवस्थित करना था। उसने मुझे दो फ़ाइलें पकड़ा दीं और कहा, "ये रहे मेरे टैक्स वग़ैरह के काग़ज़ और ये हैं मेरी पुस्तकों के कॉन्ट्रैक्ट वग़ैरह। बाकी सब किरण को मालूम है। फलाने बैंक में इस व्यक्ति से मिलकर तुम्हें सब मदद मिल जाएगी। मैं उनको सब समझाकर आई हूँ।"

"ये सब मुझे नहीं चाहिए," मैंने ग़ुस्से से कहा, "तुम्हें हमने कितनी बार बचा लिया है, अबकी बार भी कुछ न होने देंगे। बन्द करो ये नाटक।"

"जब अन्तिम सत्य को मैंने स्वीकार कर लिया है तो तुम्हें भी करना होगा," शान्त स्वर में मुझसे कहकर दिद्दी अपने कमरे की ओर चल दी।

और सच, इस बार डॉक्टरों ने भी हथियार डाल दिये। जितनी बार उसके पेट से पानी निकाला जाता उतनी बार फिर भर जाता और बार-बार इस अत्याचार को भोगने से उसके सभी अंजर-पंजर ढीले हो गए थे। कभी उसके गुर्दे, कभी फेफड़े जवाब देने लगे। हर सुबह हम आँखें खोलते तो पहला ख़याल होता, "क्या आज का दिन दिद्दी काट पाएगी"। अन्त में हमने मिकी को बॉस्टन से बुलवा भेजा और वह फ़ौरन आ गया। हम सबको पता था कि दिद्दी के प्राण मिकी में बसे थे। उसने मुझसे एक बार कहा था कि यदि ऐसा हो कि उसका देहान्त हो जाए और मिकी न पहुँच पाए, तो हम उसके शरीर को किसी फ्रीज़र में रख दें। उसका अन्तिम संस्कार मिकी ही करेगा और कोई नहीं। अब तक बीनू भी देहरादून से पहुँच गई थी। एक दिन दिद्दी हमसे बोली, "मुझे पता न था कि तुम सब एक जगह एकत्र होने के लिए रुके थे कि मेरी तबीयत इस मोड़ पर पहुँचे। मुझे पता होता तो मैं बहुत पहले मर जाने को राज़ी हो जाती।"

दिद्दी की पुरानी आदत थी कि जिस बात को वह सहन नहीं कर पाती थी उसको हँसी में उड़ा देती। हमारे उदास चेहरे देखे तो शायद उसे यह लगा कि उसे ही बहादुर होना पड़ेगा। उसकी इस आदत से कभी हमें अक्सर झुँझलाहट भी होती थी लेकिन शायद हम उसकी तरह यह सत्य तब नहीं सीख

पाए थे कि मनुष्य का जीवन एक तरह मनुष्य के साथ विधाता का परिहास है। इसे निभाने के लिए अपनी दशा पर हँस सकने की क्षमता केवल कुछ ही लोगों के पास होती है। दिद्दी एक ऐसी ही आत्मा थी।

मुझे याद है एक बार उसकी दोनों आँखों में मोतियाबिन्द एक साथ हो गया। लाख मनाने पर भी वह किसी की मदद स्वीकार करने को राज़ी न थी। फिर एक दिन बीनू का मुझे लखनऊ से फ़ोन आया कि अब हमें उसे किसी तरह दिल्ली ले जाकर ऑपरेशन के लिए राज़ी करना होगा। बड़ी मुश्किल से मैं उसे घसीटकर यहाँ लाई। अस्पताल की सीढ़ियों पर उसकी मदद के लिए अपना हाथ बढ़ाया तो दिद्दी ने फ़ौरन झटककर अलग कर दिया। मैं अन्धी नहीं हूँ, वह रुखाई से बोली और इसी के साथ ज़ोर की ठोकर खाकर गिरने ही वाली थी कि मैंने बचा लिया। ऐसे व्यक्ति की मदद करना कितना मुश्किल था आप अनुमान लगा सकते हैं। ऑपरेशन की पहली रात हम दोनों आसपास वार्ड में लेटे थे। दोनों चिन्तित थे। उसे अपनी सर्जरी की और मुझे घर पर बच्चों के आगामी इम्तेहान, मेहमान और नौकरों के अभाव की चिन्ता खाए जा रही थी लेकिन दोनों ख़ामोश थे। अचानक दिद्दी बोली, "सुनो, मैं तुम्हें पैसे देती हूँ तुम भी अपना ऑपरेशन करवा लो। इतनी शान्ति तुम्हें अपने घर में कहाँ मिल पाएगी।"

और अब अपने अन्तिम समय में दिद्दी को किसी की सहानुभूति या दया नहीं चाहिए थी। वह सिर उठाकर जाना चाहती थी, रो-धोकर नहीं। इसलिए जब भी हममें से कोई उसके पास जाता तो वह पुरानी बातें दोहराकर हमें हँसाने की कोशिश करती। एक दिन डॉक्टर उसके पास आकर बोले, "अभी सांगमा साहब के 90 साल के पिता यहाँ से ठीक होकर गए हैं, शिवानी जी, आपको भी हम ऐसे ही घर भेजेंगे, फ़िक्र न कीजिए।"

"डॉक्टर साहब, मैं अस्सी साल की हो गई हूँ। मेरे चार होनहार बच्चे हैं। उनके बच्चों और उनके बच्चों के बच्चों का सुख देख चुकी हूँ। शान से जीवन बिताया है। अपनी कमाई खाई है और अपनी कमाई से जाऊँगी। मैं मरने से नहीं डरती हूँ।"

लेकिन दिद्दी के शरीर ने अब जवाब देना शुरू कर दिया था। डॉक्टरों की सलाह पर उसे अब आई.सी.यू. में पहुँचा दिया गया जहाँ उसकी देखभाल निरन्तर होती थी। एक हफ़्ते तक उसे इस अँधेरे कमरे में क़ैद होना पड़ा जहाँ चारों ओर मृत्यु से जूझते मरीज़ अपने अन्तिम क्षण बिता रहे थे। उस एक हफ़्ते के दौरान उस वार्ड के कम-से-कम पाँच मरीज़ों ने दम तोड़ दिया। दिद्दी ने इसे अकेले झेला क्योंकि हमें उसके पास वहाँ बैठने की अनुमति न थी। बारी-बारी से दो-दो मिनट के लिए कभी हम वहाँ जा सकते थे। शरीर से बेशक वह लाचार थी लेकिन दिद्दी का दिमाग़ अभी भी उतना ही तेज़ था। हमारे उदास चेहरों पर लिखा सन्देश उसने पढ़ लिया था पर अन्त तक उसका यही प्रयत्न था कि हमें उसके कारण दुख न झेलना पड़े। इसलिए वह कोई-न-कोई टिप्पणी से हमारा मनोरंजन कर देती। मुझे याद है एक दिन मुझसे उसने कहा, "अब पता चला कि मेरी तबीयत ठीक क्यों नहीं हो रही है। अगर मेरे पास देखने लायक़ चेहरे होते तो ठीक होने का मन भी करता। सामने वाले को ज़रा देखो।"

मैंने जब उधर नज़र दौड़ाई तो पाया कि वे बेचारे बेहोश पड़े वेंटीलेटर के सहारे साँस ले रहे थे। "रात-भर उसने मेरा सिर चाटा।" "चलो मन कानपुर के तीरे, कानपुर के तीरे," गाता रहा और वह भी बेसुरी आवाज़ में। अन्त में, मुझे अपना ऑक्सीजन मास्क हटाकर कहना पड़ा, "भाई साहब, रास्ते में मुझे लखनऊ छोड़ते आइएगा।"

हम दोनों को इतनी ज़ोर से हँसी आई कि सारा दुख जाता रहा। पास से गुज़रती एक नर्स हमारे चेहरे देखकर दिद्दी से कहने आई, "शिवानी जी, आज आपके केष्टो ने हमारी हालत ख़राब कर दी है।"

दिद्दी ने वहाँ के एक मरीज़ का नाम केष्टो मुखर्जी पर रख छोड़ा था क्योंकि उसे शराब पीने से सिरोसिस की बीमारी हो गई थी। न जाने उसे पता था कि नहीं कि शीघ्र ऐसा दिन भी आएगा जब वो ख़ुद उस 'केष्टो' की तरह अचेत पड़ी होगी।

मैंने कई लोगों को इस लोक से जाते देखा है लेकिन जैसे दिद्दी ने यहाँ

से विदा ली वह हमेशा याद रहेगा। दिद्दी अब कोमा में चली गई थी उसके सुधरने के कोई आसार नहीं थे। इसलिए हम सबने डॉक्टरों से कहकर उसे वापस कमरे में रख लिया कि कम-से-कम उसके अन्तिम क्षण हमारे साथ बीतें, आई.सी.यू. में नहीं। न जाने उस तक हमारी आवाज़ पहुँचती थी कि नहीं लेकिन बारी-बारी से हम सब भाई-बहनों ने उसका हाथ थामकर उससे विदा ली। उसके कानों में उसके प्रिय पाठ फुसफुसा दिये। उसके शरीर से सारी नलियाँ हटवाकर केवल एक ड्रिप छोड़ा ताकि उसे आवश्यक दवाइयाँ मिलती रहें और बस फिर बैठकर उसे देखते रहे। लखनऊ से किरण भी पहुँच गई थी। दिद्दी का दरबार हाउस फुल था।

धीरे-धीरे, उसकी नब्ज़ कमज़ोर होती गई। मैंने देखा कि उसकी बाईं आँख से एक आँसू निकलकर नीचे ढलक गया। फिर उसकी छाती पर एक धड़कन-सी देखी और लगा कि यह उसकी आख़िरी साँस थी। मार्च 23 के सुबह के पाँच बजने ही वाले थे कि दिद्दी चली गई।

मुझे याद आया कि दिद्दी हमेशा कहती थी कि वह ब्रह्म मुहूर्त में शरीर छोड़ेगी। उसका मानना था कि जो इस मुहूर्त में जाते हैं उन्हें मोक्ष मिल जाता है।

हम जब अस्पताल से घर लौट रहे थे तो बाहर वसन्त की मीठी बयार चल रही थी। मुझे लगा कि दिद्दी ने हम सबके गालों पर जाते-जाते लाड़ से अपना हाथ फेर दिया है। पास किसी गुरुद्वारे से सबदों की मीठी वाणी कानों में आई, कहीं से मन्दिर की घंटियों की और कहीं से सुबह की अज़ान की। अपने उपन्यासों के नाटकीय अन्तों के लिए प्रसिद्ध शिवानी ने अब अपना अन्तिम अध्याय पूरा कर लिया था।

उपसंहार

पूतोंवाली

[कहानी]

एक बार फिर छोटे की चिट्ठी पढ़, उन्होंने अख़बार के नीचे दबा दी। पार्वती ने देख ली तो आफ़त कर देगी। क्या लिखा है छोटे ने? हमें कब आने को लिखा है? कैसे कह पाएँगे उससे कि पार्वती, छुटके ने इस बार भी उन्हें बुलाने का क्षीण संकेत तक नहीं दिया है। तीन-चार बार तो वे उसे लिख चुके हैं कि तुम्हारी अम्मा की तबीयत ठीक नहीं है, कई बार काम करते-करते बेहोश होकर गिर पड़ी है। तुम तो जानते हो उसे आँखों से भी कम सूझने लगा है। एक आँख में ग्लूकोमा हो गया है दूसरे का मोतियाबिन्द पक गया है। डॉक्टर कहते हैं कि ऑपरेशन जल्दी नहीं किया गया तो दोनों आँखें जा सकती हैं। गाँव का हाल तो तुम जानते हो, अस्पताल है पर डॉक्टर नहीं। एक बार तुम किसी अच्छे डॉक्टर को दिखा देते तो तसल्ली हो जाती।

किन्तु चतुर बेटा इस बार भी उनके प्रस्ताव को झाड़ गया था। छोटे से पत्र में उसने अपना ही रोना रोया था—इस वर्ष अप्रैल तक मेरी बदली अवश्य हो जाएगी। पाँच साल हो गए हैं यहाँ, अब नया नियम बड़ी कड़ाई से लागू किया जा रहा है। जो जिस कैडर का है, उसे वहीं लौट जाना होगा। बड़ी मुश्किल में हूँ, सुजाता का स्कूल फ़ाइनल है, रौनी को बड़ी मुश्किल

से अभी एक अच्छे स्कूल में एडमीशन मिल पाया है। उस पर शीला को अपनी नौकरी छोड़नी पड़ेगी। इन्हें यहीं छोड़ गया तो दो-दो इस्टेब्लिशमेंट कैसे कर पाऊँगा...

स्पष्ट था कि अपनी इन परेशानियों के बीच वह अन्धी हो रही माँ और बाबूजी के लिए कुछ भी नहीं कर पाएगा।

पार्वती ने चाय का प्याला मेज़ पर धरकर कहा था, "आज छुटके की चिट्‌ठी ज़रूर आएगी, हमारा मन कहता है।"

"भाड़ में जाए चिट्‌ठी।" शिवसागर ने झल्लाकर कहा तो वह सहमकर सिकुड़ गई, सहमने पर वह कितनी छोटी लगती थी, कितनी असहाय, जैसे किसी ने केंचुए को छेड़ दिया हो और वह तत्काल अपनी सतर देह को कुंडली में समेट-सिकुड़कर बिन्दु-सा बन गया हो। दूसरे ही क्षण, पत्नी के पीले चेहरे को देख, शिवसागर का हृदय, स्वयं अपनी भर्त्सना करने लगा।

छि:-छि: कहीं मरे को भी ऐसे मारा जाता है? कौन सा सुख दिया है तुमने उसे जीवन-भर? इन पैंतालीस वर्षों में कभी अपने हाथों पाजामा में नाड़ा भी डाला है तुमने? कभी क़मीज़ का एक टूटा बटन भी टाँका है? जिस सर्वस्वत्यागिनी ने पूरा यौवन ही इनी-गिनी सादी साड़ियों और मारकीनी पेटीकोटों में काट दिया और निरन्तर मुस्कराती तुम्हारे और तुम्हारे पाँच कपूतों के जीवन में आनन्दवृष्टि करती रही, उसका क्या प्रतिदान दिया तुम सबने? कभी कोई छल्ला भी गढ़वाकर दे पाए उसे? वह तो पूरे बीस तोला सोना दिया था उसके कृपण पिता ने—उसी बैंक बैलेंस से न जाने कितनी बार शिवसागर ने गृहस्थी की गाड़ी खींची थी। तीन बहुओं को उन्हीं गहनों में से कुछ का चढ़ावा चढ़ा था। शेष दो बेटों ने अपने मन से विवाह किया था। इसी से उन्हें कुछ नहीं दिया गया। कृपण पिता के इस औदार्य का एक कारण भी था, न देते तो उस साधारण चेहरे को देख कौन उसे ले जाता? न पढ़ी-लिखी, न क़द-काठी की ही दुरुस्त, कभी-कभी तो लगता वह बजरबौनी ही है उस पर बेहद डरपोक थी लड़की, माँ की मृत्यु ने उसे और भी भीरु बना दिया था। पिता हेडमास्टर थे, उन्होंने उसे अपने ही स्कूल में पढ़ने भी भेजा था पर न

जाने कैसा भूसा भरा था छोकरी के दिमाग़ में, पहली ही कक्षा में तीन साल फ़ेल होती रही। इसी बीच पिता ने दूसरा विवाह कर लिया था। विमाता की क्रूर आँखें देख, लड़की पहले ही दिन सहमकर और सिकुड़ गई। विमाता जो भी काम सौंपती, उसे ही बिगाड़कर चौपट कर देती। सब्ज़ी में नमक-ही-नमक, चावल पसाने बैठती तो आधा चावल ही माँड़ के साथ बहा देती। कभी तेल उलट देती, कभी दूध। फिर विमाता बाढ़ में उफनती नदी-सी, कगार पर खड़े वृक्ष के से पिता के विवेक को भी ढहा गई। दिन-रात की चुगली पर जाने वह नित्य ढोल-दमामे-सी पीटी जाने लगी। इधर प्रत्येक वर्ष विमाता, दन्न से एक बेटा जन, पति को कृतज्ञता के ऐसे जानलेवा दलदल में धँसा गई कि वे आए दिन, हर मिथ्या अभियोग पर निरीह पुत्री को निर्ममता से कूटने लगे। एक दिन पार्वती की दयालु बुआ ने यह रिश्ता पक्का कर दिया था।

"दान-दहेज तो काफ़ी माँग रहे हैं, पर ऐसा दामाद तुम्हें मिल नहीं सकता।"

ठीक ही कहा था बुआ ने, ऊँचे अगले, विद्वान जामाता को उन्होंने देखा तो मन-ही-मन सोचने लगे, मातृहीना गाय-सी पुत्री के साथ उन्होंने जो भी अन्याय किया था, उसे इसी कन्यादान की पुण्यसलिला में धो-पोंछकर बहा देंगे। समधी की हर माँग वे प्राणपण से पूरी करेंगे। तब शिवसागर मिश्र, काशी विद्यापीठ से अपनी शिक्षा पूर्ण कर नई-नई नौकरी में लगे ही थे। आते ही माँ ने बता दिया था कि उसके पिता, उसका रिश्ता फ़ैज़ाबाद के हेमेन्द्र शास्त्री की पुत्री से पक्का कर चुके हैं, सारी रात वह सो नहीं पाया था। कैसी होगी वह? शास्त्री जी को तो वह देख चुका था, उनके तीखे नैन-नक़्श और दूध-सा उजला रंग पाया होगा लड़की ने तो निश्चय ही सुन्दर होगी और किरातार्जुनीय की पंक्तियों को साकार कर देगी। वह मन-ही-मन किरातार्जुनीय की पंक्तियों को दोहराता, "हे मानिनी, नए पल्लवों जैसे हाथों को कँपाती, व्यर्थ परिश्रम मत करो, तुम्हें कल्पलता समझकर पास आई भ्रमरावली कहीं इस तरह डरकर थोड़े ही भाग जाएगी ये भ्रमरयुक्त कमल पत्र हैं या चंचल नयन, ये झुकी बरौनियाँ हैं या निश्चल भ्रमर वृंद? खिले हुए हास से दर्शनरूपी केसर को प्रकट करता हुआ यह मुख है या विकासमान कमल?" अपनी उस मदकलोदक लोल विहंगमा

भावी पत्नी की अनदेखी मोहक छवि का ताना-बाना बुनते ही, वह सिर पर मौर बाँध दूल्हा बन गया था, वर रूप में ठीक जैसे शिव ने पार्वती से ध्रुव तारा देखने को कहा था और लज्जासिक्त स्वर में अपना लज्जावनत चेहरा उठा, पार्वती ने बड़ी कठिनाई से कहा था—देख लिया—ऐसा कुछ उसकी पार्वती नहीं कह पाई, वह तो अरसिक गठरी बनी बैठी ही रही। पर जब घर पहुँचने के घंटों बाद नववधू का चेहरा देखने को मिला तो शिवसागर का रसिक चित्त, अपनी सब कलाबाज़ी भूल गया। क़द में शिवसागर के घुटनों तक और भावशून्य खच्चर की सी आँखें, शरीर का एक भी अवयव ऐसा नहीं था जिसके सहारे वह अब किरातार्जुनीय के रसिक प्रसंगों को घर तक खींच सकता था। धीरे-धीरे शिवसागर को परिस्थितियों से समझौता करना ही पड़ा। दुर्वासा रूपी पिता से कोई कैफ़ियत माँगने का प्रश्न ही नहीं उठता था, माँ को जैसी बहू चाहिए थी, वैसी उसे मिल गई। साथ में बीस तोला सोना, दुधारू गाय, स्वस्थ भैंस और सिर झुकाकर उनके प्रत्येक आदर्श को झेलने वाली धरती-सी सहिष्णु उस पुत्रवधू को पाकर अम्मा परितृप्त हो गईं। फिर सात ही वर्षों में पाँच सुदर्शन पुत्रों को जन्म देकर उसने सास-ससुर के हृदय सम्पूर्ण रूप से विजित कर लिये। मायके जाने का वह कभी नाम भी नहीं लेती थी, कृशकाया होने पर भी कभी बीमार नहीं पड़ती थी; उस पर पति के कभी सीधे मुँह बात न करने पर भी निरन्तर उसके पीछे-पीछे छाया-सी डोलती रहती थी। छोटा तीन साल का था कि ससुर का देहान्त हो गया, छठे ही महीने सास भी चली गई। शिवसागर अध्यापक से प्रधानाध्यापक हो गए। ऊपर की मंज़िल में तीन कमरे बनवा लिये। रेडियो भी आ गया, स्टील की दो-दो अलमारियाँ भी आ गईं। किन्तु सास-ससुर की मृत्यु के बाद भी पार्वती के कटोरी से घूँघट की यवनिका नहीं उठी। पाँचों बेटे पढ़ने में एक से बढ़कर एक निकले। गाँव की बड़ी-बूढ़ियाँ कहतीं—बड़ी भागवान है री तू। तू सचमुच पूतोंवाली है पार्वती। देखने में ऐसे सजीले कि हर इतवार-मंगल पाँचों को एक साथ बिठा नज़र उतारती थी पार्वती। धीरे-धीरे पाँचों के भी पंख निकल आए। सब एक-एक कर पढ़ने बाहर चले गए, रह गए दोनों प्राणी।

चालीस वर्षों के सुदीर्घ साहचर्य की धारा क्षीण से क्षीणतर होती, एक ही वेग में बहती जा रही थी। शिवसागर को वार्धक्य ने झटक दिया पर पार्वती का एक-एक बाल अब भी काला धरा था। सुबह चार बजे उठ, वह नहा-धोकर चाय बनाकर रख जाती पति के सिरहाने, फिर दूध का गिलास और कटोरी में पाँच बादाम, अख़बार, चश्मा, धूप में धरी कुर्सी पर धर फिर चौके में घुस जाती। ग़ज़ब का रस था उसके हाथों में, खिचड़ी हो या मेवे की गुझिया, "अजी, हमारी बहू जैसा खाना कोई बना नहीं सकता पूरे गाँव में।" एक दिन विवाह के कुछ ही महीनों बाद शिवसागर के पिता ने कहा तो उनके स्तुति को शिवसागर ने वहीं पर व्यर्थ कर दिया था, "ठीक ही कहा है आपने हमारे एक मित्र का भी यही कहना था कि जो औरत जितनी बदसूरत हो, वह उतना ही ख़ूबसूरत खाना पकाती है।"

बाप हो-हो कर हँस उठे थे, सोचा, लड़का नई-नई बहू को हँसी-हँसी में छेड़ रहा है। पर पार्वती के घूँघट की यवनिका सहसा और नीचे खिसक आई थी। वह घूँघट की आड़ में रो रही है, यह शिवसागर ने देख लिया था, रोने से नासिका का रक्तिम अग्रभाग देख वह और चिढ़ गया था। पिता को वह इस बेमेल गठबन्धन के लिए अन्त तक क्षमा नहीं कर पाया। आश्चर्य था कि विवाह के बाद वह आज तक पत्नी से एक शब्द भी नहीं बोला था, फिर भी उस विलक्षण नारी ने अपनी वेदना का पात्र किसी के सामने रिक्त नहीं किया। भले ही न बोले, उसे पाँच दर्शनीय पुत्रों की जननी तो बना दिया था उसके उदार जीवन सहचर ने। कोई विश्वास कर सकता था कि पूरे दस वर्ष बाद, वह उससे पहली बार बोले थे। आज तक शरीर की क्षुधा से ही कातर हो वह उसके पास मूक याचक बनकर आए थे, उस दिन उदर की क्षुधा से व्याकुल होकर लौटे तो देखा पार्वती तीव्र ज्वर में अचेत पड़ी है और नित्य नाशते के लिए भरा कटोरदान रिक्त है। शायद खाने की छुट्टी में आए पाँचों विकट वीर सब चाट-चूट गए थे।

बाहर लू के गर्म थपेड़े कनपटी पर थप्पड़ मार रहे थे, नहीं तो दुकान से ही कुछ लेकर खा लेते। सहसा झुँझलाकर उन्हें और कुछ नहीं सूझा तो

अकड़कर दरवाज़े की चौखट पर खड़े होकर गरजे, "पार्वती, नाश्ता नहीं रखा आज? मैं सुबह भी भूखा ही चला गया था।" हड़बड़ाकर वह उठ बैठी, तीव्र ज्वर की अचेतावस्था में भी पति की वह कठोर गर्जना उसे कितनी मधुर लगी थी जैसे किसी अरण्य में कहीं घुँघरू बजे हों। "मुझसे कह रहे हैं जी?" उसने आश्चर्य में भयभीत मृगी-सी आँखें विस्फारित कर पूछा। वह पति, जिसने आज तक उसकी ओर कभी ठीक से आँख उठाकर भी नहीं देखा था, जिसका स्पर्श उसे अन्धकार ही में पुलकित कर अन्धकार ही में सदा विलीन हो जाता था, जिसने आज तक उसे कभी नाम लेकर भी नहीं पुकारा, उसी के मुँह से अपना नाम सुनकर वह मत्त मयूरी-सी प्रफुल्लित हो उठी। "और किससे कह रहा हूँ। भूख लगी है मुझे।" उसने झल्लाकर कहा।

आज तक तो उसका रूखे पति की एक ही भूख से परिचय था, आज पहली बार वह उससे, ठीक उसी तरह खाने को कुछ माँग रहा था जैसे कभी उसके क्षुधातुर बेटे माँगते थे, "अम्मा, बड़ी भूख लगी है, दे दे ना कुछ जल्दी।"

वह चादर फेंककर उठी और चौके में घुस गई—ज्वर से उसकी आँखें लाल जवा फूल हो रही थीं। कनपटी पर हथौड़ियाँ चल रही थीं, पैर काँप रहे थे पर उसने मिनटों में आलू की सब्ज़ी छौंक विशुद्ध घृत में पूड़ियाँ उतार लीं। फिर यत्न से परस थाली पति के सामने रख आई। देखते-ही-देखते पूड़ियों का स्तूप शेष कर, पानी गटक बिना कुछ कहे लम्बी-लम्बी डग भरता शिवसागर चला गया। किन्तु पार्वती फिर लेट नहीं पाई, रात के लिए उसने न जाने कितने व्यंजन बना डाले। दिन में अनजाने में हो गई भूल का प्रतिकार करने में उसने कोई कसर नहीं छोड़ी। आँधी के वेग से पाँचों बेटे आकर स्वादिष्ट खाने पर टूट पड़े थे, "आज इत्ती चीज़ें क्यों बनी हैं अम्मा?" छुटके ने ही पूछ लिया था। क्या कहती उससे? वह अबोध बालक, जननी के हृदय में उठ रहे आनन्द के उत्स की थाह पा सकेगा? विवाह के पूरे दस वर्ष बाद, तुम्हारे पिता मुझसे पहली बार बोले हैं बेटा—ऐसा कुछ कह सकती थी अपने उस लाड़ले से? जननी के अधर पर लगे सलज्ज दिव्य स्मित को देखने की फ़ुर्सत ही कहाँ थी उसके बेटों को? अखिल, अमित, अजय, अनिल और आदित्य

सबका नाम प्रथम वर्णाक्षरी से ही चुना था दूरदर्शी पिता ने, कभी भी किसी प्रतियोगिता में बैठें तो नीचे तक दृष्टि नहीं झुकानी पड़ेगी उन्हें। खा-पीकर पाँचों सो गए तो वह उस ज्वर के ताप को निःशब्द झेलती, पति का खाना लिये भूखी बैठी रही। बड़ी रात को लौटे थे शिवसागर मिश्र। पार्वती पहले हाथ-मुँह धोने को लोटा भरकर धर आई, फिर नाना व्यंजनों से सजी थाली। थाली धर वह एक क्षण को ठिठकी भी थी, क्या पता जैसे नाम लेकर पुकारा था वैसे फिर पुकारकर कह दें—पार्वती जा, अपनी थाली भी यहाँ ले आ।

किन्तु उसे किसी ने नहीं पुकारा, छोटा शायद नींद में गोंगिया रहा था। वह तेज़ी से अपने कमरे में चली गई और फिर पूतोंवाली विराट तख़्त में मछली से तैरते, इधर-उधर हाथ-पैर फेंकते, गहरी नींद में अचेत पुत्रों के बीच किसी तरह अपनी जगह बना हाथ-पैर मरोड़ गठरी बनकर सो गई थी। वर्षों से वह बेटों के साथ इसी तख़्त पर सोती थी और शिवसागर अपने कमरे में। बेटे जगे रहते तो नित्य मल्लयुद्ध छिड़ जाता—आज अम्मा के पास हम सोएँगे पर छुटका नित्य जन्मसिद्ध अधिकार से माँ से लिपटकर अपनी दुबली-सी बाँहों से उसके पेट को ऐसे जकड़ लेता जैसे माँ की आँतें ही निकाल देगा। अपने इस एकाकीपन को पार्वती ने बिना किसी उपालम्भ के स्वीकार कर लिया था। किन्तु उस दिन वह ख़ूब रोई थी, किसी ने उसके तृषार्त अधरों तक जलपात्र छुआकर फिर छीन लिया था। रोते-रोते उसकी हिचकियाँ बँध गईं और आँचल मुँह में ठूँस उसने बड़ी चेष्टा से सिसकियाँ रोकी थीं, कहीं छुटका जग गया और पूछ बैठा कि अम्मा क्यों रो रही है तू?—तो क्या कहेगी उससे? छुटका उसके कुछ न कहने पर भी सब जान जाता है, यह वह जानती थीं, पर कब तक छिपाएगी अपनी अवहेलना को? सयाने होंगे तो सब जान लेंगे—यही हुआ भी था। शैशव से कैशोर्य की देहरी तक पहुँचते-पहुँचते पाँचों बेटे जान गए थे कि बाबूजी अम्मा से नहीं बोलते, फिर भी चारों की सहानुभूति-श्रद्धा-स्नेह की धारा पितृमुखी ही बनी रही। सुदर्शन-दीर्घदेही व्यक्तिसम्पन्न शिवसागर मिश्र ही थे उनके हीरो। उनके कंठ की एक गर्जना ही उनकी सिट्टी-पिट्टी गुम कर देती। पाँचों एक साथ पिता के साथ संध्या-आह्निक को बैठते तो

पार्वती अपना सारा दुख भूल-बिसर जाती। कहते हैं कि माँ को अपनी सन्तान समान रूप से प्रिय होती है। पर ऐसा होता नहीं, सन्तान में सबसे दुर्बल ही जननी को विशेष प्रिय होता है। यही छुटके के साथ भी हुआ था। एक तो सबसे छोटा पेटपोंछना, उस पर हमेशा बीमार रहता था। पाँचों भाइयों में वही सबसे सुन्दर था। दुबला-पतला, कमनीय, सलोना, लड़कियों-सी लजीली हँसी—आँख-नाक को एक साथ उज्ज्वल धार से भिगोती दूधिया हँसी। जहाँ चारों भाइयों के कंठ से मसें भीगते ही सातों सुर एक साथ निकलने लगे थे, वहीं पर छुटके का मिष्ट कंठ पूर्ववत बना रह गया था। कोई ज़ोर से उसे डपटता भी तो वह रुआँसा हो जाता। पढ़ने में वह भी भाइयों की भाँति तेज़ था। शिवसागर ने भी उन्हें उच्च शिक्षा दिलाने में कोई कसर नहीं रखी। पार्वती ने सचमुच ही अपना नाम सार्थक कर दिया था।

"बड़े भागवान हो बिरादर," शिवसागर के अभिन्न मित्र बद्री ने एक दिन कहा था, "रिटायरी से पहले ही बाघ मार बाघम्बर पर बैठ गए हो। एक हमारे हैं कुलदीपक—चार हज़ार तनख़्वाह पा रहे हैं, पर मजाल है जो कभी बाप को चालीस रुपए भी भेज दें, अब सुना है विदेश जा रहे हैं, कहते हैं लौट आएँगे पर हमारी मानो, हाथ से छूटा तीर और विदेश गया बिटवा कभी वापस नहीं आता।"

ठीक ही कहा था बदरी ने। उनके बड़े बेटे—अखिल को विदेश गए इस जेठ में पूरे सात साल हो जाएँगे, कहाँ आया लौटकर! एक बार आया था, पर वह कहाँ टिक सकता था गाँव में? कभी एक भाई के पास, कभी दूसरे के, कभी अपनी ससुराल, सब बड़े-बड़े शहरों में थे। बाप के छोटे से घर की मिट्टी अब उसे रोक भी कैसे सकती थी? वहाँ यह है, वहाँ वह है, झाड़ू लगाने की भी मशीन है—बाबूजी अब देखिए ये इलेक्ट्रिक शेवर है, पर यहाँ बिजली ही नहीं है। शिवसागर के जी में आया कहें—बेटा, वह दिन भूल गए जब हम तुम पाँचों भाइयों को एक साथ नाई की दुकान पर ले जा सवा रुपल्ली में तुम्हारे बाल छोटे-छोटे ऐसे कटवा लाते थे कि महीने-भर तक फिर न बढ़ें।

पिता के लिए एक घड़ी, अम्मा के लिए एक झोला-सा स्वेटर, जिसमें उस जैसी तीन पार्वती समा सकती थीं, और विदेशी साबुन-ब्लेड—यह सब उपहार अभी तक उनके टीन के बक्से में ज्यों-के-त्यों धरे थे—आया भी तो बाल-बच्चों को वहीं छोड़ आया—बहुत किराया है अम्मा, कुछ पैसे जमा कर लूँ, फिर आएँगे।

पर कहाँ आए फिर! उस बड़े पुत्र से उन्हें कभी कोई आशा नहीं बँधी; छोटा था तभी से पूत के पाँव उन्होंने पालने में देख लिये थे। पाँचों को श्रुतिलेख एक साथ देते थे शिवसागर। वही एक ऐसा था जो पिता की नज़र बचा कनखियों से भाइयों की कॉपी देख चट उतार लेता। जब जस्टिस मिश्रा उसके लिए अपनी पुत्री का रिश्ता लेकर आए तो शिवसागर को लगा, वे सपना देख रहे हैं। इतने बड़े आदमी अपनी पुत्री का रिश्ता उनके बेटे से करेंगे? बेचारे सरल मिश्रा जी समझ नहीं पाए कि वे उनके बेटे की ऊँची नौकरी से रिश्ता पक्का करने आए हैं, बेटे से नहीं। कहाँ राजाभोज और कहाँ गंगू तेली! कहाँ रखेंगे उस राजकन्या को!

किन्तु राजकन्या वहाँ रही ही कहाँ थी? पति के साथ उसकी नौकरी के जादुई क़ालीन में उड़कर सदा के लिए विदेश के शून्य अन्तरिक्ष में विलीन हो गई थी। दूसरा बेटा अमित इंजीनियर था। उसकी ज़िद के आगे झुक गए थे, शिवसागर। अन्न-जल त्याग, अनशन ही कर बैठा था उनका वह ज़िद्दी सपूत। किसी तरह उसकी माँ के गहने बेच, पेट काटकर ही उन्होंने उसे आई.आई.टी. में पढ़ने भेजा और इंजीनियर बनकर निकला तो उनके पहले समधी ही कब उनके हाथ का गस्सा छीन ले गए, वे जान भी नहीं पाए। बड़ी बहन गीता ने ही छोटी रीता को देवरानी बना ऐसा अनुभूत मंत्र उसके कान में फूँका कि वह विदेशी चली गई। तीसरे हरामखोर बेटे अजय के विवाह के

बाद तो उन्होंने उसका मुँह ही नहीं देखा, न देखेंगे। वह प्रशासकीय सेवा में आया तो कन्याग्रस्त समृद्ध पिताओं ने, उसे प्रस्तावों के चक्रव्यूह में अभिमन्यु ही बना दिया। उदार दहेज के नीलामी हथौड़ों की चोट से शिवसागर लगभग बहरे ही हो गए थे। एक चालीस हज़ार की घोषणा करता तो दूसरा पचास हज़ार, तीसरा पुत्री के साथ सजा-सजाया फ़्लैट और मारुति गाड़ी का तोहफ़ा सजाए चला जाता। तब तक उनके होनहार बेटे ने स्वयं ही उनका काम हल कर दिया। उसे तमिलनाडु कैडर मिला था। दुर्भाग्य से किसी दूरस्थ ज़िले में उसकी नियुक्ति हुई। शासन की बागडोर सँभालते ही उसने खटिया पकड़ ली, पीलिया हो गया था। हालत गम्भीर होने पर भी उसने पिता को ख़बर नहीं करने दी। कर देता तो शायद बच जाता। अस्पताल में भर्ती हो गया। वहाँ जिस केरलवासिनी नर्स ने उसे रोग-मुक्त किया, उसी से विवाह कर लिया उसने। एक दिन बाद चिन्तातुर पिता का जवाबी तार आया। उन्हें उत्तर मिला, मुझे और अपनी बहू को आशीर्वाद दीजिए।

"तुम हमारे लिए मर चुके हो। हम न दोनों रहें तो तुम्हें कन्धा देने के अधिकार से हम वंचित करते हैं। अपना काला मुँह हमें मत दिखाना"—क्रोध से फड़कती शिखा को फहराते पंडित शिवसागर मिश्र ने स्वयं उस चिट्ठी को लेटर बॉक्स में डाल वहीं पर पच्च से ऐसे थूका, जैसे निर्लज्ज पुत्र के मुँह पर थूक रहे हों। देखा जाए तो पहली बार वही आघात उन्हें पार्वती के निकट ले आया था। वह आघात अकेले झेलने की शक्ति उनमें अब नहीं थी।

बेटे के तार को जब वे फाड़ रहे थे तभी कभी कुछ न पूछने वाली पत्नी चुपचाप आकर उनके पीछे खड़ी हो गई थी।

"क्या लिखा है तार में, आप इतने परेशान क्यों हैं? सब कुशल तो है ना? कुछ बुरी ख़बर तो नहीं है?" अपनी बड़ी-बड़ी आँखों की चिन्तातुर दृष्टि

उसने पति के तमतमाए चेहरे पर निबद्ध कर पूछा।

"हाँ, बुरी ख़बर है, मर गया अमित!"

"हे राम, हे राम!" कहती वह नित्य की भाँति सिकुड़ती धरा पर ढेर हो गई थी। ठीक जैसे कोई नमक छिड़की पहाड़ी जोंक गोल-गोल घूम सहसा निश्चेष्ट हो जाती है। "पार्वती! पार्वती!" कह वे उसकी पलट गई पुतलियाँ और रक्तहीन चेहरा देख भयभीत हो गए। देही एकदम ठंडी पड़ी थी। कहीं दिल का दौरा तो नहीं पड़ गया उसे, इस उम्र में वह भी उन्हें छोड़ गई तो उनका क्या होगा। जिसे जीवन-भर वे खाज से लगी कुतिया की भाँति प्रताड़ित करते रहे, उसकी इस अनहोनी मृत्यु की सम्भावना से वे एक क्षण को स्वयं अपनी चेतना खो बैठे, यद्यपि उस सम्भावित वियोग के बीच भी स्वयं उनकी स्वार्थपरता ही प्रखर हो रही थी। इसे कुछ हो गया तो दो जून की रोटी भी नसीब नहीं होगी उन्हें। पाँच बेटों में से एक भी तो उनके बुढ़ापे का सहारा नहीं बन सकता था, एक छुटके से ही थोड़ी-बहुत आशा थी। पत्नी की मुट्‌ठी-भर की देह को शिवसागर ने उठाकर बिस्तर पर धरा, हाथ-पैरों को रगड़-फूँक गर्म करने की चेष्टा की पर वह निश्चेष्ट पड़ी रही। भागकर वे अपने एकमात्र हितैषी-मित्र बदरी को बुला लाए। वही कभी अपने इस पाषाण हृदय मित्र को गऊ-सी निरीह पत्नी के प्रति दुर्व्यवहार के लिए क्षमा नहीं कर पाए थे। आश्चर्य था कि सर्वथा विपरीत स्वभाव होने पर भी दोनों आज तक अपने स्कूल की मैत्री को पूर्ववत बनाए चले आ रहे थे। संस्कारशील शिवसागर के मुँह से कभी किसी ने आज तक क्रोध आने पर भी गाली नहीं सुनी थी। बद्रीप्रसाद के हर वाक्य का आरम्भ और अन्त साले से होता था। न उन पर परिवार का बोझ था, न पत्नी का अनुशासन, विधुर बद्री घोर नास्तिक थे, मांस, अंडा, मछली से उन्हें कोई परहेज नहीं था। मित्र के साथ प्रति मंगल हनुमान मन्दिर अवश्य जाते पर बाहर ही खड़े रहते—'निगरगंड मोटा, नफ़ा न टोटा' का मूल मंत्र जपते वे जीवन के सत्तर नीरस वर्ष काट चुके थे। न उन्हें भविष्य की चिन्ता थी, न वर्तमान की। एक बार बेटे से रूठे तो उससे रिश्ता ही तोड़ लिया। सामान्य-सी पेंशन में उनकी गुज़र हो ही जाती थी।

फिर शिबू जैसा उदार मित्र भी तो था। उस दिन भी वे उस मित्र की विपत्ति की घड़ी में भागते चले आए।

"क्या हुआ? सच-सच बताओ साले।" सब कुछ सच-सच बता दिया था शिवसागर ने और अबोध बालक से सिसकते, पत्नी के हिम-शीतल पैरों पर गिर पड़े थे, "मुझे माफ़ कर दे पार्वती, मैंने तुझे बहुत सताया है, क़साई हूँ मैं!" सदा अकड़ से सीना कबूतर की तरह ताने चलने वाले अपने अहंकारी मित्र को उस दीन-हीन मुद्रा में देख बद्री पसीज गए, "हो तो साले पूरे क़साई पर जो होना था सो हो गया। लाओ, पकड़ो ज़रा, खटिया से देही तो उतारनी ही होगी—गंगाजल है घर में, और कुश?" दोनों मित्रों ने फूल-सी देह को नीचे धरा। फिर शिवसागर ने जो किया, उसके लिए बद्री प्रस्तुत नहीं थे। पागलों की तरह वे झुके और पत्नी की निष्प्राण देह को चूमने लगे। उसके रक्तहीन अधर, कपोल, केश, ललाट, पैर।

"पागल हो क्या! उनकी आत्मा को कष्ट होगा," बद्री ने मित्र का कन्धा पकड़कर झकझोरा, "शान्त-स्थिर होकर बैठे रहो। मैं मोहल्ले में ख़बर कर आऊँ। मिट्टी समय से ही उठानी होगी—बाहर भूरी बदरी घिरी है, कहीं पानी न बरसे।"

सहसा बोलते-बोलते बद्री, भय से निष्प्राण देह की ओर उँगली उठाकर बोला, "अरे देख-देख, भाभी की साँस चलने लगी। हाय राम, कैसा पाप होने जा रहा था हमसे! यही तो मैं सोच रहा था—ऐसी सती-लक्ष्मी पूस की अमावस में इस घर को छोड़ कैसे जा सकती थी। देख शिबू, अब किसी से कुछ कहियो मत, भाभी से भी नहीं। समझा? वह हमें कभी माफ़ नहीं करेगी—मेरे पास पिताजी का दिया मालती वसन्त धरा है। मैं ले आऊँ, दूध में पिला देंगे। असली चीज़ है, बप्पा कहते थे, "बद्री, घाट में पड़े मुर्दे के मुँह में भी डाल देगा तो वह घर लौट आएगा।" फिर सारी रात दोनों मित्र अचेत पार्वती के सिरहाने बैठे रहे थे, पलक भी नहीं झपकाई दोनों ने। धीरे-धीरे साँस का वेग प्रखर होता चला गया।

"जा साले, अब बढ़िया चाय बना ला जल्दी—लगता है पसलियों में ठंड

घुस गई है। तू फ़िकर मत कर, अब कुछ नहीं होगा भाभी को।"

शिवसागर ने क्या आज तक कभी चाय का पानी भी खौलाया था?

अनाड़ी-अनभ्यस्त हाथों से पानी खौलाया, फिर बड़ी देर तक चाय का डिब्बा खोजता रहा, न जाने किस डिब्बे में रखती थी पार्वती। चाय बनी और गिलासों में डालने लगा तो उँगलियाँ जल गईं, असहाय अश्रुजल से उसकी आँखें डबडबा आईं, कितना अकर्मण्य बना दिया था उसे पार्वती ने! आज वह चली गई होती तो जीवन कैसा दुर्वह बन उठता!

पार्वती ने अभी भी आँखें नहीं खोली थीं, पर साँस की ऊर्ध्व गति, स्वाभाविक छंद में उतर आई थी।

"अब सरऊ, हम तुम्हारी पोल खोलकर रख देंगे, आने दो भाभी को होश में। तुमने उनकी ज़मीन पर धरी देही के साथ क्या किया, कह देंगे हम।" चाय के घूँट सशब्द सुड़कते बद्री ने बड़ी दुष्टता से एक आँख मीच दी।

"क्या किया था मैंने?" कुछ न समझ पाने का उपक्रम कर रहे अभिनय-विधुर पैंसठ वर्ष के पंडित शिवसागर मिश्र के दोनों पिचके कपोल सहसा किसी प्रणयिनी किशोरी के कपोलों से आरक्त हो उठे।

"अब बनो मत साले, पूछते हैं क्या किया मैंने! अजी हम न होते तो पूतोंवाली को छठा बेटा दे दिया होता तुमने।"

जिस अमावस की मनहूस रात्रि का प्रारम्भ दोनों मित्रों के लिए करुणाविहीन यम के आगमन से भयानक बन उठा था, उसका अन्त हुआ उतना ही मधुर, उतना ही सुखद।

दोनों मित्रों के बीच फिर न जाने कितनी बार चाय का दौर चला, उन सुखद क्षणों में संस्कारशील शिवसागर मिश्र बदरी की निम्न स्तरीय परिहास रसिकता को भी चटकारे ले-लेकर चाय के साथ घुटकते रहे।

"अब मैं चलूँ, चिन्ता मत कर तेरी घरैतिन लौट आई है घाट से। पर सुन, अब इस बुढ़ापे में जवानी में किये एक-एक अपराध की भाभी से क्षमा माँग लेना। फूलों की सेज पर सुलाना अब बुढ़िया को।"

वही किया था शिवसागर मिश्र ने और आज तक किये चले आ रहे

थे। यौवन में किये गए एक-एक अक्षम्य अपराध का पूरा प्रायश्चित्त कर रहे थे वे। पार्वती अभी इतनी दुर्बल थी कि स्वयं उठ नहीं पाती थी, उसे सहारा देकर उठाते, हाथ-मुँह धुलाते, नहा-धोकर चाय बनाते, फिर दलिया बना, अपने हाथों से उसे खिलाते और हर कौर के साथ क्षमा माँगते चले जाते।

"मुझे माफ़ कर दिया न पार्वती? तूने नहीं किया तो भगवान भी मुझे कभी माफ़ नहीं करेगा।"

बिस्तर पर पड़ी पार्वती एकटक अपनी तरल दृष्टि से पति को देखती रहती। क्या यह सचमुच उसका पति कर रहा था या वह कोई सपना देख रही थी? यदि यह सपना ही है प्रभो, तो इसे भंग मत करना, मैं बिस्तर पर लुंज-पुंज पड़ी यही सपना अन्त तक देखती रहूँ। वह पति, जिसने कभी उसके यौवन को स्वयं अपने हाथों चौदह वर्ष का वनवास दे दिया था, अब उसे पान के पत्ते-सा फेर रहा था, "मैं उस दिन ग़ुस्से में बौरा गया था पार्वती, मैंने कभी सोचा भी नहीं था कि वह हमारे कुल को ऐसे डुबोकर रख देगा—जानती हो, वह लड़की ईसाइन है। उसके एक मित्र ने लिखा है मुझे।"

"क्यों जी छोटा करते हैं आप?" अपने मधुर शान्त स्वर को मजीरे-सी खनकाती वह पति को दिलासा देने लगी थी, "भगवान की यही इच्छा रही होगी। फिर पहले जनम में कुछ बुरे करम किये होंगे हमने।"

शिवसागर आश्चर्य से पत्नी के पीले चेहरे को देखते रहे थे। न उत्तेजना, न क्रोध। शान्त झील-सी आँखों में पुत्र की अबाध्यता के रेले ने, सामान्य-सी हलचल भी नहीं की थी। कहाँ से आ गई उसमें ऐसी दार्शनिकता?

पार्वती का दुख इस समय एक ही था, उस आकस्मिक झटके ने उसके हाथ-पैर काटकर बिस्तर पर डाल दिया था, वह पति के लिए कुछ भी नहीं कर पा रही थी। छि:-छि:, लेटे-लेटे पलंग ही तो तोड़ रही थी, बस। और वे जिन्होंने कभी आटे की लोई भी हाथों में नहीं ली थी, उन्हें चूल्हे-चक्की से जूझना पड़ रहा था। बार-बार वह आँखें बन्द कर ईश्वर से एक ही याचना करती—मैं इन्हीं की गोद में आँखें मूँदूँ और मेरे दो नादान बेटे और कुछ न कर बैठें। पर दूसरे ही महीने चौथा बेटा भी हाथ से निकल गया। उससे तो

यही उम्मीद भी थी। वह डॉक्टर था और भोली पार्वती भी इतना जानती थी कि डॉक्टर अमूमन डॉक्टरनी ही लाता है। पर क्या उनके समाज की डॉक्टरनी नहीं जुटती उसे? बाप से एक बार तो मुँह खोलकर कहा होता। उस पर सुना, बहू का बाप, भतीजे की हत्या के अपराध में किसी जेल में आजन्म क़ैद की सज़ा भुगत रहा था। यह अच्छा हुआ कि विवाह होते ही डॉक्टरों का वह जोड़ा स्वयं विदेश की ओर उड़ गया। अब केवल छुटका बचा था। इस बार शिवसागर मिश्र मन-ही-मन दृढ़ निश्चय कर चुके थे कि इस पाँचवें बेटे को अपने ही द्वार के खूँटे से बाँधकर रख देंगे, भागकर देख तो ले—वह तब प्रशासकीय सेवा में आकर मसूरी में ट्रेनिंग पा रहा था।

बद्री कह रहा था, "वहाँ भी समझ लो, कुँआरों की हाट लगी रहती है—ठीक जैसे सोनपुर का पशु मेला। वहीं या तो लड़की स्वयं फाँस लेती है या लड़की का बाप। फिर छुटका तुम्हारा बहुत सीधा है। बिरादर, ऐसे डरपोक अनाड़ी तैराक ही जल्द डूबते हैं। मेरा कहा मानो तो कोई अच्छे घर की पढ़ी-लिखी लड़की देख बात पक्की कर लो। शादी ट्रेनिंग के बाद होती रहेगी।"

यही तो किया था उन्होंने, फिर भी ठगे गए। बहुत ठोक-बजाकर लिये गए मटके में भी कभी घर लाने पर छेद निकल आता है। वही हुआ। एक तो छुटका बचपन से ही उनकी छाया से भी थर्राता था। पढ़ने में अत्यन्त मेधावी था फिर भी, गणित में 100 में से 99 अंक पाने पर भी बाबूजी का मत्था सिकुड़ जाता, "क्यों बे, एक नम्बर किसमें कटा?" वे गरजकर पूछते तो वह कुछ बोल नहीं पाता। इसी से, जब उन्होंने कड़ककर कहा, "हमने तुम्हारा रिश्ता पक्का कर दिया है, इसी बैसाख में लगन निकली है।" वह बेचारा एक शब्द भी नहीं कह पाया। यह भी नहीं पूछ सका कि कौन है वह? लड़की—पढ़ी-लिखी है या अम्मा की तरह बुढ़ापे में भी घूँघट निकाले रहेगी। किन्तु शिवसागर मिश्र ने अपने सजीले बेटे के लिए टक्कर की ही लड़की ढूँढ़ी थी। गोरी, उजली, दुबली-पतली, तीखे नैन-नक़्श और कॉन्वेंट शिक्षिता। बद्री के साढ़ू ही बिचौलिया बने थे। कन्या के पिता ने पुलिस विभाग के सर्वोच्च पद से अवकाश ग्रहण किया था। इसी से रस्सी जलने पर भी रस्सी

ऐंठ नहीं गई थी। चाल में अभी भी अकड़ थी। आवाज़ में कड़क, बदरी के ही कहने पर शिवसागर मिश्र ने उसी शहर में कुछ दिनों के लिए एक कोठी किराए पर ले ली थी और वहीं से विवाह निबटा गाँव चले गए थे, पुलिस महकमे के अपने रोबीले समधी को भला वे अपने गाँव के उस छोटे से मकान में बरात लाने को कैसे कह सकते हैं? विवाह का निमंत्रण, उन दो निष्कासित बेटों को नहीं भेजा गया, जिन्होंने अन्तरजातीय विवाह किये थे। उन दो बेटों को, जिन्होंने अपने ही समाज में विवाह किया था, बड़ी आशा से ही निमंत्रण भेजा गया था, पर वे भी नहीं आए। एक ने अपनी बीमारी की बात लिख असमर्थता व्यक्त की थी, दूसरे ने पत्नी की। "हम जानते हैं कैसी बीमारी है पार्वती!" लम्बी साँस खींचकर शिवसागर मिश्र ने कहा था, "आ जाते तो ज़रा हमारी भी नाक ऊँची हो जाती, उस ऐंठू समधी के सामने कि देखो, हम भी एकदम गए-बीते नहीं हैं।"

छुटके की बहू भी एक ही बार गाँव आई, फिर आज तक उसका द्विरागमन कभी नहीं हुआ। कितने वर्ष बीत गए थे फिर। अब तो छुटके के बालों में भी सफ़ेदी आ गई थी। तसवीर भेजी थी उसने, दुबली-पतली बहू फूलकर ढोल हो रही थी। उस पर भी छुटका बराबर यही लिखता था कि रीना बीमार है। हर तीसरे साल गुलाब की क़लम की भाँति उसकी देही काटी-छाँटी जाती। एक-न-एक ऑपरेशन होता रहता। कभी रीना की आमाशय की पथरी निकाली जा रही है, कभी एपेंडिक्स और कभी बच्चेदानी।

शिवसागर मिश्र एक ही बार पुत्र की गृहस्थी देखने गए थे, जब वह नया-नया कलक्टर बना था।

"अम्मा को नहीं लाए, बाबूजी?" बहू ने पूछा था, बोलने की तो एक ऐसी मीठी थी कि शिवसागर को भय होता, कहीं उससे अधिक बतियाए तो उनकी ब्लड शुगर न बढ़ जाए।

"नहीं।"

"क्यों, तबीयत ठीक नहीं है क्या?"

"तबीयत-उबीयत सब ठीक है, पर हमने सोचा, बुढ़िया अभी भी घूँघट

निकालती है, तुम्हारी कलक्टरी में बेमेल लगेगी।"

मर्मस्थल पर चोट करना ख़ूब जानते थे मिसिर। यह भी कह सकते थे कि बेटा, तुमने तो अम्मा को साथ लाने को लिखा नहीं था, यही लिखा था कि बाबूजी आप एक बार आकर हमारी गृहस्थी देख जाइए। जिसने दस महीने पेट में रखा उसका ध्यान नहीं आया पुत्रवर? पर यह सब नहीं कहा उन्होंने, पर जो गोली उन्होंने दागी थी वह ठीक बेटे की छाती में जाकर धँस गई थी। तड़पकर रह गया था वह! ठीक ही तो कह रहे थे बाबूजी। वह सर्वस्व त्यागिनी जननी, जिसके पेट में हाथ डाल वह उसके पास सोने के लिए चारों भाइयों को सींग मार-मारकर दूर खदेड़ देता था, उसे वह सचमुच ही भूल गया था। अब वह संसार में दो ही व्यक्तियों से डरता था। दौर्दंड पिता से और उग्रतेजी अग्निगर्भा पत्नी से। कहीं अम्मा से कुछ कह बैठती रीना तो बाबूजी अनर्थ कर सकते थे। छुटके का छोटा बेटा आनन्द तब अंग्रेज़ी स्कूल में पढ़ रहा था। बड़ी बेटी भी कॉन्वेंट में पढ़ रही थी। शिवसागर मिश्र को पोते की वह शिक्षा एकदम नापसन्द थी। जब देखो तब हाथ में कॉमिक्स और मुँह में च्युंगम।

"अरे, यह क्या गाय-भैंस की सी जुगाली करता रहता है तू! क्या खाता है दिन-भर?" कॉमिक्स के आनन्दोदधि में आकंठ डूबे पौत्र की उस चुप्पी को अबाध्यता समझ, शिवसागर मिश्र बौखला गए थे। बहू-बेटे के साथ वे नाश्ता कर रहे थे। छुटका भी कई बार बेटे को नाश्ता करने बुला चुका था। वह उठ ही नहीं रहा था। "अरे सुना नहीं क्या? मैं पूछता हूँ, क्या चबा रहा है तू?" शिवसागर की 'भृकुटि विलास सृष्टि लय होई' वाली मुखमुद्रा पहचानते ही छुटका काँप गया, कहीं हाथ न उठा बैठें बाबूजी।

वही किया उन्होंने, उठे और चट से एक चाँटा धर दिया अबाध्य पौत्र के गाल पर।

बेचारे नहीं जानते थे कि जिसे वे पौत्र की अबाध्यता समझ रहे थे वह तो इस युगीन पीढ़ी की विशेषता थी। यदि हाथ में कॉमिक्स हो तो एक प्रश्न को चार बार पूछिए। तब कहीं अन्यमनस्क उत्तर मिलेगा, "हूँ!"

जिस छुटके ने अपने कैशोर्य तक, बाप के ऐसे अनेक झापड़ खाकर भी कभी मुख खोलना नहीं सीखा था, उसी का बेटा नन्हे सँपोले-सा तनकर खड़ा हो गया और डस ही दिया पितामह को, "हाउ डेयर यू! क्यों मारा मुझे, कौन होते हैं आप!"

एकाएक शिवसागर मिश्र का वर्षों से भूला-बिसरा उग्र अनुशासन पूरी शक्ति से उनके चौड़े पंजे में उतर आया। वही शिवसागर, जो स्कूल के छँटे-से-छँटे शातिर छात्र को अपने एक ही झापड़ में सीधा कर देते थे, उठे और बोले, "अभी बताता हूँ, कौन होता हूँ मैं!"

फिर चटाचट-पटापट थप्पड़ों की शिलावृष्टि से भयभीत हो बहू ने पिटते पुत्र को खींचकर छाती से लगा लिया था। "जानवर, जंगली हैं आप," वह ससुर से कहती हाँफने लगी, "हमने आज तक इसे कभी फूल की छड़ी से भी नहीं छुआ!" छुटका चुपचाप बैठा रहा, न उसे पिता का पक्ष लेने का साहस था, न पत्नी का।

"वह तो देख ही रहा हूँ," शिवसागर ने नाश्ते की अनछुई प्लेट दूर खिसका दी, "तुम दोनों के दुलार ने ही इसकी यह हालत कर दी है। सातवीं में पढ़ रहा है और कल गणित का एक सामान्य-सा प्रश्न भी हल नहीं कर पाया। न अंग्रेज़ी ही ढंग की लिख पाता है, न हिन्दी। विज्ञान में एकदम गोल। कहता है डैडी ने कैलकुलेटर मँगा दिया है, हम कैलकुलेटर से सवाल करते हैं। एक दिन जब समझ में आएगा इसके दिमाग़ी कलपुर्जों में तुम यह सब दिलवाकर ज़ंग लगा रहे हो, तो बहुत देर हो चुकी होगी। लानत है तुम पर, जो इसे अब तक सामान्य शिष्टाचार भी नहीं सिखा पाए—न बड़ों का आदर, न छोटों से प्यार, न नौकरों से ढंग से बातें करना। कल तुम्हारा अर्दली स्कूल पहुँचाने देर से आया तो पूछो क्या कहा इसने?"

"क्या कहा मैंने?" बेटे का बेटा, क्रुद्ध जंगली बिल्ले-सा कूबड़ निकाल ऐसे आगे बढ़ा जैसे उनका मुँह नोच लेगा।

"जो तुमने कहा, वह मैं अपनी ज़ुबान पर भी नहीं ला सकता...मैं इसे पढ़ाने लगा," वे पहली बार खिसियाए नतमस्तक बैठे बेटे की ओर बढ़े,

"तो तेरी बहुरिया को बड़ी नाक लगी—मैंने वह सब सुन लिया छुटके, जो यह बरामदे में तुमसे कह रही थी। बेचारी शायद देख नहीं पाई कि मैं भीतर ही बैठा अख़बार पढ़ रहा हूँ।"

छुटके का चेहरा झुकता-झुकता एकदम ही नीचे आ गया था। उसका बस चलता तो वह मेज़ के नीचे दुबक जाता। "वह कह रही थी," शिवसागर कहने लगे, "तुम्हारे बाबूजी तो आनन्द के पीछे हाथ धोकर पड़ गए हैं, स्कूल से लौटकर एक मिनट सुस्ता भी नहीं पाता बेचारा। जब देखो तब उसकी गर्दन दबोचे बैठे हैं। अब घर जाने को कहें तो तुम उन्हें मत रोकना कुछ महीने और रह गए तो आनन्द का भेजा ही चाट उसे कूढ़मगज बना देंगे...ठीक कहती हो बहू कहीं वैसा ही न बना दूँ जैसे अपने पाँच बेटों को बना दिया है, दो आई.ए.एस., एक डॉक्टर, एक इंजीनियर और एक वैज्ञानिक। आज जिसके पढ़ाए विद्यार्थियों में से कोई कमिश्नर है, कोई पुलिस का वरिष्ठ अधिकारी वह तुम्हारे बेटे को कूढ़मगज ही तो बना देगा। बहू, इत्ता हम समझ गए हैं, तुम्हारी पंगत में अब हम बूढ़ों की पत्तल नहीं बिछ सकती। भलाई इसी में है कि हम सब बुड्ढे-बूढ़ियों को, जिन्हें तुम अपनी भाषा में 'ओल्डीज़' कहते हो, एक क़तार में खड़ा कर धाँय-धाँय गोली चला ढेर कर दो। न रहेगा बाँस न बजेगी बेसुर बाँसुरी।"

और फिर उसी क्षण शिवसागर मिसिर बिना खाए-पिए अपना बुकचा लटकाए पुत्र के गृह से निकल गए थे।

एक-दो बार अपराधी पुत्र ने प्रायश्चित्त करने की चेष्टा भी की। एक बार दो हज़ार का ड्राफ़्ट भेजा, दूसरी बार पूरे पाँच हज़ार का, पर दोनों ही बार ड्राफ़्ट उसी के पते पर लौट आए। अब तो पाँचों पुत्रों के मोह-बन्धन से मुक्त हो गए थे शिवसागर। उन दोनों की पेंशन, उन दो प्राणियों के लिए

बहुत थी, उस पर चाय-पानी का ऊपरी ख़र्चा वे दो-तीन ट्यूशनों से निकाल लेते थे। संध्या होते ही दोनों मित्र घूमने निकल जाते, लौटते तो पार्वती चाय खौलाकर तैयार रखती। क्या चाय बनाती थी पार्वती! गुड़ का सोंधा स्वाद, तुलसी की पत्ती, सोंठ, इलायची, न जाने कौन-कौन से मसाले कूटकर धरे रहती शीशी में, गाढ़ी चाय और गाढ़ा दूध। एक ही घूँट, शरीर के समस्त वात-पित्त को हवा में उड़ाकर रख देती थी। कभी-कभी मित्र को शिवसागर जबरन खाने के लिए भी रोक लेते, रात अधिक हो जाती तो बद्री छत के कमरे में ही खटिया डालकर सो जाते। छत का वह कमरा उस पैतृक गृह का सबसे पुराना कमरा था। चारों ओर ईंटों की जीर्ण दीवारों को अधोपतन से रोकने के लिए दोनों मित्रों ने किसी प्रकार से चार मोटे बाँस लगा दिये थे। शिवसागर की गृहस्थी की गाड़ी ठीक ही चल रही थी। पर इधर पार्वती का क्रमशः रक्तशून्य हो रहा चेहरा, उन्हें सहमाने लगा था। क्या हो गया था उसे? क्या पुत्रों की उदासीनता ही उसे घुला रही थी या कोई घातक रोग लग गया था उसे? आजकल तो जिसे सुनो, उसे ही कैंसर घसीटता मृत्यु की खोह में लिये चला जा रहा था। कहीं कैंसर ही तो नहीं हो गया उसे? अपनी ओर से तो उन्होंने उसकी देखरेख में कहीं भी त्रुटि नहीं रहने दी थी। रात-रात-भर उसका हाथ अपने हाथों में लिये बैठे रहते थे। पर बेचारा शुष्क शिवसागर, वह यही नहीं जानता था कि बहुत दिनों के भूखे को यदि छप्पन प्रकार के व्यंजन एक साथ खिला दिये जाएँ तो पेट भर वह खुराक उसके लिए कुपथ्य ही बन उठती है। यौवन भर तो वे उसे भूखी ही छोड़ गए थे। अब इस वयस में वे लाख व्यंजन परस उसके सम्मुख धर दें—वह क्या ख़ाक खा पाएगी? वह मुँह खोलकर कुछ बताती नहीं थी पर वे देखते, प्रायः ही वह सामान्य से कार्य से भी थककर, पति की दृष्टि बचा, बीच-बीच में चुपचाप खटिया पर पसर जाती। यही सब देख, आत्मसम्मान को ताक में धर पूरे दस वर्ष बाद छोटे पुत्र को पत्र लिखा था। वह अब सचिव का पदभार ग्रहण कर दिल्ली पहुँच गया था। सुना था, दिल्ली ही अब अफ़सरों का मदीना थी, मंत्रियों का महातीर्थ। छुटका चिकित्सा विभाग का सचिव था। सम्पूर्ण भारत के धन्वंतरियों

की जन्म-कुंडलियाँ उसकी मुट्ठी में बन्द रहती होंगी। दिन-दिन घुलती माँ की देह को शायद पुत्र के पद की महत्ता बचा ले। धीरे-धीरे उन्होंने पार्वती को भी उस चिकित्सा यात्रा के लिए पटा लिया था। वह बेचारी पाँचों पुत्रों की देहरी पर ठोकर खा चुकी थी कि अब सहज में पतिगृह की देहरी की लक्ष्मण रेखा लाँघने में भी डरती थी। पूरा महीना बीत गया। छुटके का उत्तर नहीं आया। इस बीच पार्वती की हालत और गिर गई, फिर शिवसागर मिश्र ने स्वयं निर्णय लिया, वे उसके पत्र की व्यर्थ प्रतीक्षा नहीं करेंगे, स्वयं पार्वती को लेकर पहुँच जाएँगे।

"बद्री," उन्होंने अपने मित्र से कहा, "सोच रहे हैं, तुम्हारी भाभी को लेकर दिल्ली हो ही आएँ। छुटका कई बार बुला चुका है।" बद्री ने बड़ी ही व्यंग्यपूर्ण दृष्टि से मित्र को देखा। अपने प्रश्न को तिर्यक स्मित से और भी घातक बनाकर पूछा, "अच्छा? बुलाया है छुटके ने? हो आओ बिरादर, पर जल्दी लौट आना।" छुटके को माँ के हाथ के बने गोंद-मेवे के लड्डू बेहद पसन्द थे। उस हालत में भी आधी रात तक जगकर पार्वती ने लड्डू बनाए, मठरी, बेसन का लट्ठा और खोरमा पूरी कनस्तरी ही भर-भरकर धर ली। जब अपनी गठरी, कनस्तरी और रंग उड़े फूलदार बक्से के साथ, पुत्र की कोठी पर पहुँचे तो देखा, स्टूल पर बैठा गोरखा दरबान बीड़ी पी रहा है। उसने पहले उस देहाती जोड़े को द्वार पर ही रोक दिया। पर फिर परिचय पाते ही वह उन्हें भीतर ले गया, "आप डराइंग रूम में बैठिए साब, मेमसाब कहीं गया अभी आता ही होगा।"

दोनों अपने ही बेटे के गृह में सहमे अनजान अतिथि से घंटों बैठे रहे। कैसी सुन्दर सजावट थी कमरे की, मूर्तियाँ, मख़मली सोफ़ा, जहाज़-सी कुर्सियाँ। सहसा पुत्र के वैभव के बीच, पार्वती को अपना अतीत याद हो आया। कितना संकुचित था वह अतीत और कितना उदार था यह वर्तमान! इन बच्चों के वैभव की प्रतीक थी तब घर की एकमात्र आरामकुर्सी जिसे उनके बाबूजी, एक बार शहर जाने पर नीलाम से ख़रीदकर लाए थे। पार्वती ने ही उस ढीली पड़ रही बेंत की बुनावट को बचाने के लिए पुराने लिहाफ़

की रुई भर एक गुदगुदी गद्दी बना दी थी। उसमें अर्धशायित पति की रोबदार मुद्रा पर वह बाहर-भीतर जाते, बार-बार न्योछावर होती थी। मजाल थी, बाहर-भीतर शिवसागर के घर पर रहते कोई उस कुर्सी पर बैठ तो जाए, पर जहाँ वह घर से बाहर जाते, तो पाँचों बेटे उस पर टूट पड़ते। जो पहले अपने बाहुबल से चारों को पराजित कर उस पर बैठता, वहीं से विजयपूर्ण घोषणा करता, "राजगद्दी मेरी।"

आज, उसके पाँचों बेटे एक से बढ़कर एक राजगद्दियों पर आसीन थे। सारथी के हाथों से पाँचों की लगाम कब की छूट चुकी थी। क्या अब उन्हें घर की उस राजगद्दी की याद आ सकती थी?

उसने कनखियों से पति को देखा, न जाने किस सोच में डूबे थे—ज़रा सा मुँह निकल आया था। घर पर होती तो अब तक उन्हें तीन-चार बार चाय पिला चुकी होती। ऐसे बिना छुटके को बताए क्या उनका यहाँ आना उचित था?

इतने ही में कार का शब्द सुन दोनों एक साथ चौंके, पार्वती ने अब तक छाती से चिपकाई दबी पोटली नीचे धर दी। शिवसागर ने रुग्ण पत्नी की भय से फैली तरल पुतलियाँ देख उसकी ठंडी हथेली, अपने सशक्त पंजे में थामकर, मूक आश्वासन दिया, "घबरा नहीं पार्वती, कहीं जंगल में तो नहीं आए हैं, है तो हमारे बेटे ही का घर।" खट-खट करते जूतों की आहट जितनी ही निकट आ रही थी, पार्वती का पिद्दी-सा कलेजा उतनी ही बार धड़क रहा था—धड़, धड़। पूरे दस वर्ष बाद देख रही थी उसे, कितना बदल गया था छुटका—अधपके बाल, खिचड़ी मूँछें, पर अब भी कैसा सजीला लग रहा था नीले सूट में, पीछे-पीछे बहू थी। रँगे होंठ, कटे बाल, सँवरा भृकुटि-विलास। उदर-दर्शिनी ब्लाउज़ से निकली मेद बहुल परतें।

बेटे का चेहरा देखते ही शिवसागर समझ गए कि उनका ऐसे बिना पूर्वअभिज्ञता के यहाँ चले आना बेटे को अच्छा नहीं लगा।

"आपने कुछ लिखा नहीं, एकदम ही चले आए बाबूजी," उसके कंठ की झुँझलाहट कुछ अधिक ही तीखी हो उठी।

"क्यों? चले जाएँ क्या?" शिवसागर भी नहले पर दहला थे।

"नहीं-नहीं, कैसी बातें कर रहे हैं आप?" उसने खिसियाकर बात पलट दी, "तार कर दिया होता तो हम स्टेशन पर आ जाते।"

"तुम्हारी अम्मा की क्या हालत है, देख ही रहे हो। सोचा, जिस ऊँचे ओहदे पर हो, इसे आसानी से डॉक्टरों को दिखा सकोगे, चिट्‌ठी तो लिखी थी, तुमने जवाब दिया ही कहाँ?"

"आप नहीं जानते मेरी नौकरी कैसी है। कभी-कभी बारह बजे रात तक घर नहीं आ पाता। फिर यह दिल्ली है बाबूजी, यहाँ डॉक्टरों से भी महीना-भर पहले अपॉइंटमेंट लेना पड़ता है। ख़ैर, आप हाथ-मुँह धोकर कुछ खा-पी लें फिर कल देखी जाएगी।"

"बच्चे कहाँ है छुटके?" पार्वती ने डरते-डरते ऐसे पूछा जैसे कोई अपराध कर रही हो। छुटका ज़ोर से हँसा, पार्वती के हृदय में ढुलकता स्मृति-कलश एक बार फिर छलक उठा, ठीक वैसे ही हँसता है अब भी, जैसे पहले हँसता था। सिर पीछे कर आँखें मूँद लेता था हँसने में।

"अब वे बच्चे कहाँ रहे अम्मा, स्मिता बम्बई में एक होटल में रिसेप्शनिस्ट है, आनन्द पूना में है, फ़िल्म इंस्टीट्यूट में पढ़ रहा है।" शिवसागर मिश्र के चेहरे की मांसपेशियाँ तन गईं, "अच्छा, तो भाँड़ ही बना रहे हो बेटे को?"

"कैसी बात कर रहे हैं बाबूजी।" देश की राजधानी का वह वरिष्ठ सेनापति झक्की पिता की बात सुन भन्ना उठा था। बहू ने सास से एक शब्द भी अब तक नहीं कहा, वह ससुर की बात सुनते ही भीतर चली गई। पीछे-पीछे छुटका।

न फिर बेटा ही झाँकने आया, न बहू। पलंग बिछाकर नौकर ने ही पूछा, "आप क्या खाएँगे साहब?"

"कुछ नहीं, हम अपना खाना साथ लाए हैं।" शिवसागर को पार्वती ने शंकित दृष्टि से देखा, कहीं फिर कुछ उलटा-सीधा न कह डालें—आते ही तो बहू-बेटे को नाराज़ कर दिया।

दोनों ही फिर पुत्र की उस सजीली कोठी में, बिना कुछ खाए-पिए ही सो गए थे।

दूसरे दिन शिवसागर की आँखें खुलीं तो पार्वती, दोनों हाथ छाती पर धरे चुपचाप छत को देख रही थी। चेहरा एकदम ही धूसर पड़ गया था। न जाने प्राण कहाँ टिके थे उसके। कंकाल-सी देह पर, मांस की एक पारदर्शी परत मात्र रह गई थी।

"कैसा जी है पार्वती?" उन्होंने बड़े लाड़ से, उसके ललाट पर हाथ धरा और चिहुँककर हटा लिया। ठंडे पसीने से ललाट भोर की भीगी हुई दूब-सा आर्द्र था।

"सुनो जी, मुझे आज ही घर ले चलो," उसने पति का हाथ पकड़ लिया, अश्रुवाष्प से उसका कंठ अवरुद्ध हो गया।

एक ही वाक्य में उस निरीह नारी ने अपनी समस्त, सन्तानजन्य व्यथा उड़ेलकर रख दी थी। वे जानते थे कि वह कितने उत्साह से यहाँ आई थी। छुटका उसके कलेजे का टुकड़ा था। बार-बार बद्री से उसने कहा था, "देखना, अबकी पूरा महीना बच्चों के साथ बिताकर आऊँगी...छुटके से कहूँगी—जब आई ही हूँ, तो चल छब्बीस जनवरी का जलसा दिखा ला हमें। दिसम्बर तो यहीं बीत गया, दिन ही कितने हैं।"

फिर रात-रात जागकर नाश्ता तैयार किया और कनस्तरी में भरा था बेचारी ने, आज वही रत्नगर्भा कनस्तरी, अनछुई कोने में धरी थी। बहू का उस सुदामा की तन्दुल भरी पोटली की ओर भर्त्सनापूर्ण दृष्टिपात शिवसागर ने देख लिया था। पार्वती कितनी ही भोली क्यों न हो, पुत्र के व्यवहार से वह जान गई थी कि उनके आकस्मिक आगमन ने बहू-बेटे को पुलकित नहीं किया है। एक बार पर्दे की आड़ से ही छुटका कह गया, "मैंने अपने पी.ए. से कह दिया है। वह ग्यारह बजे तक आप लोगों को लेने आएगा वही अम्मा के सब टेस्ट्स करवा देगा। अम्मा, आप सुबह कुछ खाइएगा नहीं, सब जाँच ख़ाली पेट ही होगी।"

शिवसागर सन्न रह गए थे, मृत्युद्वार पर खड़ी जननी को स्वयं दिखाने का भी समय नहीं है पुत्र को? आधी रात को आँखें खुलीं तो देखा, पार्वती उकड़ूँ होकर बैठी, दोनों घुटनों के बीच सिर छिपाए सिसक रही है।

वे हड़बड़ाकर उठे और दोनों हाथों से सिसकती पार्वती पर झुक गए, "क्या बात है पार्वती, कहाँ तकलीफ़ है?"

"मुझे अभी घर ले चलो जी, यहाँ मेरा दम घुटा जा रहा है।"

"ठीक है, ठीक है पार्वती, हम कल ही लौट जाएँगे। अभी इतनी रात को तो कोई सवारी भी नहीं मिलेगी, आओ सो जाओ।" उन्होंने उसे ऐसे पुचकारा जैसे किसी अबोध बालिका को पुचकार कर मना रहे हों। आज्ञाकारिणी बालिका-सी ही वह चुपचाप पति के पार्श्व में सो गई और अपने कृशकाय बाहुपाश में उसने पति को ऐसे जकड़ लिया जैसे वह उसे छोड़कर कहीं भाग रहा हो। ऐसा तो उसने पहले कभी नहीं किया था, एक अज्ञात आशंका से शिवसागर का हृदय काँप उठा, यह कैसा बचपना कर रही थी वह? क्या किसी चिरन्तन वियोग की आशंका ही उसे ऐसे त्रस्त कर रही थी, या बेटे-बहू की बेरुख़ी से डरकर वह भयभीत कपोती-सी उसे ऐसे जकड़े जा रही थी? उसकी दुबली-पतली देह का अविराम कम्पन, स्वयं दीर्घदेही शिवसागर की चट्टान-सी देह को थरथर कँपा रहा था। तब क्या यही मृत्युकम्प था? कभी-कभी वह फुसफुसाकर कहती, "वह आ रहे हैं, वह देखो, वहाँ।"

"कहाँ, कौन आ रहे हैं पार्वती? यहाँ तो कोई भी नहीं है। रुको, मैं बत्ती जला दूँ।" किसी तरह उसके बाहुपाश से अपने को मुक्त कर शिवसागर उस अनजान कमरे की परिक्रमा कर दीवारों पर स्विच ढूँढ़ने लगे और द्वार से टकरा गए। ललाट पर गूमड़ उभर आया पर स्विच नहीं मिला। हारकर वे पार्वती के पास आकर लेट गए, वह चुपचाप पड़ी थी। क्लान्त, टूटी, निश्चेष्ट।

कहीं सब कुछ शेष तो नहीं हो गया? घबराकर उन्होंने अपनी हथेली उसकी नाक से सटा ली—नहीं, साँस चल रही थी।

"हे भगवान, यदि मैंने जीवन-भर कोई पाप नहीं किया हो तो इसे इस घर में कुछ न हो, यह उसी घर से जाए, जहाँ इसकी स्मृतियों से भरा अशर्फ़ियों का घड़ा गड़ा है।"

भोर हो गई थी। सहसा कहीं कौए एक साथ काँव-काँव कर उठे। सड़क पर दो-तीन कुत्ते विकृत स्वर में विलाप कर उठे, एक टिट्टिभ चीख़ती आकाश

की शून्यता को चीरती निकल गई। सूर्य की पहली किरण पार्वती के सफ़ेद चेहरे पर पड़ी, आश्विन के श्वेत फेनिल मेघ ही जैसे उसके चेहरे पर आकर बिखर गए थे। अपनी देह पर झुके चिन्तातुर चेहरे को देख उसने हँसने की चेष्टा की पर ललाट पीड़ा से संकुचित हो गया। "क्या बात है पार्वती, बहुत कमज़ोरी लग रही है ना।"

एक बार उसके काँपते अधर फिर दयनीय चिरौरी में सिमट गए, "अब तो भोर हो गई, मुझे घर ले चलो जी।"

"ठीक है, तुम लेटी रहो, अभी सब सो रहे हैं, जागने पर जाने नहीं देंगे। मैं सवारी ले आता हूँ।" फिर थोड़ी ही देर में शिवसागर स्कूटर ले आए, घर से बाहर ही रुकवा आए थे, जिससे उसकी खर्र-खर्र से कोई जाग न पड़े। ऐसी हालत में पार्वती को बिना आरक्षण के कैसे ले जा पाएँगे, यह बात भी सोचने का अवकाश नहीं था उन्हें, पहले सामान धरा, फिर क्रुद्ध आशुतोष-से पत्नी की देह कन्धे पर डाल वे स्कूटर में बैठ गए।

यार्ड में खड़ी ट्रेन सहारनपुर जा रही थी, टिकट लेकर उसी में बैठ गए। जाए किसी भी पुर यह मनहूस शहर तो पीछे छूटेगा। उस धूल का एक-एक कण बिच्छू बना उन्हें हर पल डंक दे रहा था। इस शहर को छोड़ते ही पार्वती ठीक हो जाएगी। उनका अनुमान ठीक था। गाड़ी के चलते ही पार्वती उनकी गोद में सिर धर गहरी नींद में डूब गई।

न जाने कितनी बार गाड़ी बदली, कभी ट्रेन और कभी बस में लम्बा सफ़र तय कर दोनों अपने घर पहुँचे तो रात हो आई थी। अब कैसा भय! कुम्भीपाक नर्क से निकल अब वे दोनों अपने नन्दन कानन में पहुँच गए थे। यहाँ से उनकी पार्वती को खींच ले जाएँ इत्ते बाल थे क्या यमराज की छाती में?

दूसरे दिन तड़के ही बद्री आ गए, शिवसागर कुछ न पूछे जाने पर भी निरन्तर पुत्र के वैभव का वर्णन किये जा रहे थे, "दो-दो कारें खड़ी रहती हैं दरवाज़े, एक दफ़्तर की दूसरी अपनी। बहुत बड़ी कोठी है, पर पैर कहाँ टिक पाता है बेचारे का। अभी प्रधानमंत्री के साथ जापान गया, उससे पहले वॉशिंगटन। बहुत मानते हैं उसे।"

"अब चुप भी करो साले, दाई से पेट नहीं छिपता है! हम जान गए हैं कि खोटे सिक्के से ही फेर दिये गए हो। हम क्या इन अफ़सर बेटों को नहीं जानते? पर हमें बुरा यह लग रहा है बिरादर, हमारे चन्दर ने और उसकी बहू ने हमें कान पकड़कर निकाल बाहर किया, तो हमने चट तुमसे सब उगल दिया। एक तुम हो कि हमीं को उल्लू बनाए जा रहे हो।" मुँहफट मित्र का उपालम्भ दोनों को निर्वाक् बना गया।

"ठीक कहते हो बद्री, हम इससे रास्ते-भर यही कहते रहे कि तुझे गाँववालों ने पूतोंवाली का ख़िताब दिया, इससे तो निपूती कहा होता। वह जो कविता हमने बचपन में पढ़ी थी बद्री, कि :

पाँच पूत रामा बुढ़िया के, बाक़ी बचा न एक वही हो
गया हमारे साथ।"

"चुप भी करो," पार्वती का क्षीण स्वर भी एक पल को तीखा हो उठा, "ऐसी अमंगली बात मुँह से मत निकालो, पाँच-पाँच बेटों के रहते मैं क्यों निपूती होने लगी?"

"मैं जानता हूँ बिरादर," बद्री ने अधजली बीड़ी रगड़कर बुझा कान में खोंस ली। भाभी को बीड़ी का कड़वा धुआँ बहुत बुरा लगता था, "यह दर्द कभी जाता नहीं, औलाद की दाग़ी गई गोली, चिता में चढ़ने तक कलेजे ही में धँसी रहती है," उसी गोली को कलेजे में लिये बद्री, पिछले दस सालों से ऐसे ही घूम रहे थे। ठीक दस वर्ष पूर्व वे भी पुत्र के बिन बुलाए पाहुने बनकर गए थे। बम्बई का नाम तो सुना था पर कभी वहाँ जा भी पाएँगे, यह बात उन्होंने सपने में भी नहीं सोची थी, बेटे ने विवाह अपनी ही पसन्द का किया था, पर लड़की अपने ही समाज की थी। तीन-चार साल तक कभी-कभार बेटा बूढ़े बाप को आकर देख जाता पर अपने साथ रहने का आग्रह न बेटे ने किया, न बहू ने। अब तो उन्हें अपने विधुर जीवन की आदत पड़ गई थी पर तब घरनी गई ही थी, घर काटने को दौड़ता। फिर उन्हें पौत्र जन्म का तार मिला। ख़ुशी से बौरा ही गए थे बद्री। पाँच रुपए

के बताशे मँगवा, सारे गाँव की नाते-रिश्तेदार की स्त्रियों को न्योत, सोहर भी गवा लिये थे।

"कब जा रहे हो बद्री काका, पोता देखने? तनी यहाँ तो बुलाओ ना, हम भी देख लें।"

"जाएँगे-जाएँगे, ऐसी जल्दी क्या है, अभी तो बहू अस्पताल ही में है, आराम से जाएँगे।"

पर जाने की वह तिथि कभी नहीं आई। एक-एक कर बच्चे के दो जन्मदिन बीत गए। फिर तीसरे जन्मदिन में वे स्वयं कुछ देहाती फूहड़ स्वेटर और रंग-बिरंगे कनटोप लेकर पहुँच गए थे। बुद्धिमानी यही की थी कि आने का तार दे दिया था, नहीं तो कहाँ भटकते उस सुरसा से मुँह फैलाए शहर में। उन्हें लेने बहू-बेटे स्टेशन आए तो थे, पर दोनों का चेहरा पिता के देहाती लिबास को देखकर लटक गया था। पीली पड़ गई धोती, नीली फूलदार मिरजई निरन्तर तेल-मर्दन से एकदम काली पड़ गई थी, पैरों में चमरौधा जूता और बीभत्स टीन का बक्सा। क्या बँगला था चन्दर का और कैसी सजावट! आया पोते का हाथ पकड़कर घुमा रही थी। उन्होंने झट से पोते की बन्द मुट्ठी में पाँच का मुड़ा-तुड़ा नोट थमाया तो कलमुँही आया मुँह फेरकर हँसने लगी—उसने इस बच्चे की पहली नैपी धोने का नेग ही एक सौ एक रुपया लिया था। फिर तो दूसरे ही दिन से मिरजई-कनटोप पहन बद्री दूबे, निरंकुश मस्ती में पुत्र की कोठी का चक्कर लगाने लगे। कभी चौकीदार से बतियाते, कभी नौकर से, कभी नन्हे पोते पर प्यार उमड़ता कि उसे चूम-चाटकर बेहाल कर देते। उनकी इन सस्ती हरकतों से बहू का ख़ून खौल उठता।

सुबह उठते तो साथ लाई दातूनों के गट्ठर से एक निकाल, घंटों चबाते, कान पर जनेऊ डाले घूमते रहते। फिर पूरे हाथ को कंठनली में डाल विचित्र भयावह शब्द करते खखारते और फिर लॉन की झाड़ियों के पीछे ही लघुशंका से निवृत्त होने बैठ जाते। खाना अपने कमरे में ही खाते। महीने का आटा आठ ही दिन में साफ़ होने लगा। रोटियों पर रोटियाँ दागते चले जाते, उस पर कहते, "भई, तुम्हारी बम्बई की सब्ज़ियों में स्वाद नहीं है।"

"स्वाद होता तो पता नहीं कितना भकोसते।" बहू की हड्डियाँ जल-भुनकर ख़ाक हो जातीं, यह सब सुनकर पूरे पन्द्रह दिन बीत गए, तब ही यह भयंकर दुर्घटना घट गई थी। कोका-कोला बद्री दूबे ने कभी पिया नहीं था, बेटे के यहाँ पूरा क्रेट धरा रहता। पहले-पहल तो बड़े संकोच से कभी-कभार एक-आध बोतल पी लेते पर एक दिन घर पर अकेले ही थे, इधर-उधर देख आधा क्रेट ही रिक्त कर दिया उन्होंने। घूम-घामकर बेहद थक गए थे, रात को सोए तो गहरी नींद आ गई। फिर सोते में पेशाब कर बैठे।

"साहब, चाय," कहकर बेटे का नौकर सिरहाने चाय का गिलास थामे खड़ा था, वे हड़बड़ाकर उठ बैठे। दुष्टता से मुस्कराता नौकर बड़े मनोयोग से उस जलकुंड को देख रहा था। बुढ़ापे में कभी-कभी ऐसा भी हो सकता है, यह बात पच्चीस बरस का मुस्टंडा क्या समझता।

वे खिसियाए, ग़ुसलख़ाने में भीगी चादर धोने जा ही रहे थे कि बहू-बेटे दोनों तमतमाया चेहरा लेकर उनके कमरे में आ गए, "छि:-छि: बाबूजी, आप क्या यहाँ हमारी नाक कटवाने ही आए थे? सब नौकर हँस रहे हैं। मुँह दिखाने लायक़ नहीं रखा हमें। लीजिए।" सौ-सौ के तीन नोट उनकी मेज़ पर पटक चन्दर ने कहा, "मैंने ड्राइवर से कह दिया है, दस बजे गाड़ी जाती है, आपको बिठा आएगा।" बद्री दूबे का चेहरा तमतमा उठा, उन्होंने मुँह नहीं खोला। चादर वहीं पटकी और अपना इधर-उधर फैला सामान थैले में भरने लगे। फिर बिना बहू-बेटे की ओर एक बार भी देखे, वे अपने भद्दे जूते फटफटाते बाहर निकल गए। इसके बाद उन्होंने कभी पैर गाँव से बाहर नहीं निकाला।

"अब यहाँ से सीधे घाट ही जाएँगे बिरादर, समझे? हमारे लिए चन्दर मर गया, मर गया उसका बेटा और उसकी बहू। निपूते हो गए हैं हम और आज पूतोंवाली पार्वती भी उनकी बिरादरी में आ गई।"

संध्या होते ही पार्वती की हालत में और सुधार हो गया। उसने स्वयं माँगकर कटोरा दूध पिया, बिस्तर पर ही कंघी-चोटी की, भीगे गमछे से मुँह पोंछा, बड़ी-सी टिकुली लगाई, मांग भरी, फिर हँसकर दोनों मित्रों से कहा, "जाइए, आप लोग टहल-वहल आइए, रोज़ाना जैसे जाते हैं, हम अब ठीक हैं।" दोनों निश्चिन्त हो, कुंडी चढ़ा घूमने निकल गए। मंगल था, महावीर जी के दर्शन किये, प्रसाद चढ़ाया और लौट पड़े। रास्ते-भर बेटे-बहुओं के दुर्व्यवहार की व्याख्या के पारस्परिक आदान-प्रदान से दोनों के चित्त फूल के हल्के हो गए थे।

कुंडी खोलकर भीतर गए तो मूर्तिवत खड़े ही रह गए। पूरा श्रृंगार किये पूतोंवाली धरा पर पड़ी थी।

शिवसागर जैसे पत्थर बन गए थे, न आँखों में आँसू, न अधरों का कम्पन। वह ध्यानमग्न उस जितेन्द्रिय सिद्ध से पार्वती के सिरहाने अडिग बैठे थे, जिसने अपनी तस्कर रूपी छहों इन्द्रियों को पालतू कुत्ते-सा बाँध लिया हो।

"ज़ोर से रोकर निकाल दो सब दरद, नहीं तो पगला जाओगे।"

पर वे नहीं रोए। एकटक क्या देख रहे थे उस निश्चेष्ट देह में?

पूरी रात ऐसे ही कट गई थी। इस बिछोह की घड़ी में वे किसी प्रकार का व्याघात नहीं चाहते थे। सुबह होते ही बद्री दूबे खड़े हो गए थे। "बेटों का पता दे दो, ख़बर करनी होगी।"

"नहीं," मेघ-से गरज पड़े थे शिवसागर मिश्र, "मेरा कोई बेटा नहीं है, निपूती ही रही, उसे निपूती ही जाने दो।"

ख़बर पाते ही पूरा गाँव उमड़ पड़ा था—पैरों की धूल लेने गाँव की बहू-बेटियाँ एक-दूसरे पर गिरी जा रही थीं।

"पूतोंवाली काकी सुहागन चिता चढ़ रही है, अरी सब पैर छू लो," बड़ी-बूढ़ियाँ कह रही थीं।

मुट्ठी-भर की देह को भस्मीभूत होने में आधा घंटा भी नहीं लगा। दोनों मित्र हारे-थके जुआरी-से घर लौटे तो संध्या सघन हो चुकी थी। अर्थी के कुछ मुरझाए फूल अभी भी देहरी पर पड़े थे—बाहर झमाझम पानी बरसने

लगा था। बीच-बीच में बिजली की चमक आँखें चौंधिया रही थीं। तभी दिल दहलाने वाली गर्जना के साथ कहीं बिजली गिरी।

"वह पहुँच गई।" उन्मुख लाल-लाल आँखों से बद्री को देख, शिवसागर मिश्र ने पहली बार मुँह खोला।

"कौन?" आश्चर्य से मित्र की विचित्र दृष्टि और उससे भी विचित्र मुस्कान से त्रस्त होकर बद्री ने पूछा, "कौन पहुँच गई है?"

"पूतोंवाली, वहाँ।" कह शिवसागर ने अपनी प्रलम्ब भुजा आकाश की ओर उठा दी।

आभार

फ़रवरी, 2004 में हमें पता चला कि जिया को जीभ का कैंसर हो गया है। जिया को मैंने सास कभी न माना और न उन्होंने मुझे कभी बहू समझा। हमारा रिश्ता हमेशा एक माँ-बेटी का सा रहा शायद इसलिए कि हम एक-दूसरे से सब कुछ कह लेते थे। यूँ समझिए कि वह मेरी अन्तरंग सहेली भी थीं और माँ भी। उनकी बीमारी से हम भी उतने ही आहत हुए जितनी वे थीं और मैंने इस पुस्तक को चार महीनों में ताबड़तोड़ रफ़्तार से लिखा जैसे कि जब तक पढ़ सकती थीं वे उसे किसी तरह पढ़ लें। उन दुखद दिनों को इसी पुस्तक के सहारे मैं काट पाई थी। जब उन्होंने इसे पूरा पढ़ लिया तब तक उनके लिए बोल पाना असम्भव हो चुका था। इसलिए उन्होंने मुझे एक पृष्ठ पर 'इसके लिए मैं तुम्हें नोबेल पुरस्कार प्रदान करती हूँ' लिखकर मूक शाबाशी दी। उनके इस आशीर्वाद और उनसे मिले अपार स्नेह की स्मृति में मैं यह पुस्तक उन्हें सादर समर्पित करती हूँ।

मेरे भाई व बहनों ने मुझे दिद्दी की सब पुस्तकों से मनचाहे ढंग से खिलवाड़ करने की अनुमति ही नहीं दी, मेरी हर समस्या

का समाधान भी सुझाया। नीता ने इसके हिन्दी अनुवाद में मुझे अपना पूरा समर्थन ही नहीं प्रोत्साहन भी दिया। मेरी हिन्दी कुछ ढीली ही है लेकिन मुझे आशा है पाठक मुझे शिवानी के दर्जे से हटकर पढ़ेंगे।

अन्त में, मैं अपने तीन बेटों अपूर्व, आदित्य और आफ़ताब व बहू चिन्मया और पोती अन्वया को इस पुस्तक में नानी की यादें दिखाना चाहती हूँ। अमित ने मुझे जो दिया है और जिस तरह निभाया है, उसके लिए मेरे पास शब्द नहीं हैं।

नई दिल्ली
अगस्त, 2008

इरा पाण्डे

साथ जुड़ें साथ पढ़ें